D0031256

ALEXANDER VON HUMBOLDT

DOUGLAS BOTTING

Alexander von Humboldt

BIOGRAPHIE EINES

GROSSEN

FORSCHUNGSREISENDEN

PRESTEL VERLAG MÜNCHEN

Die Originalausgabe erschien 1973
unter dem Titel ›Humboldt and the Cosmos‹
bei George Rainbird Ltd. in London

© Douglas Botting 1973
Deutsche Ausgabe © Prestel-Verlag München 1974

Deutsch von Annelie Hohenemser

ISBN 3 7913 0085 7
Druck von C. Brügel & Sohn
Ansbach 1974

INHALT

ERSTES KAPITEL

Der kleine Apotheker

Friedrich Wilhelm Karl Heinrich Alexander von Humboldt – Gelehrter, Entdecker, Liberaler und letzter der großen universal gebildeten Männer – wurde am 14. September 1769 im Berlin Friedrichs II. geboren, in demselben Jahr wie Napoleon, Wellington, Canning, Chateaubriand und Cuvier, die später zu seinem mehr oder minder engen Freundeskreis gehören sollten. Sein Vater, der Seite an Seite mit dem Herzog von Braunschweig im Siebenjährigen Krieg den Stutzsäbel geschwungen hatte, war später Kammerherr des Königs geworden. Er heiratete Elisabeth von Colomb, eine wohlhabende Witwe. Aus dieser Zweck-Ehe gingen zwei Söhne hervor: Wilhelm, 1767 geboren, und Alexander. Beide Knaben wurden auf Schloß Tegel erzogen, dem Familiensitz, der zwölf Meilen nördlich von Berlin, inmitten von Kiefernwäldern und Sanddünen liegt. Hier erfuhren sie, daß Glück nicht unbedingt ein Erbteil Bevorrechteter sein muß.

Alexander verlebte keine heitere Kindheit, und es gab Zeiten, in denen er sich äußerst elend fühlte. Was die elterliche Liebe betraf, so hätte er ebensogut ein Waisenkind sein können. Sein Vater, ein warmherziger und liebenswerter Mann, starb, als Alexander erst neun Jahre alt war. Seine Mutter, die nach dem Tod ihres Mannes dem Hauswesen vorstand, war unnahbar, nüchtern, selbstgenügsam und puritanisch. Einer normalen, mütterlichen Wärme scheint sie nicht fähig gewesen zu sein, obwohl ihr die Zukunft ihrer Kinder sehr am Herzen lag und sie sich bemühte, den Söhnen die beste Erziehung zu geben. Doch da keine natürliche Zärtlichkeit von ihr ausging, wurde ihr selbst auch keine zuteil. Die Brüder wuchsen in einer lieblosen Atmosphäre auf, in der Arbeit und Leistung Liebe und Spiel ersetzten. Da sie alle selbstverständlichen Freuden einer Kindheit entbehren mußten, schlossen sie sich eng aneinander an und wuchsen wie Zwillinge auf. Besonders für Alexander, der ein überschwengliches, lebendiges Naturell hatte, wurde die repressive Atmosphäre im Haus seiner Mutter zum Fluch.

Beide Knaben wurden von einem Hauslehrer unterrichtet. Ihr erster Erzieher, Joachim Heinrich Campe, ein pedantischer junger Mann, Autor von Jugendbüchern, brachte ihnen Lesen, Schreiben und Rechnen bei. Wichtiger wurde sein Nachfolger, Gottlob Christian Kunth, ein armer Pastorensohn. Er war gerade zwanzig Jahre alt, als er in das Humboldtsche Haus kam, und er blieb ihm bis zu seinem Tod, fünfzig Jahre später, verbunden. Kunth war offenbar ein gebildeter junger Mann von guten Manieren, und Frau Humboldt schenkte ihm großes Vertrauen. Schließlich überließ sie ihm nicht nur die Verantwortung für die Erziehung ihrer Söhne, sondern übertrug ihm auch die Verwaltung ihrer Besitzungen. Er war ein Bewunderer der freisinnigen Ideen von Rousseau, er vermittelte den Knaben die grundlegenden Kenntnisse in Geschichte und Mathematik und legte großen Wert auf Sprachen. Als sie älter wurden, suchte er Fachlehrer für sie aus, die ihnen in ihrem Berliner Stadthaus Spezialunterricht erteilten – ein pädagogisches System, das unaufhörliche angestrengte Arbeit erforderte.

Dennoch waren Alexanders Nebenbeschäftigungen wichtiger als sein vorgeschriebenes Arbeitspensum. Bereits in früher Jugend zeigte er ein auffallendes Interesse an der Naturgeschichte, und zwar so sehr, daß er zu Hause den Spitznamen ›der kleine Apotheker‹ erhielt. Blumen, Schmetterlinge, Bienen, Muscheln und Steine waren ihm die liebsten Spielsachen; um sie zu suchen, wanderte er ganz allein durch die Wälder und Dünen von Tegel. In dem Zimmer, das er mit seinem Bruder teilte, sortierte und etikettierte er dann seine Sammelobjekte.

In dem einsamen, vertrauten Umgang mit der Natur fand er Zuflucht vor den ihm auferlegten Zwängen. Noch mehr halfen ihm die Bücher, die er in seiner freien Zeit las, in die Traumwelt fremder Reisen und Abenteuer zu entfliehen.

Er wuchs in einem Zeitalter wagemutiger Forschungs- und Entdeckungsreisen auf. La Condamine war den Amazonas hinabgesegelt, Carsten Niebuhr hatte das unbekannte Arabien durchquert, James Bruce war bis zu den Quellen des Blauen Nils gelangt. Und als Alexander zehn Jahre alt war, hatte Kapitän James Cook, in Begleitung von Männern wie Banks und den beiden Forsters, die ganze Ausdehnung des Pazifischen Ozeans erkundet. Die Bücher, die Alexander über diese kühnen Unternehmungen las, übten eine »geheime Faszination«, auf ihn aus, die zeitweise »nahezu unwiderstehlich« war. Insbesondere entfachten Georg Forsters lebendiger Bericht über die Südsee-Inseln und eine von Hodge gemalte Szene am Ganges sowie ein riesiger Drachenbaum in einem alten Turm des Botanischen Gartens in Berlin eine romantische Zuneigung zu den Tropen, die in den Werken von Rousseau, Buffon und Bernadin de St. Pierre idealisiert wurden.

Schon im Alter von elf bis dreizehn Jahren zeigte sich deutlich, daß sich die beiden Brüder in sehr unterschiedlichen Richtungen entwickeln würden. Wilhelm war das Idol der Familie. Er erwies sich als so begabt im Unterricht, daß seine Mutter beschloß, ihn für ein höheres Staatsamt ausbilden zu lassen. Mit Alexander war es problematischer. Er lernte langsam, fühlte sich sehr häufig elend und erschöpft, so daß er sein tägliches Arbeitspensum nur mit äußerster Anstrengung bewältigen konnte. Er war ein unruhiges Kind, und Besucher des Hauses beschrieben ihn als einen ›petit esprit malin‹. Er wollte gern Soldat werden, doch sein einziges Talent schien auf künstlerischem Gebiet zu liegen. Die Wände im Schlafzimmer seiner Mutter waren mit Bildnissen und Landschaften behängt, die er in seinen Mußestunden gemalt hatte. Frau von Humboldt hatte offenbar weniger Vertrauen in die Aussichten ihres jüngeren Sohnes, denn für ihn suchte sie eine weniger ambitiöse Laufbahn in der preußischen Verwaltung aus, eine langweilige Ausbildung in der Volkswirtschaftslehre. Und was die Naturwissenschaften betrifft, so erhielt Alexander nie irgendwelche Unterrichtsstunden auf einem ihrer Gebiete, noch zeigte er das geringste Interesse dafür.

Das Berlin jener Zeit war eine provinzielle und spießbürgerliche Stadt von 140000 Einwohnern, und deshalb erscheint Alexanders Unwissenheit kaum überraschend. Die Naturwissenschaften stellten weder einen anerkannten Bestandteil des Unterrichtsplanes eines Knaben dar, noch waren sie ein fester Bestandteil der kulturellen Umwelt; sie besaßen kein Ansehen und erhielten nur wenig Ermunterung. Der deutsche Durchschnittsgelehrte hatte kaum etwas von Kant gehört, er zog Hypothesen wildester Art den exakten Methoden von Experimenten und Beobachtung vor. Die Berliner Akademie der Wissenschaften war ein Witz. Ein gelehrtes Akademiemitglied hielt eine Vorlesung über die Sonne, in der er angeblich aufgrund unumstößlicher Beweisführung zu dem Schluß kam, daß die Sonne ein Küchenofen sei und die Sonnenflecken Rußhaufen. Ein anderes Akademiemitglied verkündete, er habe entdeckt, wie man Gold aus flüchtigem Salz machen könne, während wieder ein anderes entschied, die Pyramiden (die er nie gesehen hatte) seien in Wirklichkeit Vulkane.

Doch es gab auch Ausnahmen von diesem allgemeinen Niveau der Mittelmäßigkeit, und Alexander durfte sich glücklich preisen, daß er bereits mit sechzehn Jahren bei einem dieser Männer eingeführt wurde – dem jüdischen Physiker Marcus Herz. Herz war ein ergebener Schüler von Kant und hielt in seinem Haus eine allgemein verständliche Vorlesungsreihe über Physik und Philosophie, die er mit bemerkenswerten wissenschaftlichen Versuchen illustrierte. Dies waren die ersten Experimente, die Alexander je gesehen hatte. Sie machten einen solchen Eindruck auf ihn, daß von diesem Augenblick an seine Neigung zu einer wissenschaftlichen Laufbahn wuchs.

Die wissenschaftlichen Abendgesellschaften bei Marcus Herz hatten allerdings noch zwei weitere Folgen. Nachdem

Alexander einen Versuch über die Prinzipien von Benjamin Franklins Blitzableiter beobachtet hatte – eine Erfindung, die viele Geistliche als eine direkte Einmischung in den göttlichen Willen verdammten – veranlaßte er, daß ein Blitzableiter auch auf Schloß Tegel installiert wurde: vermutlich der erste dieser Art in Berlin. Außerdem, und das war natürlich von weit größerer Bedeutung für ihn, begegnete er Marcus' Frau, Henriette Herz.

Henriette war damals 22 Jahre alt – siebzehn Jahre jünger als ihr Mann. Sie war eine Frau mit viel Charme und Verstand und in ganz Berlin wegen ihrer Schönheit berühmt. »Wenn Sie das Opernhaus und Henriette Herz nicht gesehen haben«, pflegten die Berliner zu sagen, »dann haben Sie Berlin nicht gesehen.« Sie flirtete gern und verstand es, einen Kreis junger, und wenn möglich geistvoller Männer um sich zu sammeln. Es dauerte nicht lange, und Wilhelm und Alexander gehörten zu ihrem witzigen und glanzvollen Circle. Wahrscheinlich ist Alexander dieser dunkeläugigen Jüdin näher gekommen als jemals wieder irgendeiner anderen Frau. »Es ist«, schrieb er, »die schönste und auch die klügste, nein, ich muß sagen, die weiseste unter den Frauen . . .«. Beide besaßen offenbar dieselbe Art von Fröhlichkeit und den gleichen Sinn für Humor, dasselbe quirlige, überschäumende Temperament und die gleiche zupackende Intelligenz. Alexander, der in der gefühlsarmen Atmosphäre einer kühlen Mutter und eines unpersönlichen Hauslehrers aufgewachsen war, kam hier zum ersten Mal mit weiblicher Wärme und Zuneigung in Berührung.

Henriette selbst – teils Mutter, teils Schwester, teils Freundin ihres jungen Schützlings – genoß dessen Bewunderung. Er war ein witziger, liebenswerter und gutaussehender junger Mann und galt als vorzüglicher Tänzer. Er war der erste, der Henriette die Schritte des neuen ›Minuet à la Reine‹ lehrte, und er sandte ihr viele amüsante und »schrecklich lange« Briefe. Er schrieb englisch, wenn er prahlen wollte, und hebräisch, wenn er etwas Vertrauliches zu sagen hatte. Häufig datierte er die Briefe, die er in Tegel schrieb, mit ›Schloß Langweil‹.

Es war damals nicht gerade sehr passend für einen Berliner, erkennen zu lassen, daß er die Gesellschaft von Juden bevorzugte. Sie besaßen nicht die geringsten Bürgerrechte, doch außer bei ihnen bot sich in der Hauptstadt kein geistiges Leben. Die kleinen glanzvollen Gesellschaften von Herz und Moses Mendelssohn mit seinen Söhnen und deren emanzipierten Frauen, die Unterhaltungen über moderne Wissenschaften und fortschrittliche Literatur, erschienen Wilhelm und Alexander wie Oasen nach langen Wüstenmärschen.

Im Oktober 1787 begannen die beiden Humboldt-Brüder ihr Universitätsstudium in Frankfurt an der Oder. Begleitet wurden sie von ihrem stets wachsamen und verantwortungsbewußten Betreuer Kunth, der von ihrer Mutter beauftragt war, auf ihr sittliches Wohlverhalten zu achten. Diesen unkultivierten Ort hatte man vor allem wegen seiner Nähe zum mütterlichen Hause in Tegel ausgesucht, das nur eine Tagesreise mit der Kutsche entfernt lag, weniger wegen seines akademischen Rufes. Die Stadt war klein, eintönig und provinziell, und ihre Universität keineswegs geeignet, die jungen Intellektuellen Deutschlands zu erleuchten. Die Studentenschaft bestand aus etwas mehr als zweihundert jungen Leuten, meist Söhnen von pommerschen Adeligen, und der Lehrkörper setzte sich aus einer Handvoll trägen und ausdruckslosen Professoren zusammen. Es fanden keine wissenschaftlichen Vorlesungen statt; die Universitäts-Bibliothek war schlecht bestückt, und es gab nur eine kleine Buchhandlung in der Stadt. Weil seine Mutter darauf bestand, begann Alexander Volkswirtschaft zu studieren, als Vorbereitung für den preußischen Verwaltungsdienst. Doch dieses Fach wurde von den Studenten sehr abfällig beurteilt, weil es – selbst bei geringster Anstrengung – unvermeidlich zu einem akademischen Grad und einer angesehenen Position führte, und die Art, wie es gelehrt wurde, war stümperhaft. Die Studenten lernten Pläne für eine Branntweinbrennerei, eine Teerhütte oder eine Weizenmühle zeichnen; sie lernten, wieviel Fäden Leinwand und Taft im verschlungenen Gewebe haben sollen; sie lernten, wie

Käse gemacht und Eisen geschmolzen wird, oder wie man Raupen und schädliche Insekten vertilgt; doch von den höheren Begriffen der Staatsökonomie hatten sie nicht die geringste Ahnung.

Das einzig faßbare Ergebnis dieses Winters, den der achtzehnjährige junge Mann an den vereisten Ufern der Oder verbrachte, war eine dieser plötzlich aufblühenden, intensiven Männerfreundschaften, von denen es später noch zahlreiche geben sollte. In diesem Fall handelte es sich um einen unbekannten, jungen Theologiestudenten namens Wegener, dem Alexander endlose und oft sentimentale Briefe schrieb, voll von Beteuerungen seiner ewigen, brüderlichen Liebe und von Traumbeschreibungen, die seine ersehnte Verbindung mit dem Freund symbolisierten. So flüchtig diese Beziehung auch war, scheint sie dennoch ein verzweifeltes Bedürfnis bei Humboldt erfüllt zu haben. Und in ihr läßt sich das künftige Muster seines unbefriedigten und letztlich unerklärlichen Privatlebens erkennen; das Rätsel des warmherzigen, leidenschaftlichen, bindungslosen und vermutlich keuschen Erwachsenen, der er werden sollte.

Bereits nach sechs Monaten, im Frühling 1788, verließen die Humboldtbrüder Frankfurt wieder; Wilhelm, in dem die Mutter noch immer den hoffnungsvolleren ihrer Söhne sah, fuhr sogleich nach Göttingen zur Universität, um dort Jura zu studieren. Alexander dagegen verbrachte das nächste Jahr zu Hause. Er studierte dort mit Hilfe von Privatlehrern Fabrikationsprozesse und Altgriechisch, und er entwickelte eine zunehmende Vorliebe für Botanik – was in dem damaligen Berlin eine höchst auserlesene Betätigung war.

Vor seinem 18. Lebensjahr hatte Alexander nie etwas von Botanik gehört. Nun wurde sein Interesse durch seine Freundschaft mit einem 22-jährigen Mann, Karl Ludwig Willdenow, angefeuert, denn dieser hatte gerade eine ›Flora von Berlin‹ veröffentlicht. Tatsächlich hörte Alexander niemals irgendwelche Vorlesungen über Botanik, doch Willdenow pflegte die Pflanzen, die er ihm mitbrachte, zu klassifizieren, und von nun an wurde dies auch seine Liebhaberei. Allein schon der Anblick einer exotischen Pflanze, selbst getrocknet in einem Herbarium, begeisterte ihn so sehr, daß sein Verlangen immer stärker wurde, die tropische Vegetation der südlichen Länder mit eigenen Augen zu sehen.

Im Frühling 1789 begab sich Alexander zu seinem Bruder an die Göttinger Universität, die damals als führend in Deutschland galt. Er wohnte in demselben Haus wie der junge Graf Metternich und studierte eine Vielzahl von Fächern bei berühmten Professoren wie Christian Gottlob Heyne, einem der Begründer der klassischen Philologie und Archäologie. Außerdem unternahm er seine erste geologische Geländefahrt, deren Resultat eine kleine wissenschaftliche Arbeit über die ›Basalte am Rhein‹ war. Scheinbar hat er sich auch bereits einen fest umrissenen Plan für sein weiteres Leben entworfen, an welchem er für den Rest seiner Tage festhielt. Er werde sich niemals von einer starken Leidenschaft hinreißen lassen, schrieb er. »Ernsthafte Geschäfte und am meisten das Studium der Natur werden mich von der Sinnlichkeit zurückhalten.«

Alexanders Universitätsstudium in Göttingen dauerte nicht länger als ein Jahr. Doch am Ende dieser Zeit besaß er solide Grundkenntnisse in Physik und Chemie und begann zu begreifen, in welcher Richtung seine eigentliche Neigung lag. Noch wichtiger war, daß er in Göttingen mit Georg Forster zusammentraf, dem »hellsten Stern seiner Jugend«, unter dessen nachhaltigem und einzigartigem Einfluß sein weiteres Leben stand.

Die beiden Männer lernten sich bei Heyne kennen, dessen Tochter Forster geheiratet hatte. Forster war zur Zeit ihrer Begegnung 36 Jahre alt und in ganz Deutschland berühmt. Daß die beiden Männer sofort ihre Wesensverwandtschaft empfanden, überrascht kaum, denn Forster verkörperte auf mannigfaltige Weise Alexanders Vorbild: als Entdecker, Naturforscher, Geograph, Sprachwissenschaftler und berühmter Schriftsteller. Er war 1754 in der Nähe von Danzig geboren worden, der Sohn von Reinhold Forster, einem ungestümen

Kirchenmann und glänzenden Amateurwissenschaftler schottischer Abstammung. 1766, als Georg zwölf Jahre alt war, wanderte er mit seiner Familie nach England aus, und 1772, im Alter von achtzehn Jahren, wurde er – zusammen mit seinem Vater – aufgefordert, Kapitän James Cook bei seiner zweiten Reise um die Welt als naturwissenschaftlicher Zeichner zu begleiten. Georg Forsters Bericht von dieser Reise ›A Voyage Round The World‹, Reisebeschreibung und gleichzeitig wissenschaftliches und literarisches Werk, wurde zuerst 1777 in London veröffentlicht. In deutscher Fassung, ›Die Reise um die Welt‹, erschien es ein Jahr später in Berlin. In Deutschland begründete das Buch sofort den Ruhm Forsters. Es wies ihn als einen Meister des deutschen Stils aus und hatte einen nachhaltigen Einfluß auf die deutsche Literatur.

1778 war Forster nach Deutschland zurückgekehrt. Als Humboldt ihn traf, arbeitete er als Universitätsbibliothekar in Mainz, ein liebenswürdiger, charmanter und menschenfreundlicher Mann, doch unberechenbar, unstet und unzufrieden. Im Frühjahr 1790 beschloß er, wieder einen Besuch in England zu machen, um dort einen Verleger für sein geplantes Buch über die Geographie der Südsee zu suchen und von der englischen Regierung eine Entschädigung für irgendein tatsächliches oder eingebildetes Unrecht zu erhalten, das seinem Vater zugefügt worden war. In der letzten Märzwoche brach er in Humboldts Begleitung auf.

Sie fuhren mit dem Schiff zum Niederrhein hinab, nach Holland und Belgien und von dort aus nach England. Für Humboldt wurde diese Reise zur Offenbarung. Unter Forsters Führung entging ihnen nicht das geringste: Kunst und Natur, Vergangenheit und Gegenwart, das Lebendige und das Tote, Politik und Wirtschaft, Fabriken und Hafenanlagen, Parks und Observatorien, alles wurde eingehend, hieb- und stichfest sozusagen, mit peinlicher Genauigkeit untersucht. Und je näher Forster seinen jungen Schüler kennenlernte, um so mehr schätzte er ihn.

In Dünkirchen erlebte Alexander zum ersten Mal die See

und verliebte sich unsterblich in sie. In Lille wurde er Zeuge des Bürgeraufstandes. In London wohnte er dem Gerichtsverfahren gegen Warren Hastings bei, lauschte der Musik in Westminster Abbey, hörte an einem Abend Burke, Pitt und Sheridan im Parlament sprechen, traf mit Cavendish, William Herschel, John Sibthorp und Sir Joseph Banks – Kapitän Cooks Begleiter auf seiner ersten Reise um die Welt – zusammen. Er durfte Banks bedeutendes Herbarium, das größte der Welt, und dessen umfangreiche botanische Bibliothek besichtigen. In nördlicher Richtung reiste er bis zum Peak-Gebiet von Derbyshire, wo er einen ganzen Tag unter der Erde verbrachte, um die Peakhöhle, die Eldon-Höhle und die Poole's-Höhle zu erforschen. In westlicher Richtung kam er bis Bristol. Wohin er auch immer fuhr, überall notierte er sich die Fakten über die Wirtschaft der Insel: den Preis der englischen Wolle, die Qualität des englischen Bieres, den Wechsel des englischen Ernteertrages – als eine Art kaufmännischer Fünf-Finger-Übungen.

Auf ihrer Rückreise nach Deutschland kamen die Reisenden durch das revolutionäre Paris. Es war am Vorabend des ersten Jahrestages des vierzehnten Juli, und eine jubelnde Menge füllte die Straßen. Die Atmosphäre nach einem Jahr politischer Freiheit war fantastisch, und die Begeisterung der Menschen, ihr Gefühl der Einigkeit und der gemeinsamen Ziele, hinterließ einen nachhaltigen Eindruck auf beide. 1790 war die Revolution noch nicht versauert und ihre Ideale unverfälscht; noch schien die Hoffnung auf Freiheit und Brüderlichkeit der Menschen zu bestehen. Humboldt, der schon vorher ein überzeugter Liberaler gewesen war, bezeichnete die wenigen Tage, die er in Paris verbrachte, als die eindrucksvollsten und erinnerungswürdigsten seines Lebens, und er betrachtete sich von nun an als einen Mann der Revolution. Forster ging sogar noch weiter. Er nahm aktiv an der Revolution teil, und nur vier Jahre später starb er für sie. Am 11. Juli kehrten er und Humboldt nach Mainz zurück. Sie trennten sich und trafen einander niemals wieder. Als Mainz zwei Jahre später von den Franzosen besetzt wurde, schloß Forster sich den Revolutionären an und wurde ein führendes Mitglied der provisorischen republikanischen Regierung. 1793 reiste er nach Paris, um im Namen dieser Regierung zu verhandeln; in seiner Abwesenheit eroberten die Deutschen Mainz zurück. Da er in Deutschland öffentlich als Verräter angeprangert wurde, konnte er nicht zurückkehren. Enttäuscht über die Entwicklung, die die Revolution in Frankreich genommen hatte, starb Georg Forster unter armseligen Bedingungen im Januar 1794. Er war vierzig Jahre alt.

Humboldts Reise mit Forster gehörte zu den eindrucksvollsten und wichtigsten Erlebnissen seiner Jugendjahre. Zusammen mit ihm, dem Weltumsegler, dem Begleiter von Cook, hatte er zum ersten Mal das Meer erblickt, und seinem Einfluß dankte er es, wenn aus seinem vagen, kaum bewußten Wunsch, die Welt zu bereisen und das Reich der Natur zu erforschen, ein konkreter, bewußter Plan wurde. Sein Leben hatte plötzlich eine Wendung in Richtung auf sein endgültiges Ziel genommen.

Doch seine Mutter und Kunth in ihrer pragmatischen Einstellung bereiteten nach Alexanders Rückkehr seinen Besuch auf der Hamburger Handelsakademie vor, wo er sich praktische Kenntnisse im kaufmännischen Beruf erwerben sollte. Alexander hätte sich viel lieber um einen Platz an der berühmten Freiberger Bergakademie beworben, weil er wußte, daß ihm eine Ausbildung in praktischen wissenschaftlichen Arbeiten auf einer Expedition nützlicher sein würde als Erfahrungen in Buchhaltung. Doch aus Rücksicht auf die Wünsche seiner Mutter schrieb er sich pünktlich im Sommer 1790 in der Handelsakademie ein und stürzte sich sofort mit der ihm eigenen Besessenheit auf seine planmäßigen und außerplanmäßigen Studien.

Er konnte ungestört in einem kleinen Raum arbeiten, der in einem einsamen Garten lag. Die einzige Unterbrechung verursachte die Glocke, die ihn zum Mittag- und Abendessen rief, sonst verbrachte er Stunden um Stunden in seinem Studierzimmer. Er scheint nur sehr selten an den allgemeinen Zerstreuungen des Studentenlebens teilgenommen zu haben; keine Vergnügung hat ihn jemals von seinem unbarmherzig selbstauferlegten Arbeitsprogramm abgehalten. In seinen Mußestunden befaßte er sich mit Geologie und Botanik, außerdem begann er Dänisch und Schwedisch zu studieren. Seine Lernbegierde war fast manisch. Es schien, als sei er von einem Dämon getrieben. »Es ist ein Treiben in mir«, schrieb er an Wegener, »daß ich oft denke, ich verliere mein bißchen Verstand. Und doch ist das Treiben so notwendig, um rastlos nach guten Zwecken hinzuwirken«.

Die ständige Unausgeglichenheit, die damals offenbar Alexanders Persönlichkeit charakterisierte, die übertriebene geistige und körperliche Aktivität, die ihn fast an den Rand des Wahnsinns brachte, blieben auch anderen nicht verborgen. So hatte ihn Forsters Frau, die ihn nicht mochte, als einen kranken und nervösen Genossen beschrieben, und Forster selbst führte diesen Zustand auf seine Überarbeitung zurück. Caroline von Dachröden, Wilhelms Verlobte, glaubte tatsächlich, er könne seinen Verstand verlieren. »Er hat mir kürzlich einen Brief geschrieben, der mir bang vor seinem Verstand macht. Ich fürchte, er verschraubt sich, und es schnappt wo über.« Alexander benahm sich tatsächlich so, daß sich Wilhelm um ihn sorgte. »Er ist ein lieber Junge, nur scheint er mir eigne Ideen zu haben, die nicht die meinigen sind ... Er scheint gern viel wirken zu wollen, und das außer sich; nur um sich einen großen Wirkungskreis zu verschaffen, tut er viel, was anderen notwendig Eitelkeit scheinen muß, kramt seine Kenntnisse aus, sucht die Menschen dadurch bald zu blenden, bald zu gewinnen. Mir scheint die Rechnung trügerisch. Alles Wirken auf andere geht von dem Wirken auf sich aus.« Und dann wieder: »Ich will nicht streiten, daß er nicht eitel sei, aber er läßt es doch wenig blicken, hat eine Anschauung fremder Größe und Schönheit und anspruchslose Bewunderung, wo er sie zu finden glaubt. Etwas eigentlich Großes hab ich, genau genommen, nicht an ihm gefunden, aber doch eine bei weitem mehr als gewöhnliche Wärme, Fähigkeit jeglicher Aufopferung und große und starke Anhänglichkeit. Glücklich wird er schwerlich je sein ...«

An Ostern 1791 beendete Humboldt das akademische Zwischenspiel in Hamburg. Er schrieb eine Bewerbung um eine Anstellung im Preußischen Ministerium für Industrie und Bergbau, die er an den Minister, Baron von Heinitz, adressierte. Ende Mai erhielt er die Antwort. Es wurde ihm gestattet, seine Studien an der Freiberger Bergakademie aufzunehmen, »... und nachdem er sie beendet habe, werde ihm eine entsprechende Anstellung in dem Berg- und Hüttendepartement vorgeschlagen«. Auf diese Weise begann er eine Laufbahn, die er keinen Tag länger verfolgen wollte, als er unbedingt mußte.

Die Bergakademie von Freiberg in Sachsen war nicht nur die erste Schule dieser Art, sondern auch eines der fortschrittlichsten Institute in Europa. Von Heinitz hatte sie 1766 gegründet, und nun zog sie Studenten aus aller Welt an, da ihr Direktor, Abraham Gottlob Werner, ein hohes Ansehen genoß. Werner verteidigte zu jener Zeit die Theorie der Neptunisten. Er sah im Basalt ein neptunisches, durch Absetzen im Wasser entstandenes Produkt. Er war für die Geologie dasselbe, was Linnaeus für die Botanik gewesen war. In Deutschland jedenfalls galt er als Begründer dieser Wissenschaft und gleichzeitig als begabter Lehrer.

Humboldts Ruf, ein junger, wissenschaftlich talentierter Student zu sein, war bereits bis Freiberg gedrungen – übrigens verstand er sich ein ganzes Leben hindurch darauf, ihn zu verbreiten, wo immer er gerade war – und seine Schrift ›Basalte am Rhein‹, in der er die Neptunisten-Theorie vertrat, gewährleistete ihm einen herzlichen Empfang bei dem großen Werner. Alexanders Studien begannen damit, die nächstgelegenen Bergwerke zu besichtigen. Sein Führer war ein junger Berginspektor, Karl Freiesleben, nur zwei Jahre jünger als er. Mit ihm verband ihn bald eine jener intensiven und ausschließlichen Männerfreundschaften, die bereits ein charakteristisches Merkmal seines Gefühlslebens geworden waren.

Die Ausbildung in Freiberg war gründlich und in jeder Beziehung erschöpfend. Die Vormittage von früh um sechs oder sieben Uhr bis mittags verbrachten die Studenten in den Gruben mit dem Studium praktischer Probleme des Bergbaus und der Mineralogie. Die Nachmittage waren mit Theorie ausgefüllt – mit Geologie und der Einteilung der Gesteine, mit Vermessungen, Versuchen, mit Mathematik und Jura, und häufig mußte Humboldt bis zu sechs Vorlesungen besuchen, die zwischen dem Mittag- und Abendessen eingezwängt lagen. Die restliche Zeit gehörte ihm, aber wie immer verbrachte er sie mit zusätzlichen Studien. Entweder er botanisierte Moose und Flechten, oder er studierte in seinem Zimmer Chemie und Paläontologie.

Während seiner vielen privaten Expeditionen durch die sonnenlosen Labyrinthe der Freiberger Gruben faszinierten ihn die Moose und gewisse andere Pflanzen immer mehr, die nur mit Hilfe des schwachen Lichtes der Bergwerkslampen fähig waren, eine grüne Pigmentierung hervorzubringen. Das veranlaßte ihn, in seinem kleinen unterirdischen Garten Versuche anzustellen, die sich auf die Einwirkung des Lichtes auf das Pflanzenwachstum bezogen. Die Ergebnisse seiner Beobachtungen verarbeitete er in seiner späteren Arbeit über die Physiologie der Pflanzen: ›Florae Fribergensis‹.

Dieses überaus anstrengende Arbeitsprogramm, das er sich selbst auferlegte, ließ ihm wenig Zeit für Geselligkeit und für seine Freunde. Er kam nicht einmal dazu, Forsters und Wegeners Briefe zu beantworten und entschuldigte sich, daß er nicht an der Hochzeit seines Bruders Wilhelm teilnehmen könne. Diese selbstgewählte Bürde von Betriebsamkeit forderte jedoch ihren Tribut, vor allem als die Wintermonate kamen. »Es war noch keine Zeit meines Lebens, in der ich so beschäftigt war als hier. Meine Gesundheit hat sehr gelitten, ob ich gleich nicht einmal krank war. Dennoch bin ich im ganzen sehr froh. Ich treibe ein Metier, das man, um es zu lieben, nur leidenschaftlich treiben kann.«

Wie auch immer, im Februar 1792 feierte Humboldt mit

20

seinen Klassengenossen den erfolgreichen Abschluß seiner Studien in Freiberg. Es war das Ende seiner Studententage, das Ende einer wichtigen Phase in seinem Leben. Unter Werners nachdrücklicher Leitung war es ihm gelungen, innerhalb von acht Monaten alle Fähigkeiten zu erwerben, die er für seinen künftigen Beruf benötigte. Aus Berlin hatte er einen Brief erhalten, der ihm bestätigte, daß er ».. . auf Grund seiner beachtlichen Kenntnisse in den Fächern der Mathematik, Physik, Naturgeschichte, Chemie, Technologie, Bergwerks-, Hütten- und Handelskunde, die er sich theoretisch und praktisch erworben habe« zum Bergassessor bei der Zentrale des preußischen Berg- und Hüttendepartements ernannt werde. Sein Berufsleben hatte begonnen, und damit war der erste Schritt zur Verwirklichung seiner geheimsten Träume getan.

ZWEITES KAPITEL

Goldgräber

»Ich habe mich ordentlich geschämt, daß ich eine Freude über diese Elendigkeit hatte«, schrieb Alexander an Freiesleben, als er hörte, daß er zum Bergassessor ernannt war, ohne die übliche Probezeit als Kadett abzudienen. »Es ist sehr unbillig, ... mich gleich zum Assessor zu machen, da es eine Schar uralter Eleven und Cadets usw. gibt. Ich habe dies hier öffentlich geäußert, aber zur Antwort erhalten, daß ich bei dem hiesigen Departement ja keinem Menschen vorgezogen würde, – und das«, so fügte er in der für ihn so charakteristischen Bescheidenheit hinzu,»ist auch wahr.«

Aber Humboldt war sich selbst darüber klar, daß sein Start ganz beträchtlich von Begünstigungen abhing. Er kam aus dem privilegierten Adelsstand, für den eine gehobene Stellung im Staatsdienst eigentlich selbstverständlich war. Er hatte ein privates Einkommen, daß ihn nicht nur in die Lage versetzte, mit seinem Gehalt als Staatsbeamter, einem Hungerlohn von weniger als acht Talern pro Woche, überleben zu können, sondern ihm freistellte, seine eigenen, unabhängigen Vorhaben im Bergbau zu verfolgen. Er war schon damals eine gewinnende Persönlichkeit, mit jener Art von Charisma begabt, die es schwierig machte, ihn sogar in einem überfüllten Raum zu übersehen. Er sah gut aus, war anziehend für Männer und Frauen und ein ausgezeichneter Unterhalter. In der Gesellschaft war er beliebt, und obwohl seine Manieren nicht immer unantastbar gewesen sind, zeigte er sich stets als heiterer und unternehmungslustiger Begleiter. Er war ehrgeizig und trieb sich selbst schonungslos an. Er konnte sich für Dinge, die ihn interessierten, ungemein begeistern, war außerordentlich arbeitsfreudig und besaß ein so umfassendes Wissen, daß alle, die es erkannten, staunen machte. Er war – kurz gesagt – ein ganz ungewöhnlich talentiertes, preußisches 18. Jahrhundert-Wunderkind. Die Minenverwaltung legte Wert darauf, sich seiner Dienste zu versichern, denn im öffentlichen Dienst gab es damals in Preußen wenig Männer seines Formats.

Tatsächlich war der wirkungsvolle Bürokratie-Mechanismus, den Friedrich II. in Gang gebracht hatte, unter Preußens schwachem und lässigem Friedrich Wilhelm II. gänzlich zum Erliegen gekommen. Nach nahezu einem Jahrzehnt der Korruption und Mißwirtschaft glitt Preußen immer mehr in den Ruin und die militärische Katastrophe von Jena hinein. In seinem Marmorpalast in Potsdam plante der König seine unrühmlichen Kampagnen, verschleuderte riesige Summen, die er im Ausland geborgt hatte, und verbrachte seine Mußestunden mit dem Studium des Okkultismus. Der sicherste Weg für einen Beamten, der befördert werden wollte, war damals ein Rosenkreuzer, ein Alchimist, ein Astrologe oder ein Quacksalber zu sein – oder zumindest den Anschein zu erwecken. Fast in allen Abteilungen des Staatsdienstes wurde es als unnötig betrachtet, besondere Fähigkeiten oder Fachkenntnisse zu besitzen, und wissenschaftliche oder literarische Interessen waren sogar hinderlich. Reichsfreiherr vom und zum Stein, einer der damaligen Vorgesetzten Humboldts, pflegte die Geschichte von einem Minister zu erzählen, der allen gedruckten Erzeugnissen so mißtrauisch gegenüberstand, daß er, als ihm sein Beamtenstab eine gedruckte Glückwunschadresse zum Geburtstag überreichte, diese ablehnte: »Sie wissen doch, ich lese nichts Gedrucktes«, schalt er, »geben Sie es mir handschriftlich.« Die Verwaltung war auf ein beispiellos niedriges Niveau abgesunken, Stöße von nutzlosen Informationen, die von niemandem gelesen wurden, stapelten sich in den Büros. Außerdem war die Bezahlung so armselig, daß die Einstellung erstklassiger Männer schwierig war und Korruption sich überall breitmachte.

Daß Humboldt trotz dieser Umstände überhaupt in den Staatsdienst eintrat, ist insofern nicht überraschend, als er nie ein großes Geheimnis daraus gemacht hat, daß er diese Stellung nur als ein nützliches Sprungbrett für bedeutendere Dinge ansah. Überraschend ist nur, daß er es so lange darin ausgehalten hat. Grundsätzlich haßte er die Bürokratie und hatte wenig gemein mit seinen Kollegen; andererseits bot ihm die Tätigkeit gewisse Möglichkeiten. Der Bereich der Preußischen Bergbauverwaltung erstreckte sich über ein weites Gebiet, von Franken im Süden bis hinauf zur baltischen Küste im Norden und zu den preußischen Anteilen Polens im Osten. Es enthielt Steinbrüche, Torf und Braunkohle in Brandenburg, Steinkohle und Eisenerz in Schlesien, Salzlager an der See, Kupfer und Gold im Fichtelgebirge. Deshalb bot sich Humboldt die unvergleichliche Gelegenheit, ausgedehnte Reisen zu machen und wissenschaftliche Untersuchungen an Ort und Stelle vorzunehmen. Und in beidem brauchte er größere Erfahrungen.

Von Anfang an zeigte sich der Neuling sowohl eigenwillig als auch offenherzig; er wußte, was getan werden mußte und scheute sich nicht, es zu sagen. Als er erfuhr, er sollte eine Schreibtischtätigkeit in Berlin erhalten, lehnte er das rundweg ab. Wenn einer der Direktoren ihn darauf aufmerksam machte, er befasse sich zu sehr mit den praktischen Details des Bergbaus und ihn daran erinnerte, daß er nicht zum gewöhnlichen Kumpel geboren sei, erwiderte Humboldt ihm sehr bestimmt: Seiner Ansicht nach könnten Bergwerksbeamte, die sich nur mit Allgemeinheiten befaßten, gar nichts erreichen. Berlin, so meinte er, sei für eine Bergbauverwaltung ebenso ungeeignet wie für das Marineministerium. Auf jeden Fall haßte er die Hauptstadt – auch die Akademie der Wissenschaften komme ihm, so sagte er, wie ein Leprahaus vor, in dem man die Gesunden nicht von den Kranken unterscheiden könne.

Ende Juni 1792 erhielt Humboldt seine Reiseerlaubnis und wurde endlich von Berlin abgesandt, um einen Bericht über die Geologie und den Zustand der Bergwerke im wilden Fichtelgebirge und im Frankenwald zu machen, einem Teil des neuerdings erworbenen Gebietes um Bayreuth. Damit bot sich ihm die erste Gelegenheit, sich als Beamter zu bewähren, und er nützte sie. Schon Ende August überreichte er seinen 150 Seiten langen Bericht. Dieser verursachte eine Sensation. Von Heinitz war entzückt; er sprach sich lobend über Humboldts »unermüdliche Tätigkeit«, die »richtige Einsicht der Mittel«, »die vernünftige Anwendung bewährter wissenschaftlicher Kenntnisse« aus – und ordnete an, den Bericht bei allen Beamten der Verwaltung zirkulieren zu lassen. Ein oder zwei Tage später beförderte er Humboldt vom Assistenten zum Oberbergmeister. Auf besonderes Ersuchen des Grafen von Hardenberg, des Ministers von Ansbach-Bayreuth, wurde er nach Bayreuth beordert, wo er die Reorganisation des dortigen Minenwesens übernehmen sollte.

»Ich taumele vor Freuden«, schrieb Humboldt an Freiesleben, als er diese Nachricht erhielt. »Vor einem Jahr fragte ich Sie, was ein ›Gesenk‹ wäre, und jetzt bin ich Oberbergmeister. Das geht wunderlich zu ... und denken Sie, wieviel ich hier zulernen werde.«

Seine Versetzung nach Ansbach-Bayreuth wurde allerdings erst im März des kommenden Jahres wirksam. In der Zwischenzeit erhielt er den Auftrag zu einer Untersuchungsreise in die schlesischen und österreichischen Steinsalzgruben. Und bereits am 23. September, nachdem er kaum Zeit gehabt hatte, die notwendigsten Dinge zu packen, machte er sich auf den Weg.

Die Straßen, über die Humboldt während dieser ersten Dienstreise fuhr – sie führten von Bayreuth nach München und von dort durch Österreich, Galizien und Schlesien – hatten denselben Verlauf wie heute, aber sie schlängelten sich durch eine völlig andere Landschaft. Wenn wir ihn auf seinem Weg zu den Salzbergwerken von Hallein und Berchtesgaden, Tarnowitz und Wieliczka während des Herbstes und Winters 1792 hätten begleiten, neben diesem scharfsichtigen und unermüdlichen jungen Mann in der unaufhörlich klappernden Kutsche hätten sitzen können, die Ohren voll vom Gedröhn aufschlagender Pferdehufe und dem Quietschen der eisenbereiften Räder, dann würde uns die schier unfaßbare Ursprünglichkeit der Natur überwältigt haben, eine unberührte, heile Landschaft – im Vergleich damit, wie sie heute ist. Die industrielle Revolution hatte damals noch nicht den europäischen Kontinent erreicht. Es gab noch keine modernen Fabriken, die Rauch ausstießen, kein Rasseln und Zischen von Dampfmaschinen, keine proletarischen Slums. Außerhalb der wenigen großen Städte lagen, soweit das Auge sah, nur bäuerliche Gebiete. Quer durch die sandigen Marschlandschaften von Brandenburg, die Berglandschaften von Österreich und Bayern, die welligen Wiesen Mährens und die endlosen Wälder und Steppen Galiziens mag Humboldt mehrere Stunden hintereinander gefahren sein, ohne einer anderen Kutsche oder einer Menschenseele zu begegnen. Aber schon nach einigen Meilen wird wohl der Eindruck von Schmutz und Unwirtlichkeit vorherrschend gewesen sein, der Eindruck von dem Elend der Bauern und Leibeigenen, der Verkrüppelten und Kranken, die durch das Wagenfenster um Almosen baten, von Straßen voller Fliegen, Viehdung und menschlichem Unrat, Schweinen, die in den Gossen wühlten, und Gestank. Denn damals war die mitteleuropäische Landschaft, durch die Humboldt reiste, größtenteils noch eine zeitlos dahindämmernde, mittelalterliche Welt. In dem Jahrhundert, das die Entdeckung der Elektrizität und des bemannten Fluges hervorbrachte, führten Landjunker und Bauern ein Leben, das sich seit den Zeiten von Horaz kaum verändert hatte.

Es war Winter, als Humboldt Wien erreichte. Er war durchfroren und erschöpft nach der langen Reise durch die heftigen Schneefälle in den österreichischen Alpen. Doch nach ein oder zwei Tagen setzte er seine Fahrt bereits wieder fort, durch die Schneewehen des Mährischen Berglandes und die gefrorenen Ebenen Galiziens, über Waldenburg und Kupferberg und durch das Riesengebirge. Er blieb nie länger als zwei Tage an einem Ort. Er reiste bei außergewöhnlicher Kälte und bis tief in die Nacht hinein; während er seine Arbeitsberichte und

Planzeichnungen der Salzbergwerke entwarf, eilte er in einem Schlitten durch die winterliche Berglandschaft – in ununterbrochener Bewegung.

Es wurde Ende Januar, bis er nach Berlin zurückkam. Und es war Juni, als er sein Amt als Oberbergmeister in Ansbach-Bayreuth antrat.

In dem Distrikt, den er zu verwalten hatte, fand Humboldt eine große Anzahl von Minen vor, die in äußerst verwahrlostem und verfallenem Zustand waren. Das betraf besonders die öde Region des Fichtelgebirges, in der einige Bergwerke seit nahezu dreihundert Jahren stillagen. Diese Minen wieder in Gang zu bringen, war eine Aufgabe, die jeden durchschnittlichen Beamten, vor allem einen so jungen und unerfahrenen wie ihn, entmutigt hätte. Doch er ging voll Selbstvertrauen an die Arbeit. Aus dem Staatsarchiv in der Festung Plassenburg ob Kulmbach beschaffte er sich drei Kisten voll Akten aus dem 16. Jahrhundert mit detaillierten Angaben über die ehemaligen Grubenanlagen. Nachdem er diese eingehend studiert und sich durch unmittelbare Inspektionen dieser aufgegebenen Minen zusätzlich informiert hatte, besaß er die wesentlichen Hinweise, um die Goldflöze zu lokalisieren, die seinen Vorgängern entgangen waren.

Den ganzen heißen Sommer hindurch ritt er allein von Grube zu Grube, häufig legte er beträchtliche Entfernungen zurück. Tagelang hintereinander hielt er sich darin von morgens halb fünf Uhr bis abends zehn Uhr auf, und trotz der unerträglichen Hitze und der bedrückenden Atmosphäre analysierte er das Erz und machte die Metallproben. Innerhalb von zwei Wochen waren die ersten Vorbereitungen fast abgeschlossen, das Hauptbüro eröffnet, der Voranschlag für die Kosten aufgestellt und die notwendigen Gebäude im Bau. »Es geht alles ziemlich schnell vorwärts«, schrieb Humboldt. »Das Vertrauen der Menschen habe ich, man glaubt, daß ich acht Beine und vier Hände habe, und das ist bei meiner Lage unter so faulen Offizianten schon sehr gut.«

Während des Winters zeigte sich, daß die Wiederentdekkung der stillgelegten Gruben viel erfolgversprechender war, als Humboldt selbst gehofft hatte.

Seit acht Jahren hatte man mit 14 000 Gulden Zubuße kaum 3000 Zentner gefördert; ich schaffte in diesem einen Jahr allein mit neun Mann 2500 Zentner Golderze, die kaum 7000 Gulden kosten . . . Sie sehen, mein lieber Freund, daß ich ruhmredig werde.

Gold, Eisen, Vitriol, Kobalt, Zinn, Antimon, Kupfer, Alaunschiefer – die Ausbeute stieg. Niemals in seinem Leben war er so leistungsfähig gewesen. Die schwächliche Konstitution und die nervöse Überempfindlichkeit seiner Jugend schienen überwunden. »Für meine Gesundheit, guter Freiesleben, seien Sie nicht bange. Ich bin den Sommer über überaus wohl gewesen. Meine Üblichkeiten nehmen ab. Ich verdanke, wie ich Ihnen schon in Freiberg oft sagte . . . meine Genesung bloß meinem bergmännischen Metier.«

Als Humboldt zum ersten Mal ins Revier gekommen war, hatte ihn die Unwissenheit der einfachen Bergleute überrascht. Sie waren völlig unfähig, einen Steinbrocken vom anderen zu unterscheiden, geschweige denn, den Handelswert des einfachsten Minerals zu erkennen. Außerdem wirkten sich Aberglaube und Vorurteile auf jeden Aspekt ihrer Arbeit aus, von der Angst vor den schlagenden Wettern bis zur Suche nach erzhaltigen Flözen. Um diesem Übel abzuhelfen, beschloß Humboldt, gegen jedermanns Rat, eine Schule für den einfachen Bergmann zu eröffnen.

Heimlich, ohne Wissen seiner Vorgesetzten und ohne Erlaubnis der Regierung, weihte Humboldt seine Freie Königliche Bergschule im November 1793 in Bad Steben ein, einem kleinen Bergmannsdorf hoch oben im Fichtelgebirge. Für dieses Pionierabenteuer in der Erwachsenenbildung – es war die erste Arbeiter-Ausbildungsschule in ganz Deutschland – bezahlte er alles aus seiner eigenen Tasche. Er selbst unterwies den ersten Lehrer, einen jungen Steiger aus dem Ort, der die lokalen Bedingungen kannte und den Dialekt seiner Arbeitskollegen sprach. Die Teilnahme am Unterricht war absolut freiwillig; jeder, der über zwölf Jahre alt war, konnte daran teilnehmen. Um Reibungen mit der Dorfschule zu vermeiden, hielt die Freie Königliche Bergschule ihre Unterrichtsstunden nur an Mittwoch- und Samstagnachmittagen ab. Die Schüler lernten dort die Grundbegriffe von Geologie und Mineralogie kennen, die Phänomene des Grundwasserspiegels und des Verlaufs der Flüsse, das Bergrecht, die örtliche Geographie und praktisches Rechnen, wie es für vielerlei Grubenarbeiten notwendig war. Das Interesse an diesen Unterrichtsstunden war so groß, daß sie oft bis in die Nacht hinein dauerten. Obwohl er nicht viel darüber sprach, ist Humboldt offenbar in Bad Steben sehr beliebt gewesen. Umgekehrt scheint auch er große Sympathien für die Grubenarbeiter des Distrikts und viel Freude an der Arbeit mit ihnen gehabt zu haben. Erst Jahre später beschrieb er seine Gefühle:

Steben hat einen so wesentlichen Einfluß auf meine Denkart gehabt, ich habe so große Pläne dort geschmiedet, mich dort so meinen Gefühlen überlassen, daß ich mich vor dem Eindruck fürchte, den es, wenn ich es wiedersehe, auf mich machen wird. Ich war dort, besonders im Winter 1794 und im Herbst 1793, in einem immerwährenden Zustand der Spannung, daß ich des Abends nie die Bauernhäuser am Spitzberg, in Nebel gehüllt und einzeln erleuchtet, sehen konnte, ohne mich der Tränen zu enthalten. Diesseits des Meeres finde ich wohl nie so einen Ort wieder.

Minister von Heinitz war begeistert, als er von der Schule erfuhr. Er sandte Humboldt aus Berlin eine Geldsumme, um dessen Unkosten zu ersetzen. Humboldt weigerte sich, sie anzunehmen. »Ich würde mich dadurch selbst bezichtigen, pekuniäre Motive damit verfolgt zu haben, die mir jedoch fremd sind . . .« Es sage ihm mehr zu, wenn das Geld im kommenden Winter unter die notleidendsten Bergleute verteilt werde, und wenn man eine Pension bereitstellen könne für Familien von Bergleuten, die in schlechten Zeiten durch Unfälle oder Krankheiten in den Gruben umgekommen seien.

Für einen Preußen jener Zeit hatte Humboldt ein außerordentlich entwickeltes soziales Bewußtsein; vor allem besaß er auch die Begabung, es praktisch einzusetzen. Im Bergbau zu arbeiten, bedeutete eine ständige Bedrohung. Grubenunglükke und verheerende Explosionen waren an der Tagesordnung. Doch noch zerstörerischer wirkten sich auf die Dauer die heimtückischen Krankheiten aus, Folgen der Grubenarbeit: Asthma, Gicht, Gelbsucht, Drüsenentzündung, Haut- und Knochenerkrankungen – um nur einige zu nennen. Um diese Risiken für die Gesundheit und das Leben seiner Bergleute zu verringern, leitete Humboldt ein umfassendes Forschungsprogramm ein. Es war eine harte und gefahrvolle Arbeit; einmal wäre er bei einem schlagenden Wetter in dem verlassenen Querschlag einer Alaunschiefer-Mine fast umgekommen. Trotz dieser Risiken brachte er es zuwege, die chemische Zusammensetzung der verschiedenen Gase in den Bergwerken zu analysieren, und aufgrund seiner Entdeckungen erfand er ein Atmungsgerät und vier Arten von Sicherheitslampen, die oft in den Bergwerken Verwendung fanden, bis sie einige Jahre später durch Davys verbesserte Grubenlampe ersetzt wurden.

Humboldts Stern strahlte immer heller. 1794, nachdem er erst zwei Jahre in der Bergbauverwaltung tätig gewesen war, bot ihm sein Chef, von Heinitz, eine Beförderung an. Er sollte einen Schreibtischposten in Berlin übernehmen, mit 1500 Talern Jahresgehalt, dem Vierfachen seines damaligen Salärs. Und im folgenden Jahr nahm ihn Graf von Hardenberg, der Minister von Ansbach-Bayreuth, zu einer geheimen diplomatischen Mission in das Königliche Hauptquartier nach Frankfurt am Main mit. Dort führten die verbündeten Preußen und Österreicher mit der Französischen Revolutionsarmee vorbereitende Unterhandlungen, die zu dem Frieden von Basel führen sollten. Welche Rolle Humboldt während seiner viermonatigen Zugehörigkeit zu Hardenbergs Stab gespielt hat, ist nie ganz klar geworden. Doch seine Berufung zu einem solch schwierigen und delikaten Staatsauftrag stellte offensichtlich eine unerhörte Auszeichnung dar. Ein oder zwei Jahre später wurde er dann mit einer selbständigen diplomatischen Mission nach Hohenlohe entsandt. Die höchsten Positionen in

Wissenschaft und Staatsdienst schienen bereits auf ihn zu warten. Und doch hat er sich kaum Zeit genommen, seine Koffer nach der Rückkehr aus Frankfurt auszupacken, als er offiziell seine Absicht verkündete, alles bisher Erreichte aufzugeben, um eine vage und unklare Vision von seiner persönlichen Bestimmung zu verwirklichen.

Humboldt hatte nie ein großes Geheimnis daraus gemacht, daß sein einziges wirkliches Ziel war, Forschungsreisender zu werden und in entlegenen Gegenden der Welt wissenschaftliche Untersuchungen auszuführen. Kurz nach seiner letzten Beförderung hatte er Freiesleben anvertraut: »Meine alten Pläne bleiben dieselben. Ich nehme in zwei Jahren den Abschied und gehe nach Rußland, Sibirien oder sonst wohin.« Heinitz mag Wind von seinem bevorstehenden Rücktritt bekommen haben – denn irgendwie war das in seinen ursprünglichen Kontrakt schon einbezogen worden – und schrieb ihm im Februar 1795 einen ungemein schmeichelhaften Brief, in dem er versuchte, ihn mit dem verlockenden Amt des Oberbergmeisters der Bergwerke in Schlesien und den südöstlichen Provinzen Preußens im Staatsdienst zu halten. Nun war Humboldt gezwungen, sich zu entscheiden.

Er könne das Amt nicht annehmen, antwortete er, weil er im Begriffe stehe, seine Lage gänzlich zu verändern und beabsichtige, sich aus allen öffentlichen Ämtern zurückzuziehen. Heinitz weigerte sich jedoch, Humboldts Rücktrittsgesuch anzunehmen. Er wiederholte seine Überredungskünste in fast dringlichem Wortlaut, und Humboldt wurde noch deutlicher in seiner Weigerung. Er habe als Grund seines Rücktritts die Krankheit seiner Mutter angegeben, sagte er, doch sei er entschlossen, den öffentlichen Dienst im Frühjahr 1797 unter allen Umständen zu quittieren. Sobald er feste Pläne gefaßt habe und sich eine passende Gelegenheit böte, werde er gehen. In der Zwischenzeit wolle er fortfahren, seine mannigfaltigen Pflichten wie bisher zu erfüllen.

DRITTES KAPITEL

Goethe und der Galvanismus

Mit 26 Jahren gehörte Humboldt zu den meistbeschäftigten Männern in Europa. Bemerkenswert ist, daß er noch Zeit für seine private Arbeit fand, von seinem Privatleben abgesehen, obwohl er von einem Bergwerk zum anderen oder mit Botschaften der internationalen Diplomatie durch halb Europa eilte. Doch er gehörte zu jenen glücklichen Menschen, die gelernt hatten, die Zeit zu nutzen. Wie lange sein offizieller Arbeitstag auch gedauert hatte, es glückte ihm dennoch, einige Stunden auszusparen, um Experimente zu machen und Bücher zu schreiben. Seine Energie war phänomenal; sie erschöpfte jeden seiner Zeitgenossen, der versuchte, mit ihr Schritt zu halten.

Diese ungeheure Aktivität konnte er nur auf Kosten der alltäglichen Zeitverschwender Schlaf, Mahlzeiten, Erholung entfalten. Niemals blieb er lange im Bett liegen oder bei Tisch sitzen und nützte jede übrige Sekunde des Tages aus.

Im Zeitalter der fortschreitenden Spezialisierung blieb er ein Wissenschaftler mit universellen Interessen. Während seiner Tätigkeit in Bayreuth befaßte er sich mit den unterschiedlichsten Themen: der geologischen Schichtung Europas, den Auswirkungen verschiedener Gase auf Tiere, der unterirdischen Meteorologie und der Geographie der Pflanzen. Er entwickelte ein höchst originelles System von Kurzschrift-Notizen, die er in Chemie und Physik benützte und ›Pasigraphie‹ nannte. Außerdem begann er, sich mit dem Erdmagnetismus zu befassen, nachdem er einen Schlangenstein entdeckt hatte, dessen Polarität dem der Erde entgegengesetzt war. »Weil Sie

1 Alexander von Humboldt im Alter von 26 Jahren
Stich nach einer Zeichnung von François Gérard, 1795.

2 Schloß Tegel in Berlin, wo Humboldt geboren wurde
und sich später als Gast bei seinem Bruder Wilhelm aufhielt.

3 Der Blaue Salon in Schloß Teg

5 Alexander von Humboldts Jugendfreundin Henriette
Herz. Gemälde von Anna-Dorothea Therbusch.

4 Die von Wilhelm von Humboldt gegründete Berliner
Universität zu Beginn des 19. Jahrhunderts.

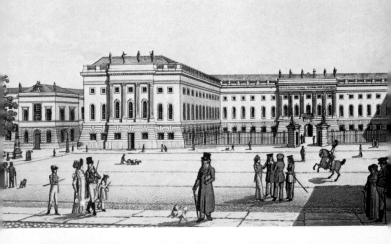

6 Wilhelm von Humboldt
Marmorrelief von Martin Klauer, 1796.

7
Caroline
von Humboldt
Gemälde von
Gottlieb Schick,
1804.

8/9 Berlin am Beginn des
19. Jahrhunderts:
Korso am Pariser Platz und
Unter den Linden,
die damals noch sechsreihig
mit Bäumen bepflanzt
waren (oben);
rechts die Breite Straße
mit dem Stadtschloß
im Hintergrund.

10 Alexander von Humboldt in mittleren Jahren

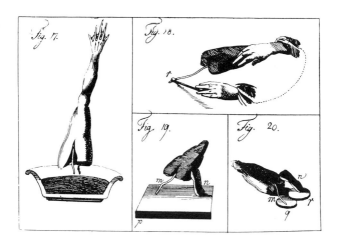

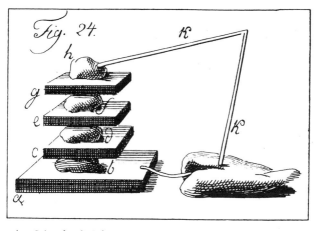

11/12 Seine durch Galvani angeregten Versuche auf dem Gebiet der Reizphysiologie veröffentlichte Humboldt in dem Werk ›Versuche über die gereizte Muskel- und Nervenfaser‹, Posen 1797. Oben: Reizreaktionen am Froschschenkel (Fig. 17), an Muskelfleischstücken (Fig. 19, 20) oder an einer Versuchsperson (Fig. 18) bei Berührung mit Metall (p, q, r) vermittels eines Nervs (m). Fig. 24 zeigt, wie nahe Humboldt mit seiner Kombination von verschiedenartigen Metallen (a, c, e, g, k) mit Muskelfleisch (b, d, f, h) der Erfindung der Batterie kam. Volta, dem sie dann gelang, schloß allerdings animalische Gewebe aus und kombinierte säuredurchtränkte Kartonstücke mit den Metallen.

Die Einfahrt.

13-16 Der Freiberger Erzbergbau zu Humboldts Zeiten

Ein Ueberhauen.

Die Zimmerungsarbeiten.

EINE WASSERSÄULENMASCHINE.

17 Der Natur- und Völkerkundler Georg Forster (1754-1794),
berühmtester Forschungsreisender der Goethe-Zeit, bereiste mit
Humboldt Holland, England und Frankreich und wurde sein
einflußreichster Lehrer. Gemälde von J. H. W. Tischbein.

aber wissen, daß ich noch immer so toll bin, mehr als drei Bücher zugleich zu schreiben ...«, gestand er einem Freund. »Freilich kann ich nicht leben, ohne zu experimentieren.« Wurde er kritisiert, daß er auf zu vielen Gebieten zugleich arbeite, war seine Antwort: »Wie kann man einen Mann daran hindern, den Dingen auf den Grund zu gehen und die Welt um ihn her zu begreifen? Auf jeden Fall sind für einen Weltreisenden eine Menge Kenntnisse lebensnotwendig.«

Mit besonderer Besessenheit befaßte er sich während seiner Bayreuther Jahre mit einer Serie von Versuchen über die natürliche Beschaffenheit der sog. tierischen Elektrizität. Galvani hatte gerade demonstriert: Wenn man zwei verschiedene Metalle in Kontakt mit den Nerven und Muskeln eines Froschbeines brachte, zog sich dieses zusammen. Das – so erklärte er – geschehe deshalb, weil in den Nerven der Tiere Elektrizität stecke. Volta widersprach dem jedoch. Seiner Ansicht nach war es nicht die tierische Elektrizität, die das Zusammenziehen verursachte, sondern Elektrizität, die durch den Kontakt zwischen den beiden Metallen entstand. Humboldts Hypothese lag dazwischen: Die Metalle intensivierten zwar die Zuckungen, seien jedoch nicht die Ursache dafür. Seine Experimente dauerten Monate und Jahre; er beschränkte sie nicht auf Frösche, sondern probierte sie an anderen Tieren, Pflanzen und sogar an seinem eigenen Körper aus. Bei einem Versuch, die Wirkung eines elektrischen Stroms auf die Sekretion von Serum und Blut festzustellen, legte er sich zum ersten Mal selbst Elektroden an; es geschah in bester medizinischer Experimentiertradition, doch es hatte schmerzhafte Folgen.

Ich ließ mir zwei Blasenpflaster auf den Rücken anlegen, den Muskel trapezius und deltoid bedeckend, jedes von der Größe eines Laubtalers. Ich selbst lag dabei flach auf dem Bauch ausgestreckt. Als die Blasen aufgeschnitten waren, fühlte ich bei der Berührung mit Zink und Silber ein heftiges schmerzhaftes Pochen, ja der Muskel cucullar. schwoll mächtig auf, so daß sich seine Zuckungen aufwärts bis ans Hinterhauptbein und die Stachelfortsätze des Rückenwirbelbeins fortsetzten. Eine Berührung mit Silber gab mir drei bis vier ein-

fache Schläge, die ich deutlich unterschied. Frösche hüpften auf meinem Rücken, wenn ihr Nerv auch gar nicht den Zink unmittelbar berührte, einen halben Zoll von dem ablag und nur vom Silber getroffen wurde . . . Meine rechte Schulter war bisher am meisten gereizt. Sie schmerzte heftig, und die durch Reiz häufiger herbeigelockte lymphatische, seröse Feuchtigkeit war rot gefärbt, und, wie bei bösartigen Geschwüren, so scharf geworden, daß sie, wohin sie den Rücken herablief, denselben in Striemen entzündete. – Das Phänomen war zu auffallend, um es nicht zu wiederholen. Die Wunde meiner linken Schulter war noch mit ungefärbter Feuchtigkeit gefüllt. Ich ließ mich auch dort mit Metallen stärker reizen, und in vier Minuten waren heftiger Schmerz, Entzündung, Röte und Striemen da. Der Rücken sah, rein abgewaschen, mehrere Stunden wie der eines Gassenläufers aus.

Als Humboldt dieses Experiment später wiederholte, wurde seine Rückenhaut so schlimm verletzt, daß er und der ihn betreuende Arzt sehr erschraken und die Wunden mit lauwarmer Milch auswaschen mußten. Bei einer anderen Gelegenheit legte Humboldt die Elektroden in eine Höhle seines Kiefers, aus der ein Zahn entfernt worden war. Er wollte herausfinden, ob der Schmerz durch die Überreizung des Nervs abgetötet würde. Doch die Pein vergrößerte sich augenblicklich so heftig, daß er das Experiment abbrechen mußte.

Im ganzen führte er viertausend Experimente durch und veröffentlichte die Resultate in ›Versuche über die gereizte Muskel- und Nervenfaser, nebst Vermutung über den chemischen Prozeß des Lebens in der Tier- und Pflanzenwelt‹ (1797), eine Schrift, die er als sein bedeutendstes Werk auf physikalischem Gebiet betrachtete. Zur Zeit ihres Erscheinens bewirkte sie einiges Aufsehen in der wissenschaftlichen Welt, doch ihr Ruhm hielt sich nicht lange.

1795 hatte Volta demonstriert, wie Elektrizität ohne irgendein animalisches Gewebe erzeugt werden kann, indem lediglich zwei unterschiedliche Metalle zusammengefügt werden, zwischen denen sich ein flüssiger oder feuchter Stoff befindet. Er hatte tatsächlich die erste elektrische Batterie erfunden. Es schien, daß er dadurch letzten Endes auch die These von der animalischen Elektrizität und damit Galvanis und Humboldts Arbeiten in Frage gestellt hatte. Humboldt fühlte sich tief gedemütigt, als Voltas Ergebnisse bekannt wurden. Er war beschämt, daß er nicht genügend zwischen rein physiologischen und rein elektrischen Phänomenen unterschieden hatte, und er war niedergeschlagen, als ihm klar wurde, wie nahe er selbst schon der Erfindung der elektrischen Batterie gekommen war. Ihm war nur niemals eingefallen, seine Kombinationen von Metallplatten und Flüssigkeit ohne die Mitwirkung von natürlichem Gewebe auszuprobieren. Er vergaß die Bitterkeit dieses Mißerfolges nie.

Ungeachtet dieses Rückschlages war Humboldt gerade dabei, das ernsthafte Interesse der wissenschaftlichen Welt zu erregen. Eines seiner ersten Bücher, ›Flora Fribergensis‹, das er in lateinisch geschrieben und 1793 in Berlin herausgebracht hatte, fand äußerst günstige Aufnahme. Prinzen und Gelehrte aus zahlreichen Hauptstädten lobten es laut. Ein schwedischer Botaniker benannte einen neuentdeckten indischen Lorbeer nach seinem Verfasser. Der Kurfürst von Sachsen sandte Humboldt eine kostbare Goldmedaille »zur öffentlichen Anerkennung, welches Vergnügen mir Ihr Werk bereitet hat«. Selbst Goethe erkundigte sich nach Humboldt, weil er hoffte, ihn zu treffen, um mit ihm über seine Studien über die Metamorphose der Pflanzen zu sprechen. Es war der Anfang der lange währenden Verbindung zwischen Humboldt und Goethe und dessen exklusivem Zirkel in Weimar und Jena – den beiden geistigen Hauptstädten Deutschlands.

Es dauerte allerdings noch bis März 1794, bis sich die beiden Männer in Jena trafen. Wilhelm von Humboldt, der Goethe bereits gut kannte, führte sie zusammen, und die beiden verstanden sich sofort. Das war, von Alexanders Seite gesehen, keineswegs so einfach und sagt darum viel über Alexanders Persönlichkeit und Geist aus. Denn zu dieser Zeit war Goethe bereits eine absolut olympische Figur in Deutschland, gottähnlich, entrückt und kalt. Es war schwierig, sich ihm zu nähern und fast unmöglich, ihn zu begreifen; selbst geistvolle Männer konnte er kaum ertragen. Nicht einmal seinem engsten Freund Schiller war es gelungen, durch die äußere Reserviertheit zu dem inneren Menschen vorzudringen. Besucher beschrieben ihn als völlig indifferent jeder Person und jeglichem Ding auf Erden gegenüber, als einen Mann, der nichts mehr bewunderte, nicht einmal sich selbst, als einen Gott, der von sich aus die Verbindung zu den aufregenden Zeitereignissen abgebrochen hatte. »Es ist etwas Unbeständiges, Verwirrendes und Argwöhnisches in seinem ganzen Benehmen«, schrieb einer dieser Besucher, der Schauspieler Iffland, »es verhindert, daß sich jemand in seiner Gegenwart unbefangen fühlt. Ich habe das Gefühl, auf einem seiner Stühle nicht stillsitzen zu können. Nach außen hin ist er der glücklichste Mensch. Er hat Geist, er wird geehrt, er führt ein angenehmes Leben, er kann sich dem Kunstgenuß hingeben. Und trotzdem möchte ich nicht an seiner Stelle sein, nicht einmal für ein Einkommen von dreitausend Talern.«

Goethe befand sich in einer merkwürdigen Lebensphase, auf einer luftigen, doch einsamen Hochebene, und er schien unschlüssig zu sein, nach welcher Richtung er sich wenden sollte. Hinter ihm lag die leidenschaftliche Zeit des Sturm und Drang und ein Schwarm von Liebesaffairen, lagen zwanzig Jahre als Staatsbeamter in Weimar, Jahre schöpferischer Fruchtbarkeit. Vor ihm lag sein Meisterwerk ›Faust‹ und die endgültige Bestätigung seines Ranges als größter Dichter, den die deutsche klassische Literatur je gekannt hatte. Schiller, damals Geschichtsprofessor an der Universität Jena, hatte Goethes literarische Begeisterung nun aufs neue entfacht. Jetzt wurde es Alexander von Humboldts Aufgabe, sein schwindendes Interesse an der Wissenschaft wachzuhalten.

Humboldt scheint keine Aufzeichnungen über seine erste Begegnung mit Goethe hinterlassen zu haben. Es muß ein aufregender, doch es kann auch ebensogut ein enttäuschender Augenblick gewesen sein. Goethe war nun 46 Jahre alt, seine physische Erscheinung war nicht mehr so anziehend wie einst. In den mittleren Jahren war er korpulent, massiv und schwermütig geworden. Nur unter Vertrauten oder im kleinen Kreise von zwei oder drei Personen – vor allem, wenn er es sich im Hausmantel bequem machen konnte – offenbarte Goethe die Tiefe und die Reichweite seines Genius. Alexanders großes Glück bestand darin, zu den wenigen Auserwählten zu gehören, die Zutritt zu dieser exklusiven Gesellschaft hatten. Die beiden Männer verband viel – nicht zuletzt ihr Drang, die Geheimnisse eines Universums zu ergründen, das sie als eine Einheit betrachteten.

Von 1795 bis zu seiner Abreise von Europa versäumte Alexander bei seinen Besuchen in Jena und Weimar nie, Goethes Interesse an den Naturwissenschaften aufzurütteln. In Goethes Haus, dem einzigen in Weimar, das in italienischem Stil ausgeschmückt, mit Stein- und Pflanzensammlungen und Reproduktionen antiker Statuen angefüllt war, besprachen sie geologische Probleme, Goethes Theorien über die Anatomie und die Metamorphase der Insekten, überhaupt nahezu jedes Gebiet der Naturforschung. »Er ist ein wahres Füllhorn der Naturwissenschaften«, berichtete Goethe seinem Freund August Wilhelm, dem Herzog von Sachsen-Weimar. »Seine Gesellschaft ist tatsächlich sehr erregend und interessant. Sie könnten in einer Woche nicht so viel aus Büchern lernen, wie er Ihnen in einer Stunde erklärt.« Humboldt anderseits gestand, von Goethe einige der wichtigsten Anregungen in seinem Leben erhalten zu haben. Er sah in ihm einen begabten Wissenschaftler, dessen Naturbeschreibungen er gleichrangig neben die von Forster, Buffon und Bernadin de St.-Pierre einordnete. Mit Goethe zusammenzusein, sagte er, sei, als habe man neue Organe erhalten.

Nur Schiller hatte Vorbehalte gegen den jüngeren Humboldt. Er selbst war von wenig einnehmendem Äußeren, hager und verhärmt, und befand sich ständig in Geldnot. Er rauchte und schnupfte unaufhörlich und war häufig bettlägerig. Er war ein wunderbarer Dichter, doch er betrachtete die Dinge – vor allem die Natur – in völlig anderer Weise als Alexander von Humboldt.

Alexander hatte zu den ersten Männern gehört, die er um einen Beitrag für seine neue philosophische Zeitschrift ›Die Horen‹ gebeten hatte; tatsächlich war er der einzige Wissenschaftler, den er überhaupt aufforderte. Alexander fühlte sich geehrt, und so wurde zur gegebenen Zeit, 1794, sein Essay ›Die Lebenskraft, oder der Rhodische Genius‹ veröffentlicht. Er behandelte darin ein unmögliches Thema in unmöglicher Weise: eine biochemische Hypothese in Form einer hochfliegenden, dichterischen Allegorie – und Schiller bezeichnete Humboldts uncharakteristische Bemühung, das Wesen des Lebensgeheimnisses, die sogenannte Lebenskraft, zu definieren, sogleich als »Unsinn«. Innerhalb von ein oder zwei Jahren hatten sich Schillers Zweifel so beträchtlich erhärtet, daß er im August 1797 in einem Brief an seinen Freund Körner das verwerflichste Urteil abgab, das je über Alexander gefällt wurde.

Ich fürchte aber, trotz aller seiner Talente und seiner rastlosen Tätigkeit, wird er in seiner Wissenschaft nie etwas Großes leisten. Eine zu kleine, unruhige Eitelkeit beseelt noch sein ganzes Wirken. Ich kann ihm keinen Funken eines reinen objektiven Interesses abmerken, – und wie sonderbar es auch klingen mag, so finde ich in ihm, bei allem ungeheuren Reichtum des Stoffes, eine Dürftigkeit des Sinnes, die bei dem Gegenstande, den er behandelt, das schlimmste Übel ist. Es ist der nackte, schneidende Verstand, der die Natur, die immer unfaßlich und in allen ihren Punkten ehrwürdig und unergründlich ist, schamlos ausgemessen haben will und mit einer Frechheit, die ich nicht begreife, seine Formeln, die oft nur leere Worte und immer nur enge Begriffe sind, zu ihrem Maßstab macht.

Alexander habe keine Einbildungskraft, fuhr Schiller fort. Sein Verständnisvermögen sei zu beschränkt. Die Welt der Natur, die niemals völlig begriffen werden könne und zu der immer ein ehrfurchtsvoller Abstand eingehalten werden müsse, solle mit mehr Einfühlungsvermögen und Achtung betrachtet werden, als Alexander überhaupt besitze. »Alexander imponiert sehr vielen und gewinnt im Vergleich mit seinem Bruder meistens, weil er ein Maul hat und sich geltend machen kann. Aber ich kann sie dem absoluten Werte nach gar nicht miteinander vergleichen, so viel achtungswürdiger ist mir Wilhelm.«

Das war das außerordentlich herbe Urteil eines bedeutenden Mannes über einen anderen. Und obwohl es ein Körnchen Wahrheit enthält, wirft es doch ein fragwürdiges Licht auf Schiller selbst. Schiller gehörte zu der naturphilosophischen Schule, die in der Natur dasselbe sahen wie andere in Gott. Die Erforschung der Naturphänomene sei ein absolut subjektiver Vorgang, argumentierte er, eine intuitive Wahrnehmung und Offenbarung. Nüchterne Messungen, naturwissenschaftliche Analysen und die Rückführung auf Symbole, wie Humboldt es tat, erschienen ihm als Sakrileg. Schiller war völlig unfähig, die Methodik eines absolut modernen Forschers wie Humboldt zu verstehen, noch zu erkennen, daß durch Humboldts systematische Anhäufung von überprüften Tatsachen und Beobachtungen die Grundlagen entstanden, auf denen die neue Wissenschaft aufbauen konnte.

Die empfindliche Voreingenommenheit, die Schiller Humboldt entgegenbrachte, nannte dieser »Breiigkeit des Gefühls«. Die Naturwissenschaft hatte sich noch nicht völlig von der Metaphysik und den Mythen abgewandt, und ein großer Philosophenkreis verließ sich darauf, je nachdem, wie es die Gelegenheit forderte, die Theorie des Universums oder eine wissenschaftliche Hypothese oder gar beides anzuwenden. Einem rigorosen, empirischen Naturforscher wie Humboldt waren solche amateurhaften Mutmaßungen verhaßt. Tatsachen, reine Tatsachen wollte er feststellen. »In jedem Zweig der physikalischen Wissenschaft«, schrieb er 1796 aus Bayreuth, »sind nur die Tatsachen beständig und sicher. Theorien sind ebenso variabel, wie die Meinungen, aus denen sie entstanden. Sie sind die Meteoren der moralischen Welt, bringen selten etwas Gutes hervor, sondern schaden dem geistigen Fortschritt der Menschheit viel häufiger.«

Der Unterschied zwischen den beiden Männern bestand im wesentlichen in dem Unterschied zwischen einem Poeten und einem Wissenschaftler – in demselben, der noch heute zwischen dem Mann der Kunst und dem Mann der Wissenschaft fortbesteht. Doch es scheint, daß die geistige Meinungsverschiedenheit bei Schiller mit persönlichem Groll vermischt war – Neid vielleicht, oder der Unverträglichkeit der Temperamente. Alexanders Persönlichkeit konnte sicherlich schwierig sein, war man nicht sofort von seiner überschäumenden Wärme und seinem Charme überwältigt. Seine besten Freunde machten ihm manchmal Vorhaltungen – wenn auch so vorsichtig und taktvoll wie möglich – wegen seiner Eitelkeit und seinem ständigen Bedürfnis, Eindruck zu machen. Ende 1796 sah sich Freiesleben genötigt, ihn zu warnen, daß seine Arroganz ihm beachtlich zunehmende Feindschaften in bestimmten philosophischen Kreisen einbringen würde. Es war allerdings eine unschuldige Art von Eitelkeit, weniger Narzißmus als der unbefangene Versuch, die Begeisterung, die er selbst über seine Arbeit empfand, auf andere zu übertragen, und sie wurde auch durch seine abschätzige Selbstironie wieder gemildert, die meistens seinem übertriebenen Selbstlob die Luft wieder nahm. Humboldt war auch nicht egoistisch; wenn er auch draufgängerisch wirkte, so hat er niemandem bewußt geschadet – und in seinem späteren Leben sollte seine Großmütigkeit sprichwörtlich werden.

VIERTES KAPITEL

Das Ende der Liebe

Von dem heftigen Angriff Schillers erfuhr Humboldt glücklicherweise erst lange Zeit später. Doch auch wenn er davon gewußt hätte, würde es kaum etwas an seinem Selbstbewußtsein geändert haben. Denn mindestens nach außen hin schien sein Leben genau in der Richtung zu verlaufen, die er sich wünschte; und an seinem 27. Geburtstag, im Herbst 1796, gehörte er zu den erfolgreichsten jungen Männern des Landes. Trotzdem wäre Humboldt nur von wenigen beneidet worden, hätten sie seine tatsächliche Situation gekannt. Denn seine öffentlichen Erfolge überdeckten eine bittere private Enttäuschung, und mit Ende des Jahres – wahrscheinlich dem unglücklichsten, das er erlebt hatte – war auch eine Periode seines Lebens abgeschlossen. Alle gefühlsmäßigen Bindungen, die ihn noch länger in seinem Beruf und in der Heimat hätten halten können, waren endgültig zerrissen. Er war frei, um in der Welt umherzureisen.

Der unmittelbare Anlaß für Humboldts Unglück war ein unbedeutender junger Infanterieleutnant, Reinhard von Haeften, ein Offizier in dem Graevenitz-Regiment, das damals in Bayreuth stationiert war. Kein Bild ist von ihm erhalten, und man weiß nur wenig über ihn, außer, daß er ein liebenswürdiger, wohlerzogener junger Mann mit Neigung zur Naturwissenschaft gewesen ist und vier Jahre jünger als Humboldt war. Humboldt hatte ihn Ende 1794 in Bayreuth kennengelernt, und sie wurden bald enge Freunde. Oft lebten sie unter einem Dach miteinander, und Humboldt schrieb zahlreiche lange Briefe voller enthusiastischer Lobpreisungen über seinen

Freund, Briefe, die später von ihren Empfängern diskret redigiert wurden. Die Leute zogen es vor, Humboldts enge Verbindung mit von Haeften, der ihm gesellschaftlich und geistig nicht ebenbürtig war, so zu erklären, daß Humboldt eigentlich von Haeftens Braut oder dessen Schwester Minette den Hof gemacht habe. Doch aus den wenigen Briefen, die von dieser Freundschaft erhalten geblieben sind, scheint sich eine andere Erklärung zu ergeben: Was Humboldt für von Haeften empfand, kann nur als eine qualvolle sexuelle Leidenschaft bezeichnet werden.

Humboldt hatte schon früher mit anderen Männern herzliche Freundschaftsbeziehungen gehabt. Das bedeutete an sich gar nichts, denn im achtzehnten Jahrhundert gab es viele solcher gefühlsbetonten Verbindungen. Schon früher hatte er leidenschaftliche Briefe an Männer geschrieben. Doch damals war in Deutschland die allgemeine Inflation von Gefühlen jeglicher Art ein üblicher, gesellschaftlicher Brauch, und die Achtungsbezeugungen nahmen oft ungewöhnliche Formen an. Auch hat es durchaus in Humboldts Leben Frauen gegeben. Die reizende Henriette Herz blieb eine lebenslange, nahe Freundin. In Berlin hatte er zeitweilig mit einer Gelegenheitstänzerin und Schauspielerin geflirtet, die oft in Begleitung seines Bruders und des begehrlichen, geschlechtskranken Lebemann-Freundes Friedrich von Gentz auftrat. Und im Frühjahr 1797 war sogar das Gerücht im Umlauf, daß er Amalie von Imhoff heiraten wolle, ein schöne, kluge und aufgeschlossene Einunddreißigjährige, die er in Schillers Haus in Jena getroffen hatte. Es war sogar so weit gekommen, daß seine Schwägerin Caroline ein Verlobungsgeschenk an Amalie geschickt hatte – während Amaliens Tante öffentlich mitteilte, Alexander sei ihr als Neffe willkommen. Aber weiter als bis dahin gedieh die Sache nicht. Es gibt keine authentische Aufzeichnung darüber, ob Humboldt starke Gefühle für Amalie hegte, und keinesfalls wäre eine Heirat der folgerichtige Schritt für einen Mann gewesen, der plante, in Kürze eine Reise zum anderen Ende der Welt anzutreten. Ob er nun Frauen mochte oder nicht, es mußte ihm bereits klar geworden sein, daß – wollte er konsequent seiner Berufung folgen – sein Leben unvermeidlich immer einsamer und isolierter werden würde. »Ein Mann sollte sich frühzeitig daran gewöhnen, allein im Leben zu stehen«, hatte er seinem ehemaligen Hauslehrer Campe schon früher einmal gesagt. »Für die Einsamkeit spricht vieles. Sie lehrt uns, uns selbst zu erforschen und Selbstachtung zu erlangen, unabhängig von der Meinung anderer.« Er war ein ruheloser Mensch, und er hatte das Leben eines Rastlosen nun jahrelang geführt. Seit er sein Elternhaus verlassen hatte, befand er sich ständig unterwegs. Es sollte ihm bestimmt sein, erst als sehr alter Mann einen festen Wohnsitz zu haben. Er scheint kein normales Verlangen nach Häuslichkeit – Familie, Eigentum, Wurzeln – gehabt zu haben, und letzten Endes ist es zweifelhaft, ob er ein echtes Verlangen nach Frauen hatte.

Caroline von Humboldt, mit ihrer besonders feinen Nase für solche Dinge, hat das offenbar frühzeitig bemerkt. »Überdies wird auf Alexander nie etwas großen Einfluß haben, als was von Männern kommt. Ich glaube, die Zeit wird es bestätigen«, schrieb sie an Wilhelm. Und Wilhelm teilte ihre Ansicht. »Glücklich wird er schwerlich je sein, er ist nicht ruhig und wird es nie werden, weil ich doch nie glaube, daß irgendein Interesse sein Herz beschäftigen wird ... Er wird nie mit sich selbst zufrieden sein, weil er fühlt, daß er sich selbst nicht auszufüllen vermag. Hie und da hat er dies sogar gegen mich geäußert, obgleich meist etwas wie ein Schleier zwischen uns, über unseren innersten Gefühlen hing, den jeder sah und keiner aufzuheben wagte.«

Dieser Schleier hing während seines ganzen Lebens über seinem Privatleben. Er wurde in einigen Briefen an ein paar nahe Freunde gelüftet, und einige dieser Enthüllungen sind nicht vom Zahn der Zeit und der wohlmeinenden Zensur zerstört worden – verstreute Scherben in der Archäologie der Sexualität. Einen der längsten und bedeutungsvollsten dieser Briefe schrieb er im April 1796 an Henriette Herz, nachdem er seine ›Affaire‹ mit Leutnant von Haeften halbwegs überstanden hatte. Er ist nicht nur bemerkenswert als glänzend detaillierter Traumbericht, sondern als scharfsichtige Analyse seiner eigenen sexuellen Ambivalenz.

Wenn alle meine Träume so süß als mein gestriger wären, so möchte ich mein ganzes Leben in einen Traum umschaffen . . . Ich las in einem alten griechischen Weltweisen – erschrecken Sie nicht über meine Gelehrsamkeit, es war diesmal nur eine französische Übersetzung – ich las also die Worte des Alkibiades: »Verstand und Tugend sind in einem Manne verehrungs-, in einem Weibe anbetungswürdig.« Ich machte mein Buch zu, dachte, so gut ich konnte, darüber nach – und meine äußeren Sinne fingen allmählich an, sich zu verschließen. Da stand auf einmal ein ehrwürdiger Greis neben mir . . . Er drückte mir freundschaftlich die Hand und sagte: »Folge mir Jüngling, ich will Dir Menschen zeigen.« Ich folgte dem Greise, und er führte mich in eine prächtige Stadt mitten unter das Getümmel von Leuten, die alle große Mäntel trugen und das Gesicht verhüllten, so daß man kein Geschlecht von dem anderen unterscheiden konnte . . . Hier sah ich drei Wesen, welche, so wenig ich sie kannte, ein sonderbares, sehnsuchtsvolles Gefühl in mir veranlaßten . . . Alles, was ich hörte, war so verständig, so männlich schön, daß ich zu glauben anfing, es wären drei edle Jünglinge, welche die Weisheit ihres Lehrers wiederholten. Man beschloß, endlich auf die Arbeit des Tages eine kleine Ergötzlichkeit folgen zu lassen . . . Schon war alles gelagert, schon fing man an, Zubereitungen zu machen – und, was glauben Sie, meine Freundin? – zwei Mäntel erhoben sich wieder, lachten über den Vorschlag der anderen, und alle eilten unverrichteter Sache davon. Da lachte ich über mich selbst und über meinen vorigen Irrtum. Ich merkte wohl, daß ich in Gesellschaft von Damen war, und die drei verständigen Damen wurden mir jetzt zehnfach interessanter, als es mir vorher die drei verständigen Jünglinge waren.

Eine der Frauen, berichtete Alexander weiter, war in einen weißen Mantel gekleidet und so groß und schön wie Minerva. Die zweite trug einen lieblichen veilchenblauen Mantel. Die dritte, die gesenkten Kopfes neben ihr ging, war in ein schwarzes Gewand gekleidet; als Humboldt einen Zipfel davon hochhob, entdeckte er, daß es innen rosenfarbig war. »Wohl ihr, daß sie, wie manche andere ihres Geschlechts, den Mantel nicht umkehrt und die innere Seite nicht zur äußeren macht.«

... Einige Schritte vor uns lag ein unglückliches Mädchen am Wege, welches Räuber gemißhandelt hatten. Sie war halb nackt und mit Wunden bedeckt ... Die drei Damen werfen plötzlich ihre Mäntel ab und jede streitet um den Vorzug, dem Mädchen den ihrigen zu geben ... Die größte unter den Damen siegte, sie stand nun enthüllt vor mir, ich wollte sie anschauen, aber eine unsichtbare Macht entzog mir den Anblick, und ich saß auf einmal neben meinem alten Führer auf der Rasenbank. »Ich habe Menschen gefunden«, rief ich in dem Taumel des Entzückens ...

Dann schwiegen wir beide, mein Führer sah mich traurig an und sagte: »Willst Du die Frau von Angesicht kennen, die ihren Mantel dahingab, so betrachte dies Bild. Die Natur wollte einen Mann schaffen, aber sie vergriff sich im Tone und bildete ein Weib.«

Ich betrachtete das Bild und erkannte wen? Nein, das erfahren Sie nicht, meine Beste! Ich blickte wieder auf und siehe! der ehrwürdige Greis war in einen schönen Jüngling verwandelt. Eine Goldflamme schwebte über seinem Haupte, ich wollte ihn umarmen – aber das Traumgesicht verschwand. Alexander

PS. Wer nicht mit uns denkt, empfindet und spricht, wird schwer diesen rätselhaften Traum erraten. Aber für den war er auch nicht geschrieben ... Den Schlüssel verliere ich nicht. Der ist an dem Orte, aus dem man leider auch das nicht verliert, was man los sein will.

Humboldt hatte recht. Es war ein rätselhafter Traum, und der Schlüssel ist nun verloren. War die Frau in dem weißen Mantel Henriette Herz selbst – eine der wenigen Frauen, mit denen er jemals eine enge Beziehung hatte? War der Traum eine kunstvolle Darstellung seiner Gefühle für sie? Ist es bezeichnend, daß die einzige Person, der gegenüber Humboldt eine echte Geste der Zuneigung machte, der schöne Jüngling am Schluß war? Klar scheint zu sein, daß Humboldt in diesem Traum seine Sehnsucht nach etwas ausgedrückt hat, was von einigen Psychologen heute als ›the Significant Other‹ bezeichnet werden würde, daß diese Sehnsucht zeitweilig in erotische Symbolik eingehüllt war, und daß die sexuelle Polarität des geheimnisvollen Liebesobjektes manchmal männlich und manchmal weiblich und manchmal beides, männlich und weiblich, gewesen ist.

Die Briefe, die er an Reinhard von Haeften schrieb, und die erst fünfzig Jahre nach Humboldts Tod entdeckt wurden, sind weniger geheimnisvoll. Um es möglichst zurückhaltend und überlegt auszudrücken: Er scheint die konventionellen Grenzen, die zwischen einem Mann und einem anderen bestehen, überschritten zu haben. Von Haeften hat offenbar in Humboldt eine tiefe Leidenschaft entfacht – eine Leidenschaft, die er nie in demselben Maß empfunden hat – und ihn dadurch letzten Endes tief unglücklich gemacht. In dieser traurigen und unbefriedigenden Beziehung scheint Humboldts kränkelnde Sexualität ihren letzten Kampf ums Dasein ausgefochten zu haben – einen Kampf, der mit einem Todesröcheln und einem der verzweifeltsten »cris de coeur« in seiner umfangreichen Korrespondenz endete.

Zunächst ging alles gut. Bei seinem Aufbruch in die Weihnachtsferien, 1794, schrieb Humboldt an von Haeften in der ersten freudigen Aufwallung über ihre Freundschaft:

Jena, 19. Dezember 1794

Ich halte noch immer Wort, guter, innigst geliebter Reinhard. In wenig Stunden reise ich ab, reite morgen bis Lauenstein, den 21. bis Steben und den Heiligen Abend hoffe ich an Deinem Halse zu hängen. Göthe hat Wort gehalten und kam nur meinethalben herüber. Er war drei Tage bei uns, unendlich freundlich gegen mich. Er wollte mich mit Gewalt mit nach Weimar nehmen, weil es ihm der Herzog eingeprägt hatte, mich mitzubringen. Aber so gern ich mit Göthe bin (er ist mir hier eigentlich der Liebste) so wären denn doch leicht die Feiertage darauf gegangen. Ich hätte Dich 6 Tage später gesehen, und diesen Verlust ersetzt mir nichts, nichts auf der weiten Erde. Mögen andere Menschen keinen Sinn dafür haben. Mir gilt es gleich. Ich weiß, daß ich nur mit Dir, durch Dich, guter einziger Reinhard, lebe, nur in Deiner Nähe ganz glücklich bin.

Haeften und Humboldt verbrachten dieses erste Weihnachts-
fest zusammen und unternahmen im darauffolgenden Sommer eine Reise durch Tirol nach Venedig und in die italienischen Alpen. Humboldt hatte seinen getreuen Freiesleben
ebenfalls eingeladen, ihn gleichzeitig aber auch gewarnt: »Diese Reise richte ich mehr für Haeften ein als für mich. Er ist, wie
du weißt, ein Mensch, dem ich Dankbarkeit schuldig bin, ich
muß also lieber etwas bloß Wissenschaftliches nachholen, um
in der ersten Zeit meiner Reise ganz ihm und seiner Freude zu
leben.« Freiesleben zog es vor, auf diese Erfahrung zu verzichten – und nach kurzer Frist wurde sein Platz ausgerechnet von
dem Kriegs- und Domänerat, niemand anderem als dem früheren Vorgesetzten Humboldts, dem Grafen Hardenberg, ein-
genommen. Freiesleben traf sich mit Humboldt nur zur zweiten Hälfte der Reise – durch den Schweizer Jura und die Berner
Alpen bis Luzern – als Haeften bereits nach Ablauf seines Ar-
meeurlaubs in die Kaserne zurückgekehrt war. Haeftens Abreise bewog Humboldt, einen merkwürdigen Brief an die Verlobte seines Freundes zu schreiben:

Es war so gar keine Wahrscheinlichkeit, daß unserm Reinhard
(auf diesem Wege nach Bayreuth) etwas zustoßen konnte, aber Sie
wissen, daß ich einmal eine so unbeschreibliche, wundersame An-
hänglichkeit an diesen einzig trefflichen Menschen habe, daß mich
selbst die bloße Möglichkeit eines Ungemachs besorgt macht . . . Nicht
denken, kaum nachfühlen, ahnden kann ich das Gefühl der Wonne
welches Sie bei diesem Wiedersehen überströmt haben muß. Ich weiß
nur einen zweiten Moment unseres Zusammenlebens, der diesem
gleich sein konnte . . . Sagen Sie Reinhard, daß mir der Luzerner und
Sarner See wieder ebenso gefallen, wie das erste Mal. Es bleibt die
lieblichste Gegend der ganzen Schweiz, und wenn wir nicht zusam-
men nach Amerika wandern, so müssen wir dahin, um, abgesondert
von den sogenannten gebildeten Menschen, ein stilles glückliches Le-
ben zu führen.

Über die Reaktion der künftigen Braut auf diesen Vorschlag
einer ménage à trois, »abgesondert von den sogenannten gebildeten Menschen, ein stilles, glückliches Leben zu führen«,

in der Neuen (oder der Alten) Welt, ist nichts überliefert worden. Er scheint jedoch die Heiratspläne nicht beeinflußt zu haben, denn im November des Jahres, als Humboldt von seiner Schweizer Reise zurückgekehrt war, wurden Reinhard und Christiane Mann und Frau. Um das Ereignis zu feiern, veranstaltete Humboldt einen großen Ball im alten Schloß in Bayreuth, und im Verlauf des nächsten Jahres entfernte er sich nie sehr weit von den Neuvermählten. Eine derartige Situation war unhaltbar, und das wußte Humboldt. Als er im Januar 1797 spürte, daß der unvermeidliche Bruch bevorstand, setzte er sich hin und schrieb von Haeften einen Brief nach Bayreuth. Es war Winter, es war kalt, es war Nacht, es war dunkel, und Humboldt war einsam und am Ende. Dieser Brief ist nicht mit formalen stilistischen Extravaganzen verkleidet; die Angst des Mannes spricht aus jeder Zeile:

Zwei Jahre sind vergangen, seitdem wir uns näherten, und Dein Schicksal das Meinige wurde. Ich segne noch jetzt den Tag, da Du zum ersten Mal Deine Sorgen in meinen Busen schüttetest, und mir zum ersten Mal sagtest, daß Du Linderung spürtest . . . Ich fühlte mich besser in Deinem Umgange und von der Zeit an war ich mit ehernen Ketten an Dich gebunden. Wenn Du mir noch Jahre lang mit Kälte und Verachtung begegnetest, wenn Du mich zurückstößest, würde ich mich an Dich drängen; ich würde nie aufhören, in stummer Betrübnis an Dir zu hangen, doch dem Himmel danken, daß ich vor meinem Tode empfinden durfte, was gute Menschen einander sein können. Mit jedem Tag nimmt diese Liebe und Anhänglichkeit, deren Ausbruch Dir oft lästig wird, zu. Ich kenne kein anderes Glück auf Erden, seit zwei Jahren, als Deine Heiterkeit, Deinen Umgang, als den schwächsten Ausdruck Deiner Zufriedenheit. Meine Liebe zu Dir ist nicht Freundschaft, Bruderliebe allein, es ist Ehrerbietung, kindliche Dankbarkeit, Ergebung in Deinen Willen, als meinem höchsten Gesetze . . . Ich will feierlich versprechen, zu sterben, wenn in dieser festlichen Nacht ein unwahres Wort aus meiner Feder fließen sollte.

Es war, was man die dunkle Nacht der Seele nennt. Es war der letzte Liebesbrief – im herkömmlichen Sinne des Wortes –, den er jemals in seinem Leben schrieb. Es war, als wäre nach der Trennung von Haeften – zumindest in seinem Gefühlsleben – etwas gestorben. War es ein reiner Zufall, daß er kurz zuvor seinen letzten Willen in einem Testament im Berliner Stadtgericht niedergelegt hatte? Sollte er begreiflicherweise Selbstmordgedanken gehegt haben? Sicher ist, daß sein Privatleben selten auf einem solchen Tiefpunkt war. Und die Verzweiflung über von Haeften war nicht dazu angetan, ihm einen weiteren Verlust zu erleichtern. Denn Ende November war seine Mutter – lange und qualvoll mit dem Tode ringend – an Krebs gestorben.

FÜNFTES KAPITEL

Enttäuschungen eines Forschungsreisenden

Die Intensität der Schmerzen, unter denen seine Mutter gelitten hatte, brachte Alexander weit mehr aus der Fassung als ihr Tod. Schon im vergangenen Frühjahr 1796 war er nach Berlin geeilt, um sich mit seinem Bruder Wilhelm an ihrem Krankenlager zu treffen, als es sehr schlecht um sie zu stehen schien. Sie war 55 Jahre alt und hatte Brustkrebs. Mehr als ihr Opiumtinktur zu verordnen, konnte niemand für sie tun, und die Schmerzen waren unerträglich. Doch während des Sommers sah es aus, als habe sie sich wieder erholt – jedenfalls scheint sich Alexander frei genug gefühlt zu haben, wieder zu seiner Arbeit zurückzukehren. Es wurde Ende November, bis er die Nachricht von ihrem Tod erhielt. Er fühlte sich erleichtert, daß sie nun endlich von ihren Leiden erlöst war; doch in anderer Weise berührte ihn diese Tatsache weniger, weil sie sich nie sehr nahe gestanden hatten.

Der Tod seiner Mutter wurde ein einschneidendes Ereignis in Alexanders Leben. Es befreite ihn von den letzten gefühlsmäßigen Bindungen zum Elternhaus, trennte ihn ein für allemal von den Kinderkomplexen und Sohnesverpflichtungen, die er in sein Erwachsenenleben mitgenommen hatte. Und was noch wichtiger war, es machte ihn finanziell unabhängig. Künftig mußte er sich seinen Lebensunterhalt nicht mehr verdienen und brauchte sich keine Geldsorgen zu machen, denn nach dem Testament seiner Mutter erbte er ein großes Vermögen und verschiedene Hypotheken; nach Abzug der Schulden belief es sich auf 85 375 Taler. Es sicherte ihm ein Durchschnittseinkommen von 3476 Talern im Jahr – das Sechsfache des Gehalts, den ein Superintendent bei der Minenverwaltung verdiente. Das war eine enorme Summe für jene Zeit. Über Nacht war Alexander Millionär geworden. Praktisch bedeutete es, daß er nun seine langgehegten Pläne in die Tat umsetzen und mit der wissenschaftlichen Erforschung der Erde beginnen konnte.

Im Februar 1797 quittierte er endgültig seinen Dienst bei der Minenverwaltung. Endlich war er frei.

Zunächst begab sich Humboldt nach Jena zu seinem Bruder und dessen Familie. Er plante, mit ihnen nach Italien zu reisen, um dort die vulkanischen Erscheinungen zu studieren. Dann wollte er weiter nach Paris, um sich wissenschaftliche Instrumente zu besorgen, und zuletzt einige Zeit in England verbringen, bis er ein englisches Schiff nach den Westindischen Inseln ergattern würde. Aber von Anfang an hat alles nicht recht geklappt. Caroline hatte sich von der kurz zurückliegenden Geburt ihres dritten Kindes noch nicht erholt, und Wilhelm und die Kinder waren an Fieber erkrankt, so daß ihre Abreise nach Italien (über Dresden und Wien) verschoben werden mußte. Es wurde Anfang Juni, bis die ganze Humboldtfamilie, zusammen mit Reinhard von Haeften, seiner Frau und zwei Kindern, ihre große Reise antrat. Goethe, der es abgelehnt hatte, daran teilzunehmen, nannte es amüsiert und ironisch ihre ›Karawane‹ – ein Haushalt von zwei Müttern, zwei Vätern, fünf Kindern, zwei Dienstmädchen, einem Diener und Alexander; alle zusammengedrängt, gleich ob Kleinkinder oder Rekonvaleszenten, in zwei heißen ratternden Kutschen, die bereits mit dem übermäßigen Gepäck der von Haeftens und Alexanders Instrumenten überladen waren.

Diese merkwürdig zusammengestellte Reisegruppe erreichte Dresden kaum, als Caroline einen Rückfall erlitt und die Weiterreise nach Wien noch einmal verschoben werden mußte. »Das wird eine schöne Reise werden«, schrieb Schiller Ende des Monats an Goethe, »sie müssen jetzt schon über die Zeit liegen bleiben!« Aber der zwangsweise Aufenthalt in der sächsischen Hauptstadt war nicht vergeblich. Humboldts gesellschaftliches Ansehen hatte ihm Zutritt zu den offiziellen Kreisen verschafft, und eines Tages lernte er den Bruder eines gewissen Barons von Forell, dem Sächsischen Gesandten am spanischen Hof in Madrid, kennen. Es war nur ein flüchtiger Kontakt, doch er sollte sich als sehr entscheidend erweisen.

Mittlerweile wurde Alexander ungeduldig. Er sah seine ursprüngliche Absicht vereitelt, denn in Italien, wo Napoleons Truppen inmitten eines Wirrwarrs politischer Manöver vorwärts und rückwärts marschierten, wurden die Zustände täglich verworrener. Am 25. Juli reiste er allein über Prag nach Wien. Hier wollte er auf Wilhelms Familie und die von Haeftens warten.

Während er beobachtete, wie sich die Verhältnisse jenseits der Grenze entwickelten, setzte Humboldt seinen intensiven Selbstunterricht auf den für seine Forschungsreisen nützlichen Gebieten fort. Einige Wochen lang studierte er das großartige Herbarium seltener und exotischer Pflanzen im Park von Schönbrunn und lernte verschiedene berühmte Wissenschaftler kennen, die zu jener Zeit in Wien arbeiteten. Es scheint, daß einige von ihnen den Prototypen des verrückten Wissenschaftlers und des zerstreuten Professors geglichen haben. Einer der exzentrischsten unter ihnen war Professor Franz Porth, ein sehr reicher Mediziner, der als Augenspezialist von Kaiser Franz II. zu Ruhm gelangt war und den Humboldt als den genialsten Mann von Wien betrachtete.

Da er mit vielen ausländischen Tieren und Pflanzen, Statuen und Präparaten und Münzen, alles in einem Zimmer, nahe bei dem botanischen Garten wohnt, so habe ich ihn oft besucht.

Alles, was an ihm und um ihn ist, hat das sonderbare Gepräge seiner Empfindsamkeit. So trägt er eine Weste mit Ärmeln, die sich in Beinkleider und Strümpfe verlängert. Er steckt darin wie in einem Futteral. Er ißt nur einmal des Tages und zwar nachts um 10 Uhr, um sich nicht, wie er sagt, mit dem Essen im Leibe herumzutragen, was sehr ermüdend und lästig sei . . . Auch besitzt er eine antike Statue des einen Sohnes der Niobe, welche ihn 15 000 Gulden gekostet hat. Sie steht in demselben Winkel, wo er chemische Experimente

macht und Hühner ausbrütet. Er raffinirt jetzt auf einen Hut, den er
tragen wird und der, wenn man eine Schnur zieht, sich in einen Re-
genschirm von 3 Fuß Durchmesser verlängert. Kurz, es ist unmög-
lich, mehr Genie, Gelehrsamkeit, praktische Geschicklichkeit und an
Tollheit grenzende Sonderbarkeit vereinigt zu sehen.

Allmählich bestand keine Möglichkeit mehr, Italien zu bereisen, um den Vulkanismus zu studieren. Im Spätherbst fuhr
Wilhelm mit seiner Familie nach Paris ab; Alexander hatte
vor, den Winter über mit den von Haeftens in der Schweiz zu
verbringen und dort abzuwarten, bis sich die Schwierigkeiten
in Italien geklärt hätten. Doch eines Tages stieß er auf einen
Freund aus seinen Freiberger Tagen, den Geologen Leopold
von Buch, und die Folge war, daß er seine Pläne änderte.

Von Buch war reich und exzentrisch wie Porth, aber außerdem außergewöhnlich scheu und so wenig umgänglich, daß
man in Gesellschaft keinen Staat mit ihm machen konnte.
Humboldt führte ihn bei einigen Freunden ein, doch von Buch
benahm sich, als käme er vom Mond. Entweder setzte er seine
Brille auf und verlor sich völlig in das Studium einiger Sprünge
im glacierten Ofen, der in der entferntesten Zimmerecke
stand, oder er schlich wie ein Igel an den Wänden herum und
betrachtete die Simse. Dabei war er auf seine Art ein sehr interessanter und liebenswerter Mensch, und Humboldt begriff
bald, daß er von den umfassenden geologischen Kenntnissen
seines Freundes viel profitieren könne. Mit dem für manche
zielbewußten Menschen typischen Mangel an Rücksichtnahme
gab er die von Haeftens und ihre kränkelnden Kinder plötzlich
auf und verließ Wien, um zusammen mit von Buch den Winter
1797/98 in Salzburg und Berchtesgaden zu verbringen. Die von
Haeftens kamen später hinter ihm her, aber sie sollten nicht
viel von ihm sehen.

In diesem Winter führte Humboldt hoch oben zwischen
den schneebedeckten Tiroler Bergen ein hartes Leben von fast
priesterähnlicher Hingabe an seine wissenschaftlichen Beobachtungen. Er wollte so viel wie möglich von Buch lernen,
und die beiden Männer verbrachten ihre Zeit mit einem un-

unterbrochenen Programm magnetischer, geographischer und meteorologischer Messungen. Humboldt arbeitete ständig mit seinem zwölfzölligen Sextanten, einem großartigen, aber unheimlich schwerem Instrument, das er in den Bergen umherschleppte. Er stellte fest, daß die Längengrade auf den vorhandenen Karten überall falsch waren, fast bis zu 5 bis 6 Minuten. Er hielt sich den ganzen Tag über draußen auf, manchmal auch die ganze Nacht, in völliger Einsamkeit und bei jedem Wetter. Zu bestimmten Stunden maß er den Barometerdruck, die Temperatur, die Feuchtigkeit, den Sauerstoff- und Kohlensäuregehalt und die elektrische Ladung der Luft, ein Ablese-Programm, das später bei meteorologischen Beobachtungen in der ganzen Welt gebräuchlich werden sollte.

Zu Beginn dieses Winters hatte Humboldt eine überraschende Einladung von einem Engländer erhalten, dem berüchtigten Lord Bristol, Bischof von Derry, sich einer Expedition nilaufwärts anzuschließen. Offenbar hat er mit niemandem über diese Einladung gesprochen und hegte schwerwiegende Bedenken, sie anzunehmen. Einmal stand sie in völligem Gegensatz zu seinen eigenen Plänen mit Westindien. Zum anderen war Lord Bristol ,»halb toll und halb Genius«, nicht gerade der Typ eines Expeditionsleiters, der ihm absolutes Vertrauen einflößte. Humboldt hatte ihn zwar nur einmal auf einer der Reisen getroffen, die der »tolle, alte Lord« auf dem Pferderücken zwischen Pyrmont und Neapel unternahm, doch er wußte, daß er ein Sonderling war. Er galt als der Exzentrischste der Exzentrischen. Sein jährliches Einkommen belief sich auf 60000 Pfund Sterling im Jahr – eine fast unvorstellbare Summe zu jener Zeit – und er spielte eine hervorragende Rolle in der vornehmen Gesellschaft. Trotz seines hohen kirchlichen Ranges war er ein ausgesprochener Freidenker, ein Lebemann, ein verschwenderischer Mäzen der Schönen Künste und ein lebhafter Bewunderer der ehemaligen Maitresse König Wilhelms II., der Gräfin von Lichtenau. Seine Pläne für die Nilexpedition waren gleichfalls ungewöhnlich, denn außer ihm, Humboldt, und einem Archäologen namens Hirt, sollten zwei

Frauen mit von der Partie sein – Madame Dennis, die angesehene Gattin eines Künstlers und »liebe und enge Freundin« von Lady Emma Hamilton, und Lord Bristols »angebetete Freundin«, die Gräfin Lichtenau persönlich, der er stürmische Briefe voller Komplimente und Doppeldeutigkeiten schrieb: »Jamais un voyage ne sera plus complet tout pour l'âme que pour le corps«, versprach er ihr. Und wieder: »Quant aux femmes, il faut que vous passiez pour la mienne, et que pour n'être pas violée, vous soyez voilée, et alors votre personne est plus sacrée que la mienne«. (»Niemals wird es eine Reise geben, die für Seele wie Körper gleichermaßen vollkommen ist. Was die Frauen betrifft, so ist es wichtig, daß Sie als meine Frau mitfahren, und um nicht entweiht zu werden, sollten Sie sich verhüllen, schließlich ist Ihre Person geheiligter als meine.«) Durch den Tod Friedrich Wilhelms II. war jedoch die Position der Gräfin am Hofe ziemlich prekär geworden, so daß sie möglicherweise gezwungen sein würde, dem guten Bischof das Vergnügen ihrer Gegenwart auf dem Nil zu versagen.

Lord Bristol schlug vor, daß diese merkwürdige Reisegesellschaft in Neapel an Bord gehen und acht Monate lang segelnd und rudernd auf dem Nil verbringen sollte, dabei wollte man alte Bauwerke bis nach Assuan in Oberägypten besichtigen. Die beiden Privat-Yachten sollten bewaffnete Mannschaften mit sich führen sowie eine Gruppe von Malern und Bildhauern – nicht nur wegen der Ruinen und Landschaften, sondern auch wegen der Kostüme – außerdem eine Küche, einen gut ausgerüsteten Keller und jegliche Art von Luxus.

Es war nicht gerade Humboldts Stil, doch es war besser als gar nichts. Es war ihm nicht gelungen, nach Italien zu gelangen, und nun sah es aus, als würde er auch Westindien nicht erreichen, denn die englische Marine hatte gerade eine Blockade vor der europäischen Küste errichtet. Am Ende des Winters beschloß er widerstrebend, daß es wohl am besten wäre, die Einladung von Lord Bristol anzunehmen. Es war ihm klar, daß die etwas skandalumwitterte Begleitung seiner Lordschaft sich als schwierig erweisen könnte. Da Humboldt aber auf seine eigenen Kosten zu reisen gedachte, glaubte er, seine Unabhängigkeit bewahren zu können; und falls die Verhältnisse zu schwierig werden sollten, konnte er jederzeit abspringen. »Übrigens, er ist ein genialer Mensch – und es wäre ein Jammer, sich eine so großartige Gelegenheit entgehen zu lassen – vielleicht könnte ich etwas für die Meteorologie tun.«

Am 24. April 1798 sagte Humboldt Salzburg Adieu und begab sich auf die Reise nach Paris, wo er sich mit allen notwendigen wissenschaftlichen Instrumenten ausstatten und von seinem Bruder Wilhelm Abschied nehmen wollte. Doch er reiste mit wenig Hoffnung. In Toulon hatte eine starke Ansammlung von französischen Truppen- und Transportschiffen stattgefunden. Überall munkelte man, daß Napoleon kurz vor einer Invasion Ägyptens stehe. Wenn das geschähe, würde Lord Bristols Expedition sicherlich keine Erlaubnis erhalten, ebenfalls dort zu landen. »Auf diese Weise wurden unsere schönsten Pläne vom Winde verweht«, beklagte sich Humboldt. Denn noch bevor er die französische Grenze erreichte, war Napoleon nach Alexandria abgesegelt, mit einer starken Streitmacht von Veteranen-Truppen und einer riesigen Expedition von ungefähr 160 bedeutenden französischen Professoren und Wissenschaftlern in der Nachhut. Lord Bristol war in Mailand verhaftet, als britischer Geheimagent verdächtigt und in den Kerker geworfen worden. Alle Zukunftspläne Humboldts waren zerstört, als er in Paris ankam.

Italien, die Westindischen Inseln, Ägypten – der Forschungsreisende sah sich von jedem seiner Ziele abgehalten. Mehr als ein Jahr war vergangen, seitdem er sein Amt aufgegeben hatte und aufgebrochen war, doch bisher hatte er noch keinen Ort erreicht, den er nicht vorher schon kannte.

Ich selbst aber fühle mich in allem Tun so gehindert, daß ich täglich entweder vierzig Jahre oder später gelebt zu haben wünsche . . . Nur eine Wohltat, die Ausrottung des Feudalsystems und aller aristokratischen Vorurteile, unter denen die ärmere und edlere Menschenklasse so lange geschmachtet, wird schon gegenwärtig genossen . . .

Dennoch war nicht alles verloren. Noch besaß er genügend Jugendfrische – er war erst 28 Jahre alt, als er nach Paris kam –; außerdem war er reich, hatte eine gesellschaftliche Stellung, einen guten Ruf, und Erfahrung auf fast jedem erdenklichen Gebiet der Geländeforschung. Und Paris war zur Zeit der Größe Napoleons die geeignetste Stadt der Erde, um eine wissenschaftliche Expedition zu planen. Es war die geistige Hauptstadt der Welt. Auf den Straßen und in den Salons wimmelte es von Wissenschaftlern und Künstlern von internationalem Ruf. Die Institute der Gelehrsamkeit waren Sammelpunkte der fortschrittlichsten Ideen und Entdeckungen des Jahrhunderts. Geld und Menschen, ja sogar Schiffe, für die anspruchsvollsten wissenschaftlichen Unternehmungen waren ständig verfügbar. Nach der tödlichen Herrschaft des Terrors befand sich Paris in einem kulturellen Gärungsprozeß, und Humboldt, der in dem Haus seines Bruders wohnte, liebte es. Er liebte alles Französische, das anspruchsvolle Gesellschaftsleben und die internationalen Treffpunkte erstklassiger Geister, und er war überall ein willkommener Gast. Große Männer, wie die Chemiker Chaptal, Vauquelin, Thénard und Fourcroy, die Botaniker Jussieu, Desfontaines und Lamarck, der Zoologe Civier und die Astronomen und Mathematiker Delambre, Lalande, Laplace und Borda – der Mann, der als erster Humboldts Aufmerksamkeit auf die Probleme des Magnetfeldes der Erde lenkte – diskutierten mit ihm über ihre Forschungsergebnisse und gaben ihm Ratschläge für seine Ausrüstung und seine Methoden. Er studierte im Jardin des Plantes und im Observatorium, gab eine Vorlesung im berühmten Institut de France, und einige überaus fröhliche Sommertage lang betätigte er seinen Sextanten auf dem Land zwischen Melun und Lieursaint, wo Delambre und sein geodätisches Überwachungsteam die Gradmessungen des nördlichen Teiles der berühmten Dünkirchen-Barcelona Meridianlinie beendeten, Messungen, die später als Basis für die Länge des französischen Standard-Meters dienten, der ein Viertelmillionstel des Pariser Meridians mißt.

Anläßlich dieses historischen Ereignisses begegnete Humboldt zum ersten Mal einem alten Helden aus seiner Jugendzeit, dem französischen Weltumsegler und Entdecker Louis Antoine de Bougainville. Bougainville war von seiner großen Entdeckungsreise in den Pazifischen Ozean wenige Monate vor Alexanders Geburt zurückgekehrt, und sein Bericht darüber hatte zu Alexanders bevorzugten Kindheitsbüchern gehört. Der alte Seebär war nun siebzig und Admiral, aber er sehnte sich noch immer nach der hohen See, und kurz nach ihrer Begegnung machte er Alexander einen Vorschlag, der diesem den Kopf schwindlig werden ließ.

Die französische Regierung plante eine neue Expedition um die Welt. Sie sollte fünf Jahre dauern und sich mit wissenschaftlichen Arbeiten zu Lande und zur See befassen. In den ersten beiden Jahren sollte sich die Expedition auf Südamerika, Mexiko und Kalifornien konzentrieren. Für das dritte Jahr war geplant, den Pazifischen Ozean zu erforschen und den Versuch zu unternehmen, den Südpol zu erreichen. Im vierten Jahr sollte sie auf Madagaskar stationiert sein, im fünften an der Westafrikanischen Küste. Der ehrwürdige Bougainville war mit der Verwirklichung dieses ambitiösen Unternehmens betraut worden, und er schlug Humboldt vor, sich dem wissenschaftlichen Stab anzuschließen. Humboldt war selbstverständlich über diesen Vorschlag außer sich vor Freude.

»Da ich mich gerade damals mit magnetischen Untersuchungen beschäftigte, so leuchtete mir eine Reise nach dem Südpol mehr ein als nach Ägypten«, schrieb er. Viele seiner Freunde versuchten, ihn davon abzuhalten. Vier Jahre auf See sei eine lange Zeit, sagten sie. Aber die Gelegenheit war zu einmalig, um sie auszuschlagen. Weltumseglungen waren keine alltäglichen Ereignisse, und er konnte niemals hoffen, auf eigene Kosten so viel von der Welt zu sehen.

Allerdings begannen sich bei ihm einige Zweifel über das Unternehmen zu regen, als die französischen Behörden an Stelle des bejahrten Bougainville einen Seekapitän namens Baudin einsetzten, einen Mann mit zweifelhaftem Charakter, zu dem Humboldt wenig Vertrauen hatte. Doch die Vorbereitungen beschäftigten ihn zu sehr, als daß er weitere Überlegungen darüber anstellen konnte. Die Zeit war knapp, und die Schiffe waren bereits aufgetakelt. Er durchwühlte die staatlichen Lagerhäuser nach Instrumenten und half bei der Auswahl von Personen und Ausrüstung. Er lernte die Männer kennen, mit denen er fünf Jahre lang auf einem Schiff leben sollte und fand sie gut ausgesucht, qualifiziert, jung und kräftig. Er arrangierte es, daß ihm der fünfzehnjährige Sohn von Bougainville während der Reise anvertraut wurde. Innerhalb von zwei Wochen waren seine Vorbereitungen beendet; er bekam Order, sich einzuschiffen, die Schiffe lagen zum Auslaufen bereit. Viele seiner Freunde in Paris glaubten, sie seien bereits ausgelaufen – da wurden all diese Träume in letzter Minute wieder zerstört.

Ein neuer Krieg mit Österreich stand bevor; und unter diesen Umständen glaubte das Direktorium, die 300000 Livre für die Baudin-Expedition nicht aufbringen zu können; dementsprechend wurde entschieden, diese auf einen späteren Zeitpunkt zu verschieben.

Humboldt nahm den Rückschlag philosophisch. »Männer müssen handeln und sich nicht dem Schmerz überlassen . . .« schrieb er an Willdenow. Die Enttäuschung scheint bei ihm eine verzweifelte Entschlossenheit ausgelöst zu haben: Wenn er nicht an der Expedition eines anderen teilnehmen könne, so würde er eben eine auf eigene Faust unternehmen. Und fast augenblicklich kündete er seine Absicht an, eine private Reise durch Nordafrika zu machen, in der Begleitung eines jungen Franzosen, dessen Name in der Forschungsgeschichte mit seinem eigenen untrennbar verbunden sein sollte.

SECHSTES KAPITEL

Am Hof von Aranjuez

Aimé Bonpland war 25 Jahre alt. Wie Humboldt sollte auch er an der Baudin-Expedition teilnehmen – als deren Botaniker –, und er und Humboldt hatten während der letzten Vorbereitungstage im Hotel Boston in der Rue Colombier gewohnt. Dort begann die berühmte Partnerschaft. Humboldt traf ihn häufig im Treppenhaus, wenn er seinen Schlüssel abgab, einen frischen jungen Mann, der stets eine zerbeulte Botanisiertrommel wie ein Berufsabzeichen bei sich trug.

Humboldt mochte Bonpland. Er war ein ausgezeichneter Botaniker mit nützlichen Grundkenntnissen in vergleichender Anatomie; er hatte während der Revolution in Paris Medizin studiert und bei der Flotte unter Baudin als Schiffsarzt gedient. Er war ein heiterer, ausgeglichener Charakter, besaß Humor und eine ergötzliche Zuneigung zu Frauen; er war gewandt, begabt und mutig. Er teilte Humboldts politische Überzeugungen, besaß die gleichen wissenschaftlichen Neigungen, die gleiche Wanderlust, und befand sich nun, in Paris gestrandet, in der gleichen mißlichen Lage. Die beiden Männer waren bald sehr gute Freunde geworden, und im Oktober 1798 machten sie sich in allerbester Laune in einer Eilpostkutsche auf den Weg nach Marseille, wo sie ein Segelschiff nach Algier erreichen wollten. »Seine Abreise hat mich unendlich geschmerzt«, schrieb Wilhelm ein paar Tage nachdem sein Bruder abgefahren war, »aber ich denke, es wird nicht lange dauern bis wir ihn wiedersehen.« Wie sich herausstellen sollte, war das allerdings eine völlig falsche Annahme.

Humboldt plante, sich dem wissenschaftlichen Stab der Nachhut Napoleons anzuschließen, die den Eroberungstruppen in Ägypten folgte. Deshalb wollte er in einem schwedischen Postdampfer, der Geschenke für den Dei beförderte, nach Algier segeln, den Winter im Atlasgebirge verbringen und dann mit der Pilger-Karawane zusammentreffen, die die Wüste zwischen Tripolis und Kairo auf ihrem Weg nach Mekka durchquerte. Die schwedische Fregatte war noch nicht im Hafen von Marseille eingelaufen, wurde aber stündlich erwartet, und Humboldt und Bonpland blieben und warteten. Doch aus den Stunden wurden Tage, dann Wochen, und schließlich zu Humboldts Bestürzung – Monate. Ihr Gepäck stand bereit, und sie waren jederzeit abreisefertig. Aber kein Segel erschien, und die Zahl der Eintragungen in ihren Pässen stieg auf mehr als zwanzig an. (Nach Humboldts Paß, ausgestellt in Paris, war er 5 Fuß 8 Zoll groß, hatte hellbraune Haare, graue Augen, eine große Nase, ein gutgeformtes Kinn, einen ziemlich großen Mund und eine offene Stirn, von Pocken gezeichnet.) Um sich die Zeit zu vertreiben, besuchten sie Toulon, eine Stadt, die mit Kriegsgefangenen vollgepfropft war. Humboldt war überrascht, als er auf der äußeren Reede des Hafens die Fregatte vor Anker liegen sah, mit der Bougainville vor mehr als zwanzig Jahren seine große Weltumseglung gemacht hatte: ›La Boudeuse‹, das Schiff, um das er seine Kindheitsträume in Tegel gesponnen hatte. Humboldt bestand darauf, rasch hinauszurudern und einen Blick darauf zu werfen, obwohl es kurz vor der Abfahrt stand.

Alle Mannschaften waren auf dem Verdeck, alles regte sich und arbeitete an den Segeln. Es war mir so wohl und weit ums Herz, alles vorwärtsgehen zu sehen. Als ich aber in die Kajüte hinabstieg, ein großes geräumiges Zimmer, da fiel mir Baudins Reise schwer auf die Seele. Ich lag wohl an zehn Minuten lang im Fenster und sah auf den hellen Spiegel der See. Endlich vermißte man mich, aber ich hätte weinen mögen, als ich an die gescheiterten Pläne dachte.

Weihnachten war gekommen und gegangen, als die Nachricht durchdrang, daß das schwedische Schiff vor der portugiesischen Küste beschädigt und in den Hafen von Cadiz zur Reparatur geschleppt worden war. Es würde kaum vor dem Frühjahr Marseille erreichen.

Daraufhin buchten Humboldt und Bonpland unverdrossen ihre Passagen auf einem kleinen Schiff, das sie nach Tunis bringen sollte. Doch während die Hauptkajüte vom lebenden Inventar gereinigt wurde, um für sie Platz zu schaffen, erfuhren sie, daß die tunesischen Behörden alle Passagiere, die aus den französischen Häfen einreisten, in ein Burgverlies warfen. Sie waren einsichtig genug, das Schiff ohne sie segeln zu lassen. Jede Hoffnung, nach Ägypten zu gelangen, war nun vernichtet.

Der nächste Schritt der Reisenden schien völlig willkürlich zu sein – sie beschlossen, nach Spanien zu wandern und sich dort im Frühjahr auf ein Schiff nach Smyrna zu begeben. So begannen sie in den letzten Tagen des Jahres 1798 ihre Fußwanderung an der Mittelmeerküste entlang, überquerten die Pyrenäen an den östlichen Ausläufern und setzten ihren Weg durch Katalonien nach Madrid fort.

Die Wanderung nach Madrid dauerte sechs Wochen, und fast an jedem Tag war Humboldt mit seinen Beobachtungen beschäftigt. Für die abergläubischen und isoliert lebenden Einwohner der kleinen ländlichen Städte muß Humboldt eine seltsame Figur abgegeben haben, wenn er durch seine verschiedenen Instrumente nach den Himmelskörpern schielte. Der Pöbel sammelte sich manchmal in den Straßen und beschimpfte ihn, so daß er oft nicht wagte, seine Instrumente auszupacken, bis die Sonne über den Mittagskreis hinaus war. Schließlich mußte er seine Beobachtungen nachts machen, und dann umgaben ihn häufig Gaffer, die einander zuriefen, er bete den Mond an. Doch er arbeitete beharrlich weiter; für das wilde, unbewohnte Gebiet zwischen Barcelona und Valencia waren die Kartenangaben so ungenau, daß die geographische Lage von Valencia um mehr als zwei Minuten differierte und seine astronomischen Bestimmungen die einzigen festen Punkte in diesen ungeheuren, ozeanähnlichen Ebenen wurden. Noch wichtiger waren seine Messungen, die Höhen mit Hilfe des Barometerdruckes zu bestimmen, die er auf dem ganzen Weg von Valencia bis Galicien aufzeichnete. Zum Schluß hatte er ein Höhenprofil quer durch Spanien vom Südosten bis zum Nordwesten erarbeitet. Es zeigte – erstaunlicherweise zum ersten Mal –, daß das Innere Spaniens eine zusammenhängende Hochebene sei. Diese Pionierarbeit der Geländeuntersuchungen stellte nicht nur einen wesentlichen Beitrag zur damaligen geographischen Wissenschaft dar, sondern zeigte auch, daß Humboldt bereits einer der sorgfältigsten und bestausgebildeten Reisenden jener Zeit gewesen ist. Seine Rückschläge und Behinderungen erwiesen sich nicht als reine Zeitvergeudung, denn er konnte nunmehr mit fast allen komplizierten, wissenschaftlichen Instrumenten umgehen – und das unter jeglichen Bedingungen. Seine Lehrzeit war vorüber.

Mitte Februar, bei sehr strenger Kälte, erreichten die beiden Madrid. Humboldt dachte vage daran, nach Cadiz zu gehen, um sich an Bord des schwedischen Schiffes zu begeben, das dort repariert wurde; denn noch immer sehnte er sich nach den Westindischen Inseln. Doch in weniger als einem Monat wurde er mit unvorhergesehenen Privilegien ausgestattet, die einmalig in der Forschungsgeschichte seiner Zeit waren.

Die wirkungsvollste Unterstützung bei den Ereignissen, die Humboldt in Madrid überwältigten, erfuhr er vom sächsischen Gesandten – nicht vom preußischen, der ihm kaum helfen konnte – Baron Philipp von Forell. In dieser Zeit und besonders bei dem Weiberregiment am Hof Carlos IV. von Spanien waren Beziehungen und Günstlingswirtschaft ebenso wichtig zum Vorwärtskommen wie Rang und Ansehen: Jemanden zu kennen galt ebensoviel wie jemand zu sein.

Humboldt hatte ja den Bruder Forells in Dresden kennengelernt. Philipp von Forell, der naturwissenschaftlich interessiert und von Humboldts Plänen gefesselt war, genoß die Gunst des Premierministers Don Mariano Luis de Urquijo. Urquijo – so ging das Gerücht – war der Liebhaber der Königin, der groben und sinnlichen Maria Luisa de Parma. Und was die Königin befahl, tat der törichte, nahezu schwachsinnige König fast immer. Es gab nur ein logisches Ende dieser vor-

trefflichen Kontaktkette: Humboldt wurde im März 1799 pünktlich dem König und der Königin von Spanien am Hofe von Aranjuez vorgestellt.

Humboldt nützte die Gelegenheit geschickt. Er berichtete dem König von seinem Wunsch, die spanisch-amerikanischen Kolonien zu besuchen und übergab formell ein Memorandum über die Vorteile seines Unternehmens für die spanische Regierung. Der König war beeindruckt, daß ein Preuße so viel Bildung besaß, spanisch zu sprechen. Außerdem verführte ihn der Gedanke, daß ein so bedeutender Bergwerks-Geologe wie Humboldt neue Mineralvorkommen entdecken könnte oder neuartige Wege finden, die alten Gruben wieder in Gang zu bringen. Er erklärte sich mit Humboldts Gesuch einverstanden.

Humboldt und Bonpland, dessen Tätigkeit als »Begleiter und Sekretär« beschrieben wurde, erhielten je zwei Pässe unter dem königlichen Siegel – einen vom Staatssekretär, den anderen vom ›Rat von Indien‹. Die Pässe sicherten den Reisenden die Unterstützung jedes Vizekönigs und jedes Magistratsbeamten und den Zugang zu jedem Ort. Für Humboldt, den Protestanten, bedeuteten sie ebensoviel wie Empfehlungsbriefe von Seiner Katholischen Majestät persönlich.

Es ist nicht schwer, sich Humboldts Gemütszustand während dieser ersten friedlichen Tage vorzustellen. Alle Bitten waren ihm erfüllt worden. Nach zwei Jahren voller Enttäuschungen lag nun die Welt – die Neue Welt mit ihren unbekannten Territorien – offen vor ihm. Er schrieb, er glaube, in einem Märchen zu leben. »Nie wurde einem Reisenden unumschränktere Erlaubnis verwilligt, nie wurde ein Fremder mit mehr Zutrauen von der spanischen Regierung beehrt.« Bonpland, der stets etwas in Humboldts Schatten stand, wurde vom gleichen stürmischen Enthusiasmus angesteckt. Die beiden Freunde waren zu ungeduldig, das große Abenteuer noch weiter hinauszuschieben. Im Mai befanden sie sich auf dem Weg durch Alt-Kastilien nach Coruna, um sich dort nach Amerika einzuschiffen.

Ihre Position war einmalig. Die spanisch-amerikanischen Kolonien, zu denen sie unterwegs waren, bedeckten ein ungeheueres Gebiet der Erde. Sie dehnten sich von Kalifornien bis Kap Horn aus, schlossen die meisten West-Indischen Inseln ein, ganz Mittel-Amerika, ganz Süd-Amerika (mit Ausnahme von Brasilien, Patagonien und Tierra del Fuego), und fast ein Drittel des Territoriums der heutigen Vereinigten Staaten. Dieses ungeheure Weltreich, – in Königreiche aufgegliedert und von Vizekönigen verwaltet – stand unter der direkten Herrschaft der spanischen Regierung in Madrid und war fast völlig von der übrigen Welt abgeschlossen. Handel mit eigendeinem anderen Land außer Spanien war streng verboten, und Fremde wurden genausowenig gern gesehen wie ihre Waren (und ihre Ideen). Während der dreihundertjährigen spanischen Herrschaft hatten kaum ein Dutzend Expeditionen nach Spanisch-Amerika stattgefunden, und selbst diese waren zum größten Teil auf Vermessungen der Küstengebiete beschränkt gewesen. Die letzte Expedition hatte der unglückselige Marquis de Malaspina, ein Admiral der spanischen Flotte, geleitet. Bei seiner Rückkehr nach Spanien, 1795, war er, politischer Intrigen verdächtig, gefangen genommen und ohne Gerichtsverhandlung in den Kerker geworfen worden, so daß man nie wieder etwas von ihm gehört hatte. Es ist daher nicht erstaunlich, daß das Innere von Spanisch-Amerika über weite Gebiete terra incognita war. Seit der Expedition des Franzosen La Condamine im Jahr 1735, 64 Jahre zuvor, hatte kein ausländischer Wissenschaftler mehr das Land betreten. Geographisch war es ein jungfräuliches Gebiet; so war es Humboldts und Bonplands Privileg, dort die ersten wissenschaftlichen Forschungsarbeiten in der Geschichte auszuführen.

Sie erreichten den Hafen von La Coruña Ende Mai. Als nächstes Schiff sollte die Korvette ›Pizarro‹, ein Postdampfer, nach Havanna auslaufen, und der Hafenmeister gab ihnen den Rat, sich darin einzuschiffen. Es war kein schnelles Schiff, doch es galt allgemein als ein glückliches, und sein Kapitän, Manuel Cagigal, war als besonders zuverlässig bekannt. Humboldt und Bonpland gingen sogleich an Bord, um die Unterbringungsmöglichkeiten für sich und ihr Gepäck zu arrangieren, und zwei Tage vor dem Auslaufen brachten sie ihre persönlichen Sachen, Bücher und die wissenschaftlichen Instrumente, an Bord. Niemals zuvor ist ein Forscher so gut wie Humboldt ausgerüstet gewesen. Er wollte gleichsam den Puls von Himmel und Erde fühlen: die Formationen der Felsen und Schichtungen studieren, die Luft chemisch analysieren, ihren Druck, die Temperatur, die Feuchtigkeit und die elektrische Ladung messen, den Einfluß des Klimas auf die Verteilung von Pflanzen und Tieren, die Stärke des Erdmagnetismus, die Bläue der Himmelsstriche und die Temperaturen der Ozeane erkunden. Und alle diese Erscheinungen in einen Zusammenhang zu stellen – das war sein Ziel. Um es zu erreichen, hatte er sich die besten Apparate besorgt, die man damals in der Welt finden konnte, einschließlich der Sextanten und Quadranten, Balancen und Kompasse, Teleskope und Mikroskope, Hygrometer und Barometer, Cyanometer, Eudimeter, Thermometer, Chronometer, Magnetometer, einer Leidener Flasche und einer ›lunette d'épreuve‹. Gewisse Finanzierungsschwierigkeiten – er bezahlte die ganze Expedition aus seiner eignen Tasche – waren durch den persönlichen Einsatz von Bankierfreunden in Berlin und Madrid gelöst worden, die bereit waren, seine Wechsel auf unbegrenzte Zeit und ohne jegliche Sicherheit einzulösen. Nichts war vergessen worden. Er hatte sein Testament gemacht und Vorbereitungen für die Rückbeförderung ihrer Musterstücke getroffen. Keine Möglichkeit war übersehen worden – außer den drei britischen Kriegsschiffen, die beigedreht unterhalb der Hafenmündung lagen.

Ein paar beängstigende Tage lang sah es aus, als würden Humboldts Pläne wieder im allerletzten Augenblick zerbrechen. Schließlich zwang ein heftiger, küstenwärts wehender Nordwest die britischen Schiffe fortzusegeln, aber er hinderte auch die ›Pizarro‹ daran, ihre Anker zu lichten. Doch dann bedeckte zwei Tage lang ein dichter Nebel den Horizont und zeigte eine Wetteränderung an, und am 5. Juni begann ein günstiger Nordost zu wehen. Kapitän Cagigal teilte Humboldt mit, daß sie am Nachmittag mit der Flut auslaufen würden.

Und während die Matrosen an Deck die letzten Vorbereitungen trafen, setzte sich Humboldt hin und schrieb seine letzten Abschiedsbriefe an seine Freunde, darunter auch einen an Freiesleben, in dem er seine Ziele in Südamerika umriß. Er war nicht auf persönliche Abenteuer aus oder auf das wahllose Sammeln von Daten und Musterexemplaren, sondern es ging ihm um etwas Universelles.

In wenigen Stunden segeln wir um das Kap Finisterre. Ich werde Pflanzen und Fossilien sammeln, mit vortrefflichen Instrumenten astronomische Beobachtungen machen können ... Das alles aber ist nicht der Hauptzweck meiner Reise. Auf das Zusammenwirken der Kräfte, den Einfluß der unbelebten Schöpfung auf die belebte Tier- und Pflanzenwelt, auf diese Harmonie sollen stets meine Augen gerichtet sein ...

Um zwei Uhr nachmittags lichtete die ›Pizarro‹ die Anker. Über das britische Geschwader, das einige Stunden zuvor von einem Wachtturm aus gesichtet worden war, schien niemand beunruhigt zu sein. Und kurze Zeit später fuhr das Schiff langsam den langen, engen Kanal hinab, der vom Hafen in die offene See führte. Der Kanal erweiterte sich nach der Mündung zu, die ›Pizarro‹ lavierte einige Male gegen den Wind. Einen Augenblick lang schien es, als triebe die Strömung sie auf die Felsen zu, doch dann kam sie klar, und bald hoben sich ihre Decks auf der Dünung des offenen Atlantiks.

Humboldt stand an Deck und sah Europa langsam entschwinden. Lange Zeit blieb sein Blick an Schloß San Antonio hängen, einer der letzten Landmarken Europas. San Antonio war ein Staatsgefängnis, es hielt gerade den dem Untergang geweihten Malaspina gefangen. Gegen Abend war das Schloß außer Sichtweite, der Wind wurde stärker und die See unruhiger. Als die Dunkelheit das Land und den Ozean einzuhüllen begann, entdeckte Humboldt in weiter Ferne das Licht einer Fischerhütte in Sisarga, das letzte, was er von der Alten Welt sah. Dann ging er zwischen schwingenden Lampen und knarrenden Spanten hinunter, zu seiner ersten Nacht bei der großen Ozeanüberquerung.

SIEBENTES KAPITEL

Der Aufbruch

Der Kapitän der ›Pizarro‹ hatte die Anweisung erhalten, die Kanarische Insel Teneriffa anzulaufen, weil Humboldt und Bonpland dort ein paar Tage verbringen wollten. Sie wollten den berühmten Vulkan Pico de Teyde erforschen. Doch als sie kaum drei Tage von La Coruña entfernt waren, schien es, als seien ihre Pläne wieder in Gefahr. Der Beobachter im Ausguck hatte ganz eindeutig die Umrisse eines britischen Konvois ausgemacht, der an der Küste entlang in südöstlicher Richtung fuhr. Die ›Pizarro‹ war zu einer Kursänderung gezwungen, um eine Begegnung zu vermeiden. Außerdem befahl der Kapitän nach dem Spanischen Marine-Reglement, alle Lichter des Schiffes zu löschen. Humboldt mußte nun nachts in der großen Kabine seine Instrumente beim schwachen Licht einer Blendlaterne ablesen. Dieses Handicap wurde immer beschwerlicher, weil der strenge Nordwest sie in die südlicheren Breiten von Afrika und Madeira trieb, und die Sonne täglich früher unterging.

Humboldt scheint sich ganz instinktiv dem Leben auf See angepaßt zu haben. Er litt nie unter der Seekrankheit, die Darwin so viel zu schaffen machte; im Gegenteil, die Seeluft verdoppelte seinen Arbeitseifer. Ein Teil des Hinterdecks war für ihn reserviert, und unter den knatternden Segeln und der wimmernden Takelung befaßten sich Bonpland und er den ganzen Tag über mit astronomischen und meteorologischen Beobachtungen. Sie maßen die Wassertemperaturen, analysierten die chemische Zusammensetzung des Meerwassers und untersuchten alles, was von den Netzen an Pflanzen und Tieren heraufgeholt wurde.

Nun befanden sie sich im Golfstrom. Sie waren allein mit den Delphinen und Meerschwalben, die dem Schiff folgten. Einmal, als sie eine Flaute hatten, wurden sie von einer riesigen Menge von Quallen überholt, die in südöstlicher Richtung, viermal schneller als die Strömung, dahinzogen. Diese seltsamen purpurfarbenen, violetten, gelben und braunen Lebewesen bedeckten den Ozean so weit das Auge sehen konnte. Es dauerte fast eine Stunde, bevor der letzte Nachzügler vorbeigeschwommen war. Unter den Quallen entdeckte Bonpland eine seltene Art von Lebewesen, ›dagysa‹ genannt (wahrscheinlich handelt es sich dabei um ein Meerestier, das heute den Namen ›Cyclosalpa pinnata‹ trägt und zur Klasse der Manteltiere gehört), ein kleiner, gallertartiger, durchsichtiger zylindrischer Sack, an beiden Enden offen, an dem senkrechte Büschel wie Orgelpfeifen herunterhingen. Humboldt versuchte, seine galvanischen Experimente mit diesen Lebewesen zu machen, aber mit wenig Erfolg. Doch etwas anderes stellte er fest: Legte er eine Qualle auf eine Zinnplatte und schlug mit einem metallischen Instrument auf die Platte, so sandte die Qualle ein phosphoreszierendes Licht aus.

Nachts betrachtete Humboldt entzückt das phosphoreszierende Glühen des Ozeans unter ihm und die Schönheit des afrikanischen Himmels über ihm. »Die Nächte waren prächtig; eine Mondhelle in diesem reinen, milden Himmel, daß man auf dem Sextanten lesen konnte; und die südlichen Gestirne, der Centaur und Wolf! Welche Nacht!«

Seenebel, Gegenwinde, Strömungen, zusammen mit einigen merkwürdigen Vorstellungen, die Kapitän Cagigal aus einem veralteten portugiesischen Navigationsband entnommen hatte, führten dazu, daß sich die ›Pizarro‹ zeitweise zwischen den vielen Felsen und Inselchen der Kanarischen Inseln verirrte. In einem Fall verwechselten sie einen Basaltfelsen auf einer Insel mit einer militärischen Festung auf einer anderen, grüßten durch Aufziehen der spanischen Flagge und sandten ein Boot aus, um den Kommandanten zu fragen, ob er irgendwelche umherkreuzenden britischen Schiffe gesehen habe.

Schließlich, am 19. Juli, schob sich die ›Pizarro‹ unbemerkt in den Hafen von Santa Cruz auf Teneriffa, einer großen Karawanserei auf dem Weg nach Amerika.

Sie warfen Anker aus, nachdem sie mehrmals die Wassertiefe gelotet hatten. Der nasse Nebel war so dicht, daß sie nur auf wenige Kabellängen Sicht hatten. Als sie aber gerade mit den Salutschüssen beginnen wollten, löste sich der Dunst auf. Der Pico de Teyde erschien in einer Wolkenlücke, und die ersten Sonnenstrahlen fielen auf den Gipfel des Vulkans. Alle eilten zum Schiffsbug, um dieses überwältigende Schauspiel zu bewundern. Und genau in diesem Augenblick entdeckten sie vier britische Kriegsschiffe, die sehr nahe ihrem Hinterschiff vor Anker lagen. Sie waren unerkannt, dicht unter der Nase der Royal Navy eingelaufen. Und derselbe Nebel, der ihnen die Sicht auf den Berggipfel verdeckt hatte, bewahrte sie davor, gekapert und nach Europa zurückgebracht zu werden.

Zur Sicherheit warfen sie die Anker so dicht wie möglich unterhalb des Forts von Santa Cruz aus. Humboldt und Bonpland beeilten sich, an Land zu gehen, zufällig an derselben Stelle, an der Admiral Nelson nur zwei Jahre zuvor seinen Arm durch eine Kanonenkugel verloren hatte. Dieser Teil der Insel ist felsig und unfruchtbar, und sie empfanden die Straßen der kleinen, weißgetünchten Stadt, in der achttausend Menschen lebten, als erstickend heiß und betäubend grell. Das Licht auf dem Bimssteingipfel des Vulkans – 4000 Meter über ihnen – strahlte in einem so blendenden Weiß, daß die Reisenden zunächst glaubten, er sei noch mit Schnee bedeckt. Sie zweifelten daran, ob sie den Krater in den vier oder fünf Tagen erreichen würden, die ihnen zur Verfügung standen.

So rasch es ging, drangen sie durch das herrliche Orotava-Tal zu dem grüneren und kühleren westlichen Teil der Insel vor. Sie hofften, dort für ihren Aufstieg Führer zu finden. Und hier, am Fuß des Berges, schrieb Alexander am 20. Juni 1799 den ersten Brief an seinen Bruder nach Hause:

Unendlich glücklich bin ich auf afrikanischem Boden angelangt und hier von Kokospalmen und Pisangbüschen umgeben ... Meine

Gesundheit ist vortrefflich, und mit Bonpland bin ich äußerst zufrieden . . . Alles bewirtet uns, mit und ohne Empfehlung, bloß um Nachrichten aus Europa zu haben; und der königliche Paßport tut Wunder.

Am nächsten Morgen begann er den Aufstieg zum Vulkan, der erst kürzlich – zum ersten Mal nach 92 Jahren – wieder Lava gespieen hatte. In seiner Begleitung befanden sich Bonpland und drei einheimische Führer – der französische Vizekonsul, dessen Sekretär und ein englischer Gärtner. Drei Tage später schrieb er wieder:

Gestern Nacht kam ich vom Pic zurück. Welch ein Anblick! Wir waren tief bis im Krater, vielleicht weiter als irgendein Naturforscher . . . Gefahr ist wenig dabei, aber Fatigue von Hitze und Kälte; im Krater brannten die Schwefeldämpfe Löcher in unsere Kleider, und die Hände erstarrten bei 2 Grad R. Gott welche Empfindung auf dieser Höhe von 11 500 Fuß! Die dunkelblaue Himmelsdecke über sich; alte Lavaströme zu den Füßen; um sich dieser Schauplatz der Verheerung . . . Der Krater, in dem wir waren, gibt nur Schwefeldämpfe . . . An den Seiten brechen die Laven aus . . . In ihm wütet Feuer und Wasser. Überall sah ich Wasserdämpfe ausbrechen.

Nachschrift: In der Villa Orotava ist ein Drachenblutbaum (dracaena draco), 45 Fuß im Umfang. Vor 400 Jahren war er schon so dick als jetzt . . .

Fast mit Tränen reise ich ab; ich möchte mich hier ansiedeln und bin doch kaum vom europäischen Boden weg. Könntest Du diese Fluren sehen, diese tausendjährigen Wälder von Lorbeerbäumen, diese Trauben, diese Rosen! Mit Aprikosen mästet man hier die Schweine. Alle Straßen wimmeln von Kamelen.

Eben, den 25. Juni, segeln wir ab.

Die spanischen Seefahrer nannten die 3000 Meilen Ozean zwischen den Kanarischen Inseln und der amerikanischen Küste ›El Golfo de las Damas‹ (›Golf der Damen‹), weil hier das Meer so friedlich ist, daß selbst eine Frau das Steuer führen könnte. Sie folgten der Columbus-Route, und die Überfahrt der ›Pizarro‹ verlief schnell und ohne bedeutsame Ereignisse – bis auf die allerletzten Tage. Die fliegenden Fische plumpsten auf das Oberdeck, die Sonne schien immer heißer. Die vertrauten Konstellationen der nördlichen Hemisphäre verschwanden allmählich aus der Sicht, und in der Nacht vom 4. Juli erschien zum ersten Mal deutlich das Kreuz des Südens tief am Horizont. Dieser Anblick bewegte Humboldt tief, denn damit erfüllte sich einer seiner Kindheitsträume.

Am 6. Juli segelten sie an der Küste Brasiliens entlang, und Humboldt war geschäftig wie immer. Später, am 1. September schrieb er an von Zach:

Zur See hat mich auch die Temperatur des Ozeans und dessen spezifische Schwere viel beschäftigt, welche ich mit einer vorzüglichen Dollond'schen Waage bestimmt habe. Franklins und Jonathan Williams Idee, mit dem Thermometer zu sondieren, ist ein ebenso sinnreicher als glücklicher Gedanke, und wird mit der Zeit für die Schifffahrt sehr wichtig werden. Ich habe viele Versuche zu Schiffe mit dem Hadley'schen Spiegelsextanten angestellt. Ich habe einen achtzölligen von Ramsden mit silbernem Limbus, worauf die unmittelbare Teilung von 20 zu 20 Sekunden geht. Dann habe ich einen Sextanten von Troughton von zwei Zoll, den ich nur den Sextanten à Tabatière nenne; es ist unglaublich, was man mit diesem kleinen Instrumentchen ausrichten kann. Einzelne Sonnenhöhen damit genommen, wenn die Sonne durch den ersten Vertical geht, geben die Zeitbestimmung bis auf zwei bis drei Sekunden genau. Wenn diese Genauigkeit Zufall ist, so muß man doch bekennen, daß diese Zufälle sich sehr häufig ereignen.

Ich habe ein ordentliches astronomisches Tagebuch gehalten und, so oft die Witterung und die Meeresstille es erlaubten, Breiten- und Längenbestimmungen des Schiffes oder der Landungsplätze gemacht, die Neigung der Magnetnadel auf dem neuen Borda'schen Instrumente beobachtet, welches eine Sicherheit von 20 Minuten in der Beobachtung gewährt.

Mein Chronometer von Louis Berthoud Nr. 27, der viel auf Reisen gewesen ist, und dessen Genauigkeit Borda wohl kannte, hat seinen sehr gleichförmigen Gang beibehalten. In der Tat, es gehört himmlische Geduld dazu, um bei einer solchen Hitze astronomische Beobachtungen mit Genauigkeit und con amore anzustellen! Sie sehen inzwischen, daß mir diese drückende Hitze dennoch nichts von meiner Tätigkeit benommen hat . . .

Das Zwischendeck der ›Pizarro‹ war mit Matrosen und Passagieren überfüllt. Als sich das Schiff den Antillen näherte und die Temperatur im Schatten auf 36 Grad C anstieg, wurde es in diesem engen, vollgepfropften Raum so heiß wie in einem Ofen. Ein spanisches Segelschiff des achtzehnten Jahrhunderts, das sich am Ende einer dreißigtägigen Reise befand, bot selbst in der günstigsten Zeit keinen hygienischen Aufenthalt; unter diesen Umständen aber – und gar noch in den Tropen – war er doppelt ungesund. Das Schlimmste geschah. Am 8. Juli war an Bord allen klar, daß auf der ›Pizarro‹ der Ausbruch einer typhusähnlichen Epidemie bevorstand. Zwei Matrosen, mehrere Passagiere, zwei Neger von der Küste Guineas und ein Mulattenkind warf sie als erste nieder, und am nächsten Tag lagen bereits die kräftigsten Männer im Delirium. Die medizinische Ausrüstung des Schiffes erwies sich als äußerst unzulänglich. Humboldt klagte, daß kein Versuch unternommen werde, das Schiff auszuräuchern, und daß sich keine Chinarinde an Bord befand. Weder er noch Bonpland hatten welche mitgenommen, da sie nicht im Traum daran dachten, sie könne auf einem spanischen Schiff fehlen. Der Schiffsarzt war ein phlegmatischer, ahnungsloser Galicier. Er schob das Fieber einer sogenannten »Hitze und Verderbnis des Blutes« zu und verordnete sinnlose Aderlässe. Die fatale Wirkung seiner Purgationsmethoden zeigte sich bald. Zu dem Zeitpunkt, als die ›Pizarro‹ Land sichtete, lag einer der Neger im Fieberwahn und der jüngste europäische Passagier war gestorben. Dieser erst neunzehn Jahre alte Spanier, einziger Sohn einer armen Witwe, war gegen seinen Willen von seiner Mutter auf die Reise geschickt worden, weil sie hoffte, er werde in den Kolonien sein Glück machen.

Wir standen beisammen auf Deck in trüben Gedanken. Es war kein Zweifel mehr, das Fieber, das an Bord herrschte, hatte seit einigen Tagen einen bösartigen Charakter angenommen. Unsere Blicke hingen an einer gebirgigen, wüsten Küste, auf die zuweilen ein

Mondstrahl durch die Wolken fiel. Man hörte nichts als das eintönige
Geschrei einiger großer Seevögel, die das Land zu suchen schienen.
Die leise bewegte See leuchtete in schwachem phosphorischen Schein.
Gegen acht Uhr wurde langsam die Totenglocke geläutet; bei diesem
Trauerzeichen brachen die Matrosen ihre Arbeit ab und ließen sich
zu kurzem Gebet auf die Knie nieder. In der Nacht schaffte man die
Leiche des Asturiers an Deck, und auf die Vorstellung des Priesters
wurde er erst nach Sonnenaufgang ins Meer geworfen, damit man
die Leichenfeier nach dem Gebrauch der katholischen Kirche vorneh-
men konnte. Kein Mann an Bord, den nicht das Schicksal des jungen
Mannes rührte, den wir noch vor wenigen Tagen frisch und gesund
gesehen hatten.

Unter diesen bedrohlichen Umständen bestand wenig Hoffnung, daß die ›Pizarro‹ ihre Fahrt bis nach Havanna würde fort-
setzen können. Humboldt und Bonpland, die glücklicherweise
von der Seuche verschont geblieben waren, beschlossen am 14.
Juli, wieder einmal ihre Pläne zu ändern. Sie wollten das Schiff
zusammen mit den anderen Passagieren am nächsten Lan-
dungsplatz auf dem südamerikanischen Festland verlassen.
Erst später zeigte sich, wie bedeutungsvoll dieser Entschluß
war.

Einen Hafen zu suchen und einen zu finden sind zweierlei
Dinge. Die besten Seekarten waren in jener Zeit noch verwe-
gen, ja sogar gefährlich ungenau. Sie verzeichneten Inseln –
und selbst einen Malstrom – die gar nicht existierten, aber sie
verzeichneten nicht die Felsen und Riffe, die es wirklich gab.
Die spanischen, französischen und englischen Seekarten an
Bord der ›Pizarro‹ stimmten keineswegs überein – jedenfalls
war die Küste von Venezuela 15 Seemeilen weiter südlich ein-
gezeichnet, als sie tatsächlich lag.

Humboldt stellte fest, daß die Diskrepanz zwischen seinen
astronomischen Bestimmungen und die veralteten Angaben
des Navigationshandbuches manchmal mehr als einen Län-
gengrad ausmachte. Und in einem Fall wies die Taxierung des
Breitengrades einen Fehler von mehr als 40 Meilen auf. Kein
Wunder, daß die ›Pizarro‹, die mit einer leidenden, vom

Schrecken gelähmten Mannschaft an der nirgends näher beschriebenen Ostküste von Venezuela entlangsegelte, große Schwierigkeiten hatte, den nächstliegenden Hafen von Cumaná zu finden.

Der Kapitän beschloß, einen Steuermann an Land zu schikken. Als die Matrosen gerade das große Beiboot ins Wasser lassen wollten, sahen sie zwei Einbäume an der Küste entlangfahren. Ein Kanonenschuß wurde abgefeuert, um deren Aufmerksamkeit zu erregen. Dann hißten sie die spanische Flagge. Niemand wunderte sich darüber, daß die Männer in den Pirogen mißtrauisch waren und nur sehr zögernd und vorsichtig näherkamen.

In jedem der beiden Einbäume saßen 18 Indianer. Es waren Quayqueries, Angehörige eines zivilisierten und sehr privilegierten Stammes aus der Umgebung von Cumaná. Die Spanier hielten sie für eine der schönsten Menschenrassen des Festlandes. Die Indianer waren nackt bis zum Gürtel, hochgewachsen, muskulös und kupferbraun. Wie sie in der Ferne unbeweglich in ihren Booten standen und ihre Silhouetten sich gegen den Horizont abhoben, erinnerten sie Humboldt an Bronzestatuen. Als sie erkannt hatten, daß die ›Pizarro‹ ein spanisches Schiff war, kletterten sie an Bord. Sie berichteten, daß viele englische Kreuzer diese küstennahe Durchfahrt benützen, und Humboldt staunte, als er die einfachen Dinge sah, die sie mit sich führten: frische Kokosnüsse, herrlich gezeichnete bunte Fische, Bananenbündel, Flaschenkürbisse, den Brustharnisch eines Gürteltieres . . . »Diese Naturkörper . . . hatten ungemeinen Reiz für uns, weil sie uns lebhaft daran mahnten, daß wir uns im heißen Erdgürtel befanden und das längstersehnte Ziel erreicht hatten.«

Der Verantwortliche der einen Piroge erbot sich, an Bord der ›Pizarro‹ zu bleiben und sie in den Hafen von Cumaná hineinzulotsen. Da der Wind aber sehr schwach war, entschied sich der Kapitän dafür, bis zum Tagesanbruch zu kreuzen. Am Vorabend seiner Landung in der Neuen Welt nahm Humboldt die Gelegenheit wahr, sich lange mit dem Indianer zu unterhalten. Der Preuße und der Mann aus Guayqueria sprachen beide spanisch. Als die Sonne längst untergegangen war, saßen sie noch an Deck. Der Indianer erzählte von den kühlen Bergen im Innern des Landes und von den Krokodilen in der Steppe, von Boas, Zitteraalen und Jaguars, und von Kreaturen, deren Namen Humboldt bisher nicht einmal gehört hatte – bava, cachicamo, templador. Und so verbrachte er die Nacht in Gesprächen mit einem amerikanischen Indianer auf einem spanischen Schiff, nahe der Küste des Festlandes, deren Wohlgerüche herüberströmten, unter dem weiten, strahlenden tropischen Himmel.

ACHTES KAPITEL

Die tropische Erde

Am 16. Juli 1799, um 9 Uhr vormittags, warf die ›Pizarro‹ ihre Anker im Hafen von Cumaná aus, und sogar die überlebenden Opfer der Typhusseuche schleppten sich an Deck, um den Anblick zu genießen. Nach den drei Wochen auf hoher See wirkte das Land atemberaubend. Die hohen Berge von Neu-Andalusien, noch halb im Nebel, begrenzten den Horizont; die Stadt und ihr Schloß schimmerten zwischen den hohen Kokospalmen am Flußufer hindurch. Rosafarbene Flamingos, schneeweiße Reiher und riesige braune Pelikane von der Größe von Schwänen stolzierten futtersuchend an der Küste entlang – am Rande einer bewegungslosen grünen See. Und selbst zu dieser frühen Stunde blendete das Licht. Humboldt und Bonpland eilten ans Ufer und sahen sich um. Sie waren von diesem Ort sofort überwältigt. In der ersten Aufwallung seiner Begeisterung schrieb Alexander an seinen Bruder:

Wir sind hier einmal in dem göttlichsten und vollsten Land. Wunderbare Pflanzen, Zitteraale, Tiger, Armadölle, Affen, Papageien; und viele, viele echte halbwilde Indianer . . . Welche Bäume! Kokospalmen, 50-60 Fuß hoch. Poinciana pulcherrima, mit fußhohem Strauße der prachtvollsten hochroten Blüten; Pisange, und eine Schar von Bäumen mit ungeheuren Blättern und handgroßen wohlriechenden Blüten, von denen wir nichts kennen . . . Und welche Farben der Vögel, der Fische, selbst der Krebse (himmelblau und gelb). Wie die Narren laufen wir bis jetzt umher; in den ersten drei Tagen können wir nichts bestimmen, da man immer einen Gegenstand wegwirft, um einen anderen zu ergreifen. Bonpland versicherte mir, daß er von Sinnen kommen werde, wenn die Wunder nicht bald aufhören.

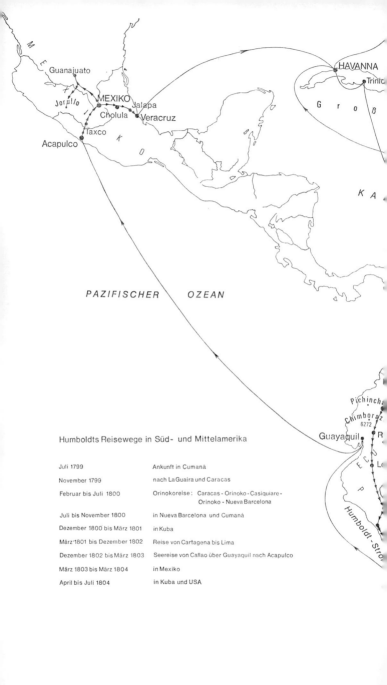

PAZIFISCHER OZEAN

Humboldts Reisewege in Süd- und Mittelamerika

Juli 1799	Ankunft in Cumaná
November 1799	nach La Guaira und Caracas
Februar bis Juli 1800	Orinokoreise: Caracas - Orinoko - Casiquiare - Orinoko - Nueva Barcelona
Juli bis November 1800	in Nueva Barcelona und Cumaná
Dezember 1800 bis März 1801	in Kuba
März 1801 bis Dezember 1802	Reise von Cartagena bis Lima
Dezember 1802 bis März 1803	Seereise von Callao über Guayaquil nach Acapulco
März 1803 bis März 1804	in Mexiko
April bis Juli 1804	in Kuba und USA

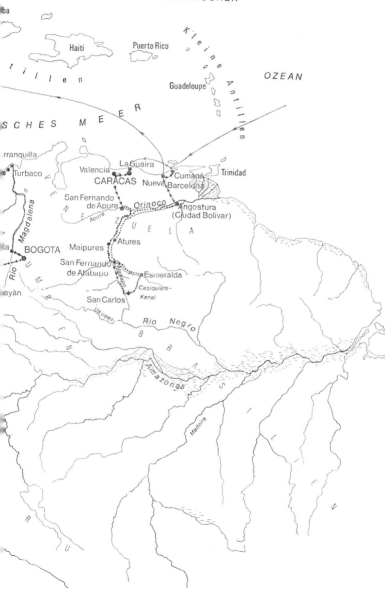

In dieser exotischen neuen Welt scheinen die Forscher eine Art Sinnesekstase erlebt zu haben. Nichts – kein Schatten, keine Form, keine Stimme, keine Farbe, kein Geruch – war ihnen vertraut. Es gab nichts, was ohne weiteres in ihre vorhandenen Gedächtnis- und Erfahrungsmuster paßte, und deshalb schien alles die gleiche Aufmerksamkeit herauszufordern. Die Indianer – nackt! Die Hütten – Bambusrohr und Palmblätter! Ihre Stühle – Korallenstämme, die an die Küste gespült worden waren! Ihre Teller – halbe Kokosnußschalen! Welchen Weg sie auch nahmen, in jeder Richtung sahen sie sich wieder großartigen und überraschenden neuen Visionen gegenüber, wie Menschen in einem Meskalinrausch: Hier ein Quama-Baum, beladen mit silbrigen Blüten, dort ein Burggraben voll von Krokodilen. Es erforderte einige Willenskraft, um ihre Aufmerksamkeit auf irdische, aber notwendige Dinge zu lenken. Denn zunächst mußten sie ihre Pässe dem Gouverneur vorlegen, und dann galt es, ein Quartier zu finden.

Don Vincente Emparan, der beliebte und fortschrittliche Gouverneur von Cumaná, der später der letzte spanische Gouverneur von Venezuela war, hätte nicht gastfreundlicher sein können. Er stellte ihnen alles zur Verfügung; er zeigte ihnen Baumwollgewebe, mit einheimischen Pflanzen gefärbt, und schöne Möbelstücke, ausschließlich aus dem Holz des Landes hergestellt. Außerdem überraschte er sie mit höchst fachmännischen Fragen auf naturwissenschaftlichem Gebiet, denn er war selbst ein Liebhaber der Naturwissenschaften. Um ein Haus zu finden, mußten die Reisenden nicht lange in der Stadt umherjagen, die zwei Jahre zuvor fast gänzlich von einem Erdbeben zerstört worden war. Sie mieteten ein hübsches, geräumiges neues Haus aus weißem Sinabaum und Atlasholz für 20 Piaster im Monat, und da die Fenster nicht verglast waren – nicht einmal Papierscheiben besaßen, die in Cumaná als Glasersatz benutzt wurden – waren die Räume herrlich kühl, sobald eine Brise wehte. Ein alter, ehemaliger Marinekommissar, der viele Jahre in Paris, in St. Domingo und auf den Philippinen verbracht hatte, besorgte ihnen den Haushalt, unterstützt von zwei Negern und einer Negerköchin. An Essen fehlte es nicht, Humboldt klagte nur darüber, daß es wenig weißes Mehl für Brot und Bisquits gäbe – und allmählich richteten sie sich in ihrem tropischen Heim ein.

Die ersten Wochen in Südamerika verbrachten sie damit, ihre Instrumente zu überprüfen und in den naheliegenden Ebenen zu botanisieren. Das üppige Wachstum der Bäume und Büsche überraschte sie. Sie fanden beispielsweise einen Kaktus von anderthalb Meter Höhe und einen nur vier Jahre alten Seiden-Baumwollbaum mit einem Durchmesser von 76 Zentimeter. »Denke nur, daß dieses Land so unbekannt ist«, schrieb Humboldt an seinen Bruder, »daß ein neues Genus, welches Mutis erst vor zwei Jahren publizierte, ein 60 Fuß hoher, weitschattiger Baum ist . . . Wie groß also die Zahl kleinerer Pflanzen sein muß, die der Beobachtung noch entzogen sind?«

Vom wissenschaftlichen Standpunkt aus betrachtet standen sie einem so überwältigenden Reichtum gegenüber, daß es ihnen schwerfiel, ein entsprechendes Forschungsprogramm auszuarbeiten. Doch das war nicht ihr einziges Problem. Die Eingeborenen zeigten sich ebenso fasziniert von den wissenschaftlichen Instrumenten der Reisenden, wie die Reisenden von der einheimischen Natur. Ihr Haus wurde ständig von Besucherscharen heimgesucht, die durch Dollands Teleskop die Mondflecken betrachten wollten oder die Auswirkungen des Galvanismus auf die Bewegungen eines Frosches. Sie mußten unaufhörlich Fragen beantworten, von denen viele äußerst seltsam und verworren waren, und stundenlang hintereinander dieselben Experimente wiederholen. Die populärste Kuriosität von allem war das Mikroskop, besonders für die elegant gekleideten Damen von Cumaná. Sie machten sich ein Vergnügen daraus, durch dieses Instrument die stark vergrößerten Bilder der Läuse und anderer Kreaturen zu betrachten, die sie gegenseitig in ihren Haargebilden entdeckten. »Ich bin oft erstaunt, zu sehen«, schrieb Humboldt nach Hause, »was für verschiedene Läusearten diese lockigen Frisuren beherbergen. Jede Läuseart hat ihren eigenen indianischen Namen.« Als Erwiderung für seine Gastfreundschaft wurde Humboldt fast jeden Tag zum Tanz eingeladen. Er lernte die steifen alten spanischen Tänze kennen und tanzte mit den farbigen Mädchen von Cumaná moderne Tänze, in denen die Negerrhythmen bereits vorherrschten – den Samba, den Animalito und das Congo-Menuett. Doch die meiste Zeit war er mit seiner Arbeit beschäftigt.

Während dieser Periode in Cumaná befaßte sich Humboldt vor allem mit ununterbrochenen meteorologischen Beobachtungen. Die Tropen mit ihrem regelmäßigen Anstieg und Abfall des Thermometers und Barometers eigneten sich dafür ideal; und er blieb deswegen oft die halbe Nacht über auf. Anfang September schrieb er seinem Freund, dem Astronomen Baron von Zach, in Jena:

Wie soll ich Ihnen aber die Reinheit, die Schönheit und Pracht unseres hiesigen Himmels beschreiben, wo ich oft beim Schein der Venus den Vernier meines kleinen Sextanten mit der Lupe ablese. Die Venus spielt hier die Rolle eines Mondes. Sie hat große und leuchtende Höfe von zwei Grad im Durchmesser, mit den schönsten Regenbogenfarben, selbst wenn die Luft vollkommen rein und der Himmel ganz blau ist. Ich glaube, daß gerade hier der gestirnte Himmel das schönste und prächtigste Schauspiel gewährt . . .

Eine andere sehr merkwürdige und wunderbare Erscheinung, welche ich gleich den zweiten Tag nach meiner Ankunft beobachtet habe, sind die atmosphärischen Ebben und Fluten.

Das Thermometer sei ständig in Bewegung, berichtet er weiter. Von neun Uhr vormittags bis vier Uhr nachmittags falle das Quecksilber. Dann steige es bis elf Uhr abends, falle erneut bis 4.30 Uhr und steige dann wieder bis neun Uhr. Dabei spiele es keine Rolle, wie das Wetter sei. Regen, Wind, Hurrikan, Stürme oder Mondschein, nichts ändere diesen Prozeß. Es scheine, daß einzig die Sonne auf dieses Steigen und Fallen Einfluß habe. Bisher habe er schon hunderte solcher Beobachtungen gesammelt, bald würde er einige Tausend davon haben.

Die Lage von Humboldts Haus in Cumaná erwies sich als

sehr günstig für astronomische Beobachtungen, denn es besaß eine geeignete Dachveranda, auf der die Instrumente aufgestellt werden konnten. Von hier aus konnte er auch den Hauptplatz der Stadt überblicken; die Vorgänge dort waren freilich zuweilen sehr abstoßend für ihn. Ein Teil des großen Platzes war von Bogengängen umgeben, über denen eine lange Holzgalerie verlief. Das war der Ort, an dem die Sklaven verkauft wurden, die mit Schiffen aus Afrika herüberkamen, meist Jünglinge im Alter zwischen 15 und 20 Jahren. Jeden Morgen mußten sie ihre Körper mit Palmöl einreiben, damit die Haut einen schimmernden, schwarzen Glanz erhielt. Von seinem Haus aus konnte Humboldt beobachten, wie die Käufer die Afrikaner zwangen, den Mund aufzureißen; sie betrachteten ihre Zähne, um danach ihr Alter zu bestimmen. Ein tägliches Ritual, das ihn anekelte. In diesem Zusammenhang sei bemerkt, daß Humboldt allgemeinen menschlichen Schwächen gegenüber auffallend tolerant war, und daß er über kleinliche Boshaftigkeit und Arglist erhaben gewesen zu sein scheint. Er stritt selten, entschuldigte sich stets, verzieh selbst immer, und machte sich auf diese Weise nie dauerhafte Feinde. Später, in Südamerika, ertrug er die äußersten Entbehrungen mit Geduld; und soviel wir wissen, gab es zwischen ihm und Bonpland, selbst unter den schwierigsten Bedingungen während ihrer ganzen langen Reise, keine Unstimmigkeiten. Er war zwar ein leidenschaftlicher Mensch; doch gänzlich aus der Fassung geraten konnte er nur um einer Sache willen – und das war der Sklavenhandel. Ihn betrachtete er mit tiefem Widerwillen. Er räumte zwar ein, daß die Sklaven in den spanischen Besitzungen besser behandelt wurden als sonstwo; trotzdem revoltierte alles in ihm gegen Tyrannei und Ungerechtigkeit, gleichgültig, wo er sie sah und in welchem Gewand sie auftraten. Er wurde sehr ärgerlich, als ihn einmal ein spanischer Priester davon überzeugen wollte, wie notwendig der Sklavenhandel sei und daß man den Negern, die ohnehin von Natur aus alle böse seien, eine Wohltat erweise, wenn man sie als Sklaven unter Christen leben ließe. Sein ganzes Leben lang sah er keinen Anlaß, die Anschauungen zu ändern, die sich während seines Aufenthaltes mit Georg Forster im revolutionären Paris bei ihm herauskristallisiert hatten.

Nach kurzer Zeit schon wagten sich Humboldt und Bonpland immer weiter in die Umgebung von Cumaná hinaus. Manchmal mußten sie einen Unterschlupf für die Nacht suchen; sie wurden von der einfachen, bäuerlichen Mulattenbevölkerung, die nie etwas von Preußen gehört hatte, ungemein gastfreundlich aufgenommen. Auf einer solchen Geländefahrt hörten sie zum ersten Mal die bemerkenswerte Geschichte von Francisco Loyano, einem kreolischen Arbeiter, den sie später kennenlernten:

Der Mann hat einen Sohn mit seiner eigenen Milch aufgezogen. Die Mutter war krank geworden, da nahm der Vater das Kind, um es zu beruhigen, zu sich ins Bett und drückte es an die Brust. Loyano, damals zweiunddreißig Jahre alt, hatte es bis dahin nicht bemerkt, daß er Milch gab, aber infolge der Reizung der Brustwarze, an der das Kind saugte, schoß die Milch ein. Dieselbe war fett und sehr süß. Der Vater war nicht wenig erstaunt, als seine Brust schwoll, und säugte das Kind fünf Monate lang zwei-, dreimal des Tages. Seine Nachbarn wurden aufmerksam auf ihn, er dachte aber nicht daran, die Neugierde auszubeuten, wie er wohl in Europa getan hätte. Wir sahen das Protokoll, das über den merkwürdigen Fall aufgenommen worden. Augenzeugen desselben leben noch, und sie versicherten uns, der Knabe habe während des Stillens nichts bekommen als die Milch des Vaters.

Bonplands spätere medizinische Untersuchung von Loyano schien alles, was den Reisenden berichtet worden war, bestätigt zu haben.

Am 4. September 1799, nach einem siebenwöchigen Aufenthalt an der Küste von Cumaná, fühlten sich die beiden Forscher genügend akklimatisiert und mit den örtlichen Bedingungen vertraut genug, um einen ausgedehnten ›Raubzug‹ zu wagen. Ihr Ziel waren die Missionen der Chaymas-Indianer zu Füßen des Hochgebirges, das Cumaná im Süden begrenzt.

Da man ihnen gesagt hatte, daß die Straßen hinauf in die

Berge sehr schwierig seien und sie ihr Gepäck auf ein Minimum beschränken sollten, nahmen sie schließlich nur soviel mit, wie zwei Esel tragen konnten – Proviant, Papier zum Trocknen der Pflanzen und eine Kiste, die einen Sextanten, einen Kompaß, einen Apparat zur Messung der magnetischen Deklinationen, einige Thermometer und den Saussure'schen Hygrometer enthielt.

Nachdem sie sich mühsam in die köstlich kühle und erfrischende Atmosphäre des Berglandes hinaufgearbeitet hatten, betraten sie den großen tropischen Regenwald Südamerikas zum ersten Mal. Der Weg überquerte Gebirgsflüsse und schlängelte sich an tiefen Schluchten entlang, aus denen von Lianen umschlungene riesige Bäume hochragten. Er verlief unter Girlanden von niedrighängenden Rankengewächsen, durch Dickichte von Bambus und riesigen Farngewächsen; einmal verengte er sich auf kaum vierzig Zentimeter und fiel auf einer Seite schroff zu einem Abgrund ab. Stundenlang wanderten sie in grünem Schimmer unter dem dicht verwachsenen Waldbaldachin dahin, verfolgt von den Schreien der farbenprächtigen Aras und Papageien über ihren Köpfen. Sie waren entzückt von den majestätischen Bäumen, von der üppigen Vegetation, die den Himmel verbarg, obwohl es sie verdroß, daß die exotischen Blätter, Blumen und Früchte so weit außerhalb ihrer Reichweite wuchsen. Einmal konnten sie von einer Lichtung aus den Weg, den sie gekommen waren, zurückverfolgen. Zu ihren Füßen sahen sie den ungeheuren Wald, der sich bis zum Ozean erstreckte, ein riesiger grüner Teppich, von Lianen durchflochten und mit langen Blütenbüscheln gekrönt.

Das Hauptquartier der Kapuziner-Missionen bei den Chaymas-Indianern lag in dem Ort Caripe, hoch in den Bergen. Eine Woche lang diente es Humboldt und Bonpland als Ausgangspunkt für ihre Exkursionen in die umliegenden Berge. Es war ein reizvoller Platz, der Humboldt an die Täler von Derbyshire und die Muggendorf-Hügel in Franken erinnerte. Das Klima war kühl, es gab keine nächtlichen Insekten, und zahllose Quellen mit Süßwasser ergossen sich aus den Spalten der steilen, dreihundert Meter hohen Felswand auf der Rückseite des Klosters. Hier feierte Humboldt seinen dreißigsten Geburtstag.

Das Gebäude hatte einen Innenhof, der von Arkaden umgeben war wie die Klöster in Spanien. Humboldt sah hier den geeigneten Platz, seine Instrumente aufzustellen und seine Studien zu treiben. Das Kloster selbst war gut belegt. Außer jungen Mönchen, die erst kürzlich aus Spanien angekommen waren und darauf vorbereitet wurden, die verschiedenen Missionen zu betreuen, gab es hier alte, kränkliche Mönche, die Erholung in der frischen, heilsamen Bergluft von Caripe suchten. Die Bücher, die Humboldt im Kloster vorfand, zeigten, daß der Fortschritt der Wissenschaft sogar bis in die Wälder Amerikas vordrang. Der Jüngste der Kapuzinermönche hatte beispielsweise eine spanische Übersetzung von Chaptals ›Versuche über die Chemie‹ mitgebracht und beabsichtigte, dieses Werk in der Einsamkeit zu lesen, in der er nun sein Leben verbringen mußte. Die Reisenden wurden äußerst gastfreundlich von den Mönchen in Caripe empfangen. Humboldt erhielt die Zelle des Guardians. Er war überrascht, keinerlei religiöse Intoleranz zu spüren. Die Mönche wußten sehr genau, daß er aus dem protestantischen Teil Deutschlands stammte, doch weder eine indiskrete Frage, eine Spur von Mißtrauen, noch der Versuch zu einer Auseinandersetzung überschatteten jemals ihre herzliche und großzügige Gastlichkeit.

An diesem schönen, friedlichen Ort vergingen die Tage sehr schnell. Vom Sonnenaufgang bis Sonnenuntergang durchstreiften Humboldt und Bonpland die Wälder und Berge, um Pflanzen zu sammeln. Wenn es regnete, verbrachten sie den Tag mit den Chaymas-Indianern, stellten ein Vokabularium ihrer Sprache zusammen oder beobachteten die Kinder, wie sie vierzig Zentimeter lange Tausendfüßler verschlangen, die sie wie Würmer aus dem Boden zogen. Sie kehrten nur zurück, wenn sie das Läuten der Klosterglocke vernahmen, die sie ins Refektorium rief – ein Klang, den sie zu fürchten begannen, als

Le Dragonnier de l'Orotava.

18 Der berühmte, uralte Drachenblutbaum in Orotava auf Teneriffa
mit seinem Umfang von 19 Metern über der Wurzel war eine
Sehenswürdigkeit für alle Forschungsreisenden.

19 Die Naturbrücke von Icononzo über dem Rio de la Suma
in Kolumbien – eine der vielen Illustrationen in Humboldts
großem Reisewerk, die nach seinen eigenhändigen Skizzen
angefertigt wurden.

20 Bei seiner Besichtigung der Silberminen von Real del Monte
in Mexiko skizzierte Humboldt die in unmittelbarer Nähe liegenden
Basaltformationen von Regla.

21 Die Humboldt-Expedition auf dem Quindiu-Paß, eine

... egsamsten und gefährlichsten Paßstraßen in den Anden.

22
Auf der Reise nach Lima
stieß die Humboldt-Expedition
auf gut erhaltene Teilstücke
der alten Reichsstraße
der Inkas mit Inkabauten
aus behauenen Steinblöcken,
die fugenlos ohne Mörtel
zusammengefügt waren.

23
Die toltekische Treppenpyramide
von Cholula in Mexiko

24 Am 23. Juni 1802 gelang es Humboldt und seinem Gefährten Bon-
pland, den 6300 Meter hohen Chimborazo bis zu einer Höhe von 5881
Metern zu besteigen: Höhepunkt seiner Forschungsreisen durch die Anden.
In seiner Skizze, die später lithographiert wurde, hielt er die Profile des
Chimborazo und des Carguairazo fest.

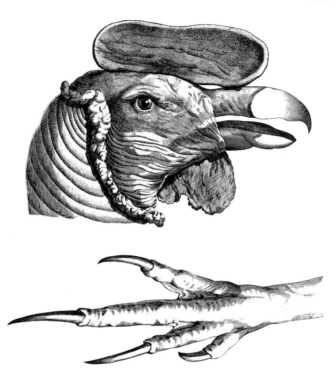

VULTUR GRYPHUS. Lin.

25/26 Der südamerikanische Kondor (Vultur gryphus lin.)
ist im Zoologie-Band des Reisewerks ausführlich behandelt.
Humboldt hat ihn, ebenso wie den Katzenfisch
(Astroblepus grixalvii) selbst gezeichnet.

Pl. VI.

ASTROBLEPUS GRIXALVII

PIMELODUS CYCLOPUM.

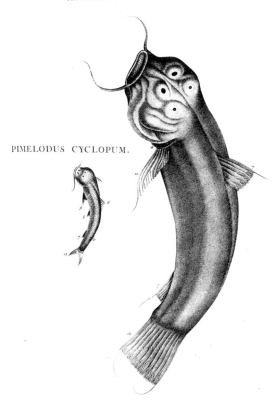

schulz del lith.

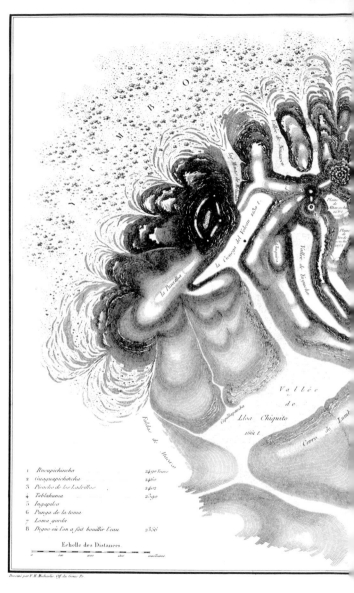

27 Ein Höhenplan des Vulkans Pichincha, dem Humboldts erster
Aufstieg im Hochgebirge der Anden galt. Humboldts neuartige
graphische Darstellungen wiesen der Geographie und Geophysik
auch auf dem Gebiet der Darstellungsmöglichkeiten neue Wege.

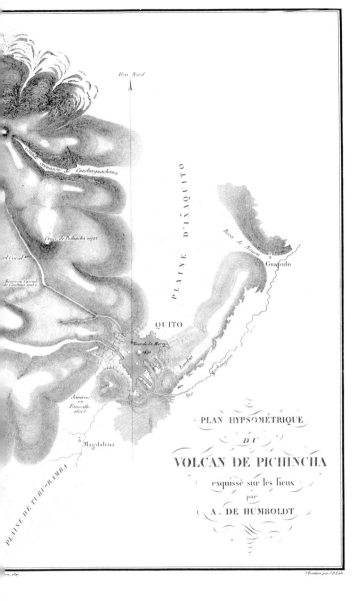

Vers Nord

GRANDE CREVASSE DE CUNDURGUACHANA

PLAINE D'IÑAQUITO

Crater de Pichincha 2075.t

El Coral

Recos de Ñaigon

Guapulo

Puerta ou Caverne de l'anisana 2298.t

QUITO

Tour de la Merci

Lumbisi

Machangara

Rio

Inverse ou Panecillo 1602.t

PLAIN HYPSOMÉTRIQUE

DU

VOLCAN DE PICHINCHA

exquissé sur les lieux

par

A. DE HUMBOLDT

Magdalena

PLAINE DE TURU-BAMBA

l'Ecriture par J.B.Lale

Tois: 4000

3000

Montblanc (
de Saussure)

Jungfrauhorn

2000

Pic auf Teneriffa

Aetna

S.t Gothard Sp.

Schneelinie

El. Altai

S.t Gothard Hospiz

1000

Dole
Schneekoppe

Tafelberg
Fichtelberg
Brocken

Mont Cenis

Göthe fec.

HERRN
ALEXANDER
v. HUMBOLDT

Höhen der al

bildl.

28 Aquatinta nach einer Zeichnung von Goethe, die durch Humbol

neuen Welt

chen

nzengeographie angeregt wurde. Nähere Erläuterung umseitig.

29 Der Vulkan von Jorullo in West-Mexiko entstand im September 1759 in einer einzigen Nacht. Er war noch tätig, als Humboldt und Bonpland im September 1803 in seinen Krater stiegen und die bizarre Lavalandschaft untersuchten und zeichneten.

←

Humboldt widmete die deutsche Ausgabe seiner ›Ideen zu einer Geographie der Pflanzen‹ (1807) Goethe, zu dessen Morphologie seine Pflanzengeographie in enger Beziehung steht. Da die darin angekündigte Kupfertafel mit einer Darstellung der Anden-Vegetation fehlte (sie erschien etwas später gesondert und ist diesem Buch in Faksimile als Ausfalttafel hinten beigefügt), zeichnete Goethe selbst eine Karte zum Vergleich der ›Höhen der alten und neuen Welt‹, die F. J. Bertuch 1813 in seinen ›Allgemeinen Geographischen Ephemeriden‹ als Aquatinta veröffentlichte. Die Höhenrekorde de Saussures am Montblanc, Humboldts am Chimborazo und Gay-Lussacs im Luftballon machte er durch entsprechende Figürchen und einen Ballon am Himmel deutlich. Als Maßangabe nahm er die Toise, die zu 1,949 m gerechnet wird. Was Goethe dem Herausgeber erläuternd schrieb, ist auf Seite 389 abgedruckt.

sie entdeckten, daß die Mönche auf ihre dürftige Ration von Weißbrot und Wein verzichteten, um ihnen genug anbieten zu können. Jeden Abend nach dem Essen machten sie ihre Aufzeichnungen, trockneten die Pflanzen, die sie gesammelt hatten, und fertigten Zeichnungen von denjenigen an, die sie für neuentdeckte Gattungen hielten. Der dicke Nebel im Tal machte gewöhnlich die Beobachtung der Gestirne unmöglich. Humboldt stand in den meisten Nächten auf, weil er hoffte, der Himmel würde sich aufklären. An Abenden, an denen es nach Regen aussah, hallte das Tal wider von dem unheimlichen Geschrei der Brüllaffen, das klang wie das ferne Rauschen des Windes, wenn er die Bäume schüttelt. Es war ein wilder und idyllischer Ort.

Manchmal begleiteten Humboldt und Bonpland sehr früh am Morgen die Missionare in die Kirche, um der ›doctrina‹ beizuwohnen, der Religionsstunde der Indianer. Humboldt schrieb darüber:

Es ist ein zum wenigsten sehr gewagtes Unternehmen, mit Neubekehrten über Dogmen zu verhandeln, zumal wenn sie des Spanischen nur in geringem Grade mächtig sind . . . Die Ähnlichkeit gewisser Laute verwirrt den armen Indianern die Köpfe so sehr, daß sie sich die wunderlichsten Vorstellungen machen . . . Zum Beispiel sahen wir eines Tages, wie sich der Missionar große Mühe gab, darzutun, daß, ›inferno‹, die Hölle, und ›inverno‹, der Winter, nicht dasselbe Ding seien, sondern so verschieden wie Hitze und Frost. Die Chaymas kennen keinen anderen Winter als die Regenzeit, und unter ›Hölle der Weißen‹ dachten sie sich einen Ort, wo die Bösen furchtbaren Regengüssen ausgesetzt seien. Der Missionar verlor die Geduld, aber es half alles nichts; der erste Eindruck, den zwei ähnliche Konsonanten hervorgebracht, war nicht mehr zu verwischen.

Im ganzen hielt Humboldt nicht allzuviel vom Missionssystem. Obwohl die Indianer der spanischen Kolonien Rechtsschutz genossen, führten manche von ihnen ein elenderes Leben als die offiziell in Sklaverei lebenden Neger, und es sollte den Ruin der Indianer nach fast zwei Jahrhunderten der Unterdrückung unterstützen, daß das Missionssystem eingeführt wurde. Seine Bestrebungen bestanden darin, die Nomadenstämme, die zerstreut wie die Überbleibsel eines großen Wracks waren, in stabilen Gemeinschaften anzusiedeln (Missionen genannt), ihre Rechte zu schützen und sie – natürlich – im katholischen Glauben zu unterrichten. »Es war das Vorrecht der Religion«, kommentierte Humboldt trocken, »die Menschlichkeit über einige in ihrem Namen begangenen Untaten zu trösten«.

Humboldt hielt dem System zugute, daß es Stammeskriege verhinderte, weil es den Indianern Auskommen und Sicherheit gewährte, daß es ihnen außerdem die Möglichkeit gab, die Geburtenrate zu steigern (die Indianerinnen wurden mit zwölf Jahren Mütter); aber er erkannte auch schnell, daß die starre Disziplin und die stumpfsinnige Monotonie der Missionen Gemeinden von Gelangweilten hervorbrachten, Stämme, die durch Trägheit verdummten und ohne jeden Gemeinschaftsgeist waren. Durch das Auslöschen der überlieferten Glaubensvorstellungen, etwa durch Verbannung der Nacktheit und so harmloser Gewohnheiten, wie die Haut zu bemalen oder zu tätowieren, hatten die Missionare die Infrastruktur der indianischen Gesellschaft zerstört, ohne sich dessen recht bewußt zu sein. Gleichzeitig versäumten sie jedoch, annehmbare neue Riten an die Stelle derer zu setzen, die sie ausgerottet hatten. Humboldt begriff sehr bald, daß die Mehrzahl der Indianer dem christlichen Glauben kaum mehr als ein Lippenbekenntnis zollte. Das Ergebnis zeigte sich in einem schockähnlichen Zustand ständiger Stumpfheit, einem Zustand, der den Anthropologen in Südamerika heute nur allzu bekannt ist. »Sie drücken durch ihre verdrossenen und mißtrauischen Blicke aus, daß sie ihre Freiheit nicht ohne Bedauern für ihre Sicherheit geopfert haben«, schrieb Humboldt.

Nicht weit von der Missionsstation in Caripe, in dem wildesten und zerklüftetesten Teil der Berge, befand sich eine Höhle, die ein unerschöpfliches Gesprächsthema in ganz Venezuela darstellte. In der Gegend hieß sie die ›Fettgrube‹ – große Kolonien eines seltsamen Nachtvogels, Guacharo oder Ölvogel genannt, lebten darin, eine Gattung, die der Wissenschaft offenbar unbekannt war. Einen Tag, bevor sie nach Cumaná zurückkehrten, brachen Humboldt und Bonpland auf, begleitet von einigen indianischen Führern und den meisten Bewohnern des Klosters, um diese Höhle zu erforschen, und es erwies sich, daß ihre Erwartungen weit übertroffen wurden. Der Eingang, eingeschnitten in das senkrechte Profil eines mächtigen Felsens, war über 23 Meter hoch und wurde von riesenhaften Bäumen überragt. Goldfarbene Orchideen wuchsen in den trockenen Felsspalten, ein dichter Baldachin von Rankengewächsen hing in Girlanden über den Höhlenschlund herab. Im Innern bestand die Höhle aus einem fortlaufenden Gang, der etwa 472 Meter geradeaus in die Berglehne hineinführte; erst dann wurde er enger und änderte seine Richtung. Deshalb drang das Tageslicht weit in das Innere ein, und sie konnten fast 140 Meter gehen, bevor sie ihre Fackeln aus Baumrinde und Harz anzünden mußten. An dieser Stelle hörten sie zum ersten Mal von Ferne das schreckliche Geschrei der Guacharos, heisere Schreie und kastagnettenähnliches Klappern, das immer lauter wurde, je weiter die Gruppe in die Dunkelheit vordrang. Sie wateten unbeholfen den Bach entlang, der von oben in die Mitte der Höhle heruntertropfte, und duckten sich unter den mächtigen, vom Gewölbe herniederhängenden Stalaktiten. Es erinnerte Humboldt an einen Abstieg in den Tartarus. Das schrille, durchdringende Geschrei tausender in ihren Nestern aufgestörter Vögel wurde von einem ähnlichen Lärm anderer Kolonien in anderen Teilen der Höhle beantwortet. Gelegentlich, wenn einer der Indianerführer eine Fackel hochhielt, konnten sie einen kurzen Blick auf einen augenblicklich geblendeten Vogel werfen; doch um sie näher zu betrachten und einige Exemplare für wissenschaftliche Zwecke mitzunehmen, mußten sie ihre Gewehre in die Dunkelheit abfeuern und vage in die Richtung zielen, aus der das lauteste Geschrei kam.

An den beiden Exemplaren, die Bonpland erlegte, konnte Humboldt erkennen, daß der Guacharo wirklich eine völlig unbekannte Gattung war. Er besaß die Größe einer Krähe, eine

Flügelspanne von etwa 1,13 Meter und einen enorm starken Schnabel, mit dem er Körner knacken konnte. Zwischen den Beinen der jüngeren Vögel lag ein dicker Wulst eßbaren Fettes. Dieses Fett wurde von den Eingeborenen hoch geschätzt; einmal im Jahr, im Hochsommer, drangen die Indianer mit langen Stangen bewaffnet in die Höhlen und töteten etliche Tausend der jungen Vögel. Das Fett, das sie gewannen, wurde zu Öl geschmolzen; es hielt sich mehr als ein Jahr lang, ohne ranzig zu werden. Die Klosterküche in Caripe benutzte nur dieses Öl zum Kochen.

Normalerweise drangen die Indianer nie weiter in die Höhle ein als bis zum Ende des ersten großen Gewölbes. Sie glaubten, daß jenseits der Wasserfälle, die dieses Gewölbe von den tiefer innen liegenden Schlupfwinkeln trennten, die Seelen ihrer Vorfahren wohnten, die zu den Guacharos gegangen waren. Das ganze Ansehen der Mönche war nötig, um sie zu überreden, weiter in den immer dunkleren und engeren Gang vorzudringen, unter den Füßen dicken Kot, über den Köpfen unaufhörliches Geschrei, in den Augen den beißenden Rauch ihrer primitiven Fackeln, der alle husten und weinen ließ. Und hier entdeckten sie – zum eigenen wie zu Humboldts Erstaunen – seltsame Formationen von unterirdischen Gewächsen, die geisterhaft in der Finsternis sproßten. Die von den Guacharos fallengelassenen Samenkörner waren in dem fruchtbaren Humusboden, der die Felsen bedeckte, aufgekeimt. Die bleichen Stengel mit wenigen, halbgeformten Blättern erreichten zum Teil eine Höhe von 60 Zentimetern. Infolge des Lichtmangels hatten sie ihre Form und ihre Farbe völlig verändert und waren nicht spezifisch zu unterscheiden. Humboldt war fasziniert; er dachte an seine Versuche über das Vergeilen von Pflanzen im Untergrund während seiner Freiberger Tage. Doch die Indianer betrachteten die fahlen, deformierten Pflanzen mit befangenem Schweigen. Sie glaubten offensichtlich, daß es vom Erdboden verbannte Gespenster seien. Obwohl sich die Höhle eindeutig noch tief fortsetzte, waren die abergläubischen Animisten nicht zum Weitergehen zu bewegen.

»Wir mußten uns der Feigheit unserer Führer gefangengeben und umkehren«, berichtete Humboldt mit Bedauern.

Humboldt und Bonpland kehrten Ende September nach Cumaná zurück. Es scheint, daß sie bereits jeden Gedanken, ihren ursprünglichen Reiseplan einzuhalten, aufgegeben hatten. Statt sich um ein Schiff nach Havanna zu kümmern, begannen sie Pläne für eine viel ehrgeizigere Entdeckungsfahrt in die fast unbekannte Region des oberen Orinoko zu schmieden. Die Umstände, die sie gezwungen hatten, zunächst in Cumaná an Land zu gehen, betrachteten sie nun als seltenen Glücksfall, obwohl sich in den folgenden Monaten eine Serie von außerordentlichen Zwischenfällen ereignete, die Anlaß gewesen wären, ihre Absichten zu ändern.

Zuerst passierte ein Zwischenfall mit einem verrückten Halbblut. Humboldt und Bonpland waren am Abend des 27. Oktober gegen acht Uhr zum Strand hinuntergegangen, um frische Seeluft zu schöpfen – denn es war eine heiße, bewölkte Nacht. Sie hatten gerade den Strand überquert, als Humboldt spürte, daß jemand dicht hinter ihm herkam. Er wandte sich rechtzeitig um und erblickte einen großen, fast nackten Halbblut-Mann, der ihm gerade einen riesigen Holzknüppel auf den Schädel schlagen wollte. Humboldt entging dem Schlag, indem er nach links auswich. Doch Bonpland reagierte zu spät, ein heftiger Schlag gegen die Schläfe traf ihn, und er brach bewußtlos zusammen. Statt nun Humboldt ebenfalls niederzuschlagen, ging das Halbblut jedoch gemächlich weiter und hob Bonplands Hut auf, der einige Meter entfernt im Sand lag. Während dieses widersinnigen Manövers kam Bonpland wieder zu sich und taumelte auf seine Füße. Außer sich vor Schmerz und Ärger, sprang er sofort auf seinen Angreifer los und jagte ihn in ein Kaktusdickicht, das hauptsächlich – wie der stets genau beobachtende Humboldt zu diesem Vorfall bemerkte – aus baumartigen Avicennien bestand. Hier glitt das Halbblut aus und fiel. Als Bonpland ihn festhielt, zog er ein langes Messer hervor, mit dem er Bonpland zweifellos verletzt hätte, wäre nicht eine Gruppe von europäischen Handelsleuten zu Hilfe gekommen. Dem Halbblut gelang es zu fliehen. Doch wurde er später in einem Kuhstall, wo er Unterschlupf gesucht hatte, erschöpft aufgefunden.

Bei dem Verhör gab das Halbblut so verwirrte und dumme Antworten, daß der Grund für die Attacke niemals klar wurde. Der arme Bonpland hatte eine klaffende Wunde von der Schläfe bis zum Kopfwirbel und bekam während der Nacht Fieber. Am nächsten Morgen bestand er mit der für ihn charakteristischen Munterkeit darauf, aufzustehen und zu arbeiten; doch jedesmal, wenn er sich niederbeugte, um eine Pflanze aufzuheben, wurde ihm so schwindelig, daß Humboldt befürchtete, es könnte sich ein inneres Geschwür bilden. Diese Ängste waren glücklicherweise unbegründet, doch es dauerte drei Monate, bis die Symptome der Gehirnerschütterung gänzlich verschwunden waren. Alle sagten, es sei für beide gut ausgegangen.

Gleich am Tag nach Bonplands Verletzung verbrachte Humboldt den ganzen Morgen auf der Terrasse ihres Hauses, um die Sonnenfinsternis durch seine Instrumente zu beobachten. Die Hitze war drückend und schier unerträglich. Das Metall eines seiner Instrumente erhitzte sich auf 51 Grad Celsius. Sein Gesicht war so fiebrig, daß er ins Haus gehen und sich niederlegen mußte. Es dauerte zwei Tage, bis er sich wieder wohl genug fühlte, um aufzustehen. Als er schließlich hinaustrat, hatte sich die Atmosphäre über Cumaná eigentümlich verändert, und die Einwohner wiesen auf die untrüglichen Anzeichen einer bevorstehenden Katastrophe hin.

Nach jedem Sonnenuntergang war der Himmel von einem ungewöhnlichen roten Dunst bedeckt. Humboldt berichtete:

Nach dem 28. Oktober war der rötliche Nebel dicker als je bisher. Bei Nacht war die Hitze erstickend ... Der Seewind, der meist von 8 oder 9 Uhr abends die Luft abkühlte, ließ sich gar nicht spüren. Die Luft war wie in Glut. Der staubige, ausgedörrte Boden bekam überall Risse. Am 4. November gegen zwei Uhr nachmittags hüllten dicke, sehr schwarze Wolken die hohen Berge Brigantin und Tataraqual ein. Sie rückten allmahlich bis in das Zenith. Gegen 4 Uhr fing es an uber uns zu donnern, aber ungemein hoch, ohne Rollen, trockene, oft kurz abgebrochene Schläge.

Dem Donner folgte augenblicklich ein heftiger Windstoß, und elektrisierter Regen fiel in schweren Tropfen herab. Humboldt, der dies mit seiner gewohnten methodischen Genauigkeit beobachtete, maß die elektrische Aufladung in der Atmosphäre und stellte fest, daß sich ihre Polarität von positiv zu negativ verwandelt hatte. Auf den Windstoß folgte eine tödliche Stille. Einige Sekunden später passierte es:

Im Moment, wo die stärkste elektrische Entladung stattfand, um 4 Uhr 12 Minuten, erfolgten zwei Erdstöße, 15 Sekunden hintereinander. Das Volk schrie laut auf der Straße. Bonpland, der über den Tisch gebeugt, Pflanzen untersuchte, wurde beinahe zu Boden geworfen. Ich selbst spürte den Stoß sehr stark, obgleich ich in einer Hängematte lag ... Sklaven, die aus einem 6 bis 6,5 Meter tiefen Brunnen am Manzanares Wasser schöpften, hörten ein Getöse wie einen starken Kanonenschuß. Das Geräusch schien aus dem Brunnen heraufzukommen.

Dies war Humboldts erste Erfahrung eines Erdbebens. Es hatte keinen wellenförmigen Verlauf, stellte er fest, sondern eine absolute Bewegung aufwärts und abwärts, und es war mehr die Neuartigkeit als die Angst vor Gefahr, die es so unvergeßlich gemacht hat. »Es ist als erwache man ... Man fühlt, die vorausgesetzte Ruhe der Natur war nur eine scheinbare ... Man mißtraut zum ersten Mal einem Boden, auf den man so lange zuversichtlich seinen Fuß gesetzt.« Humboldt war jedoch nicht ganz entnervt, er behielt während des Bebens immerhin einen so kühlen Kopf, um festzustellen, daß sich die magnetische Neigung der Nadel um mehr als 1 Grad verminderte – eine bemerkenswert phlegmatische Feststellung unter diesen Umständen.

Die Einwohner von Cumaná, deren Häuser nicht lange zuvor von einem Erdbeben zerstört worden waren, zeigten sich natürlich außerordentlich beunruhigt über diese neuerlichen Erdstöße, die sie der Sonnenfinsternis zuschrieben. Aber es war niemand verletzt und nichts zerstört worden, und nach einigen weiteren unterirdischen Stößen und wiederum einem großartigen Sonnenuntergang traten allmählich normale atmosphärische Bedingungen ein.

Oder – beinahe normale. Denn nur eine Woche nach dem Erdbeben wurde den Reisenden in Cumaná neuerdings mit einem Schauspiel, dem letzten, aufgewartet. Aimé Bonpland nahm es als erster wahr. Etwa gegen halb drei Uhr morgens am 12. November war er aufgestanden, um »die Kühle zu genießen«, wie Humboldt sagte – und sah mit Staunen, daß es aus dem klaren, nächtlichen Himmel Feuerkugeln regnete. Tausende von Meteoriten mit schimmernden weißen Körnern und langen Leuchtspuren durchkreuzten den Himmel und explodierten einer nach dem anderen wie bei einem gigantischen Feuerwerk.

Es waren so viele auf einmal am Himmel, daß es dort kaum einen freien Flecken mehr gab, und sie regneten unaufhörlich bis eine Viertelstunde nach Sonnenaufgang herab.

Die besorgten Einwohner von Cumaná, die ihre Häuser schon vor vier Uhr verlassen hatten, um in die Morgenmesse zu gehen, erblickten in dieser Darbietung himmlischer Pyrotechnik nur eine weitere unglückverheißende Erscheinung und begannen, sich wieder über die Erdbeben zu ängstigen. Nicht sehr viel später erfuhr Humboldt, daß dieser Meteorregen – heute ein bedeutendes Ereignis in der Geschichte der Astronomie – nicht nur von den Bewohnern von Cumaná wahrgenommen worden war, sondern auch von Missionaren in Brasilien, von einem im Exil lebenden französischen Grafen in Cayenne, von nordamerikanischen Astronomen in Florida, Eskimos in Labrador und Grönland, und von einem Vikar in Weimar! Im ganzen war dieses außerordentliche Phänomen in einem Gebiet von fast einer Million Quadratmeter der Erdoberfläche gesehen worden; doch Humboldts präzise Beobachtungen bildeten den Ausgangspunkt für die Forschungen der Astronomen über das Wesen und die Periodizität der Asteroiden.

In der Nacht des 16.November verließen Humboldt und Bonpland Cumaná. Sie fuhren mit dem Schiff nach Caracas, der Hauptstadt von Venezuela, um dort die restliche Regenzeit abzuwarten und danach in die unbekannten Gebiete des Orinokos aufzubrechen. Humboldt empfand Trauer, als der kleine Küstendampfer den von Feuerfliegen funkelnden Strand verließ und in die See stach, in der das phosphoreszierende Kielwasser der Tümmler glitzerte. Es kam ihm vor, als wäre Cumaná für Jahre seine Heimat gewesen, und in späteren Jahren erinnerte er sich daran:

Es war das erste Land, das wir unter einem Himmelsstrich betraten, nach dem ich mich seit meiner frühesten Jugend gesehnt hatte ... Cumaná und sein staubiger Boden stehen noch jetzt weit öfter vor meinem inneren Auge als alle Wunder der Cordilleren.

NEUNTES KAPITEL

Die Llanos

Humboldt und Bonpland mieteten ein geräumiges, komfortables Haus in Caracas. Es lag im oberen, vornehmsten Teil der Stadt; von der Vorderseite aus überblickte man die Plaza de la Trinidad, von der Rückseite sah man die in Nebel gehüllten Berge und Täler der Caracas-Berge. Hier, in dem milden Hochlandklima mit seinem ewigen Frühling und den immer blühenden Blumen ließen sie sich nieder, um das Ende der Regenzeit abzuwarten und dann ihre Expedition ins Innere des Landes fortzusetzen.

Caracas war zu Humboldts Zeiten – es wurde 1812 von einem großen Erdbeben zerstört – eine blühende Stadt. Die 40000 Einwohner waren größtenteils gebildet und aufgeschlossen und wegen ihrer Musikliebe besonders bekannt. Obwohl Humboldt sich nichts aus Musik machte, sie gar für eine gesellschaftliche Untugend hielt, konnte er es nicht umgehen, gelegentlich an den musikalischen Abendgesellschaften teilzunehmen.

So finden wir ihn im Kreis der Gesellschaft unter Orangenbäumen in einem Garten von Chacao der neuesten zeitgenössischen Musik lauschen: Mozart, Haydn, Pleyel, oder wir sehen ihn im Parkett des Freiluft-Theaters nicht auf die Bühne, sondern zum nächtlichen Himmel hinaufschauen, wo er eine Verfinsterung der Jupiter-Satelliten zu beobachten hoffte. Humboldt, der sich der Gastfreundschaft der Bewohner von Spanisch-Amerika allenthalben erfreuen durfte, wurde auch in Caracas sofort in die Gesellschaft aufgenommen. Obwohl er sich zurückhaltend verhielt und nie in die Politik einmischte, konnte ihm nicht entgehen, daß das Verhalten der kreolischen Intellektuellen immer widerspenstiger und allmählich die Kräfte jener Revolution wirksam wurden, die mit seinem eigenen Namen, zu Recht oder Unrecht, für immer verknüpft sein sollte.

Das spanische Imperium in Amerika hatte nun bereits 300 Jahre unter der direkten Regentschaft Madrids überlebt und war noch zu Beginn des 19. Jahrhunderts von Kalifornien bis Cap Horn unversehrt. Doch bei der Mehrzahl der Kreolen, denen weder erlaubt war, am ausländischen Handel noch an der Verwaltung ihres eigenen Landes teilzuhaben, stieg die Flut der Empörung immer mehr an. Revolutionäre Ideen, heimlich aus Frankreich importiert, später der Drang nach Freiheit und der Wunsch nach einer republikanischen Regierung. Der Erfolg der Vereinigten Staaten, die sich von der britischen Herrschaft befreit hatten, wirkte ermutigend. Und die britische Schiffsblockade der spanisch-amerikanischen Häfen trug ohnehin dazu bei, die Macht der königlichen Regierung in Madrid zu schwächen. An keinem Ort in diesem ungeheueren Weltreich war das politische Bewußtsein stärker als in Caracas.

Hier wurden Francisco Miranda, Simon Bolivar und viele andere führende Männer des künftigen Unabhängigkeitskampfes geboren. Hier wurde dieser erste, verfrühte Aufruhr – kaum drei Jahre vor Humboldts Ankunft in der Stadt – niedergeschlagen. Und hier schließlich ist zehn Jahre später zum ersten Mal in Spanisch-Amerika die Revolution und Unabhängigkeit proklamiert worden. Im Jahre 1800 war die Untergrundbewegung zunächst nur eine geistige Bewegung innerhalb der gebildeten Elite (Rousseaus Schriften und die ›Menschenrechte‹ wurden in Privathäusern versteckt und illegal vervielfältigt), doch Humboldt nahm die Veränderungsbestrebungen deutlich wahr und stand ihnen in seiner realistischen Weise wohlwollend gegenüber. Da er aber sowohl ›Criollos‹ wie auch ›Peninsulares‹ zu seinem Freundeskreis zählte – darunter keinen geringeren als den Kommandeur von Caracas selbst – zog er es vor, ein unbeteiligter Zeuge des Verfalls der spanischen Autorität in ihrem letzten Jahrzehnt der Herrschaft über das größte Weltreich der Erde zu bleiben. Sein einziger, totaler Einsatz in Spanisch-Amerika galt dessen geophysikalischen Phänomenen.

Nicht imstande, längere Zeiten der Untätigkeit zu ertragen, und enttäuscht über das trübe Wetter, das ihm während siebenundzwanzig aufeinanderfolgender Tage keinerlei astronomische Beobachtungen erlaubte, unternahm Humboldt eines Tages den ersten nachweisbaren Aufstieg auf die Silla, einen der höchsten der Berge, die Caracas überragten. Begleitet von Bonpland folgte er achtzehn lärmenden Sklaven, die das Gepäck trugen. Er stieg zu dem annähernd 2630 Meter hohen Gipfel empor und ohne Aufenthalt in 15 Stunden wieder hinab, während ihn die ungläubigen Einwohner der Hauptstadt, weit unten, durch Fernrohre beobachteten. Die meiste Zeit gab es weder Essen noch Wasser – die Sklaven hatten offenbar alles, außer den Oliven, aufgegessen – und zum Schluß bluteten ihre Füße.

Endlich, am 7. Februar 1800, nach einem Aufenthalt von zweieinhalb Monaten, verließen die Forschungsreisenden Caracas, um sich ins Landesinnere zu begeben. Es schien, als ob sie durch Zeit und Raum reisten, denn ihr Weg führte sie durch Gebiete, deren Einwohner auf äußerst unterschiedlichen Stufen menschlicher Kultur lebten. Die Bewohner der Küstenstädte beispielsweise genossen schon die meisten Vorteile der Zivilisation des 18. Jahrhunderts. Doch weiter im Inland, jenseits der Küstengebirge, führten die halbwilden Viehhüter der großen Flußebenen – der sog. ›Llanos‹ – das Leben einer vergangenen Hirtenkultur. Und noch weiter im Innern, jenseits der Llanos, lag das unerforschte Waldgebiet des Orinoko, in dem Stämme wilder Indianer unter der provisorischen Herrschaft einer Handvoll Franziskaner-Missionare in einem ursprünglichen Zustand lebten, der sich seit Columbus' Entdeckung der Neuen Welt nicht geändert hatte. Dieses ungeheure primitive äußerste Ende von Venezuela war das Ziel der Expedition Humboldts und Bonplands. Sie hatten die Absicht, im oberen Flußsystem des Orinoko ein wichtiges geographisches

Problem, unter Umständen auch zwei, zu untersuchen. Erstens galt es, die Existenz eines ungewöhnlichen natürlichen Kanals, ›Casiquiare‹ genannt, festzustellen, der ein einmaliges und umstrittenes Phänomen war: Man nahm an, daß er das Orinoko- mit dem Amazonas-Bassin verbände, obgleich viele Geographen dies bezweifelten; zweitens wollten sie, wenn möglich, etwas über die Quelle des Orinoko selbst erfahren.

Ihre Reiseroute verlief nicht gradlinig. Zunächst gingen sie nach Westen und durchquerten auf dem Weg nach Puerto Cabello die fruchtbaren Täler von Aragua, die reich an Zuckerrohr, Kaffee, Bananen und Obstgärten mit blühenden Pfirsichbäumen waren. Hier blieben sie kurze Zeit, bevor sie sich endgültig nach Süden wandten. Am Valencia-See tranken sie etliche Schalen von der bemerkenswerten »vegetabilischen Milch« des entsprechend benannten ›Kuhbaums‹, Brosimum utile, und lebten wie die Reichen dieser Gegend. Sie badeten zweimal am Tag, schliefen dreimal und aßen drei Mahlzeiten innerhalb vierundzwanzig Stunden. Dann – einen Monat nach ihrer Abreise aus Caracas – ließen sie die Annehmlichkeiten der zivilisierten Welt hinter sich und machten sich zum Orinoko auf.

Am 12. März stieg die Gruppe die südlichen Abhänge der Berge hinab und betrat die großen Llanos von Südamerika – eine endlose Ebene, größer als Frankreich und fast so groß wie Texas, die sich ohne Unterbrechung von den Anden bis zum Atlantik und vom Gebirge von Caracas bis zu den Guinea-Wäldern erstreckt. Riesige Herden von Rindern und Pferden – insgesamt fast zwei Millionen Stück – bewegten sich frei in dieser einsamen Wildnis. Viele Tiere verdursteten während der langen Trockenzeit, oder sie ertranken nach den Regenfällen in den anschwellenden Fluten. Es war ein unfreundliches Land, überschwemmt von Schnaken, Alligatoren und Vampir-Fledermäusen, und mit Ausnahme von einigen zerstreut wohnenden Farmern, ein paar Banditen und Viehräubern war es nahezu unbewohnt.

Als sie die Ebene erreichten, war es Mittag, und die Sonne

stand beinahe im Zenit. Die Erde lag rissig und verdörrt unter dem glühenden Himmel – die Bodentemperatur betrug 50 Grad Celsius, als Humboldt sie maß. Kein Lufthauch war zu spüren, nichts regte sich, außer den ›Sandwinden‹, die über den öden, ausgetrockneten Flächen aufwirbelten. Diese extrem flachen Ebenen wirkten bedrückend. So weit das Auge sehen konnte (und man wußte nicht, wie weit das war), gab es keinen Buckel oder Erdhaufen, der höher als ein Fuß hoch war. »Alles um uns herum«, schrieb Humboldt, »die Ebenen scheinen bis zum Himmel zu reichen, und diese endlose, tiefe Einöde wirkt wie ein Ozean, der mit Seetang bedeckt ist«. In unerträglicher Hitze zogen sie mit ihren Mauleseln nach Südosten; sie fanden sich mit den Unbilden eines langen Marsches durch eine feindselige Gegend ab, in dem ein Horizont wie der andere aussah und niemals näherzukommen schien.

Sie reisten bei Nacht unter einem unermeßlichen Himmel, der voller Sterne doch mondlos war, während eine kühle Brise über die Ebene strich und das Gras wie im Wellengang der See wogte. Bei Tagesanbruch stiegen nicht eine, sondern zwei Sonnen am Horizont empor, die Wirkung der Strahlenbrechung; und wenn der Tag fortschritt, erschienen vor ihnen die Bilder von Hügeln und Bäumen und weiten schimmernden Seen über der Ebene. Die Temperatur stieg bis auf 41 Grad Celsius an, und sie füllten ihre Hüte mit Blättern, um ihre Köpfe zu kühlen. Sie versuchten, während der Hitze am Tag Rast zu machen, doch es gab keine Bäume, die dick genug waren, ihnen genügend Schatten zu gewähren; ihre Haut verbrannte und bedeckte sich mit einer dicken Staubkruste. Einmal trafen sie auf ein 13-jähriges Indianermädchen, das nackt und halb tot vor Durst neben einem Wasserkrug voll Sand lag. Sie füllten seinen Krug; da es jedoch keine weitere Hilfe annehmen wollte, mußten sie es schließlich seinen stoischen und einsamen Entscheidungen überlassen. Sie hatten selbst unter großem Durst zu leiden. Doch auf den spärlichen Farmen der rauhen und ungastlichen ›Llaneros‹ – den wilden Mulatten-Kuhhirten, die ihr Leben im Sattel verbringen – erhielten sie keine Milch, sondern stinkendes, gelbes Lehmwasser, das sie durch einen Leinenfilter trinken mußten. Einmal hofften sie, baden zu können, doch sie wurden von einem Krokodil aus dem Wasserloch vertrieben. Ein andermal verirrten sie sich und wanderten stundenlang ziellos über die immer dunkler werdende ausdruckslose Ebene. Die Llanos waren kein angenehmer Aufenthaltsort; sie waren glücklich, als sie das relativ zivilisierte Calabozo erreichten, den Punkt, an dem sie die Hälfte ihres Trecks hinter sich hatten.

In Calabozo, einer staubigen Viehhändler-Station in der Mitte zwischen nirgendwo und hier, begegneten die Reisenden zu ihrem Erstaunen und Vergnügen einem einheimischen Erfinder, einem Señor del Pozo. Dieser hatte nie etwas von Volta oder Galvani gehört, aber in Benjamin Franklins Memoiren etwas über Elektrizität gelesen. Nach dem, was er dort beschrieben fand, hatte er mit seinen eigenen Händen, trotz nahezu unüberwindlichen Widerständen, einen elektrischen Apparat gebaut, der fast so gut war wie die fortschrittlichsten Geräte in den führenden europäischen Laboratorien. Unter seinen einfachen Viehtreibernachbarn in dieser Ein-Pferd-Stadt galt er als das Genie der Llanos.

Ein elektrischer ›Apparat‹ von ganz anderer Art aber erregte Humboldts größtes Interesse in Calabozo. Seit seiner Ankunft in Venezuela hatte er versucht, sich ein lebendiges und kräftiges Exemplar des weitbekannten Zitteraals von Südamerika zu verschaffen, damals Gymnotus electricus, heute Electrophorus electricus genannt. Seine erschreckenden Eigentümlichkeiten hatten zum ersten Mal Humboldts Aufmerksamkeit geweckt, als er sich mit Versuchen über die animalische Elektrizität beschäftigt hatte. Dieser schleimige, gelbgefleckte Frischwasserfisch (er sah aus wie ein Aal, gehörte aber tatsächlich zur Familie der Elritzen und Karpfen) konnte einen lähmenden Schock bis zu 650 Volt Gleichstrom abgeben, und zwar aus einem elektrischen Organ, das den größten Teil seines mehr als 2 Meter langen und 90 cm breiten Körpers einnahm. Aus einem bestimmten Abstand konnte er damit ein größeres Tier töten oder einen Menschen betäuben. Bisher war es Humboldt nicht geglückt, ein Exemplar zu bekommen, denn der Schrecken, den dieses gefährliche Tier verbreitete, war so groß, daß nicht einmal ein ansehnliches Trinkgeld die Indianer dazu verführen konnte, ihm eins zu fangen. In Calabozo hatte er mehr Glück. Die schlammigen Wasserlöcher in der Nähe der Stadt wimmelten von Zitteraalen. Tatsächlich gab es so viele, daß in einer der Furten schon einige Pferde von ihnen getötet worden waren. Überdies hatten die Indianer hier eine narrensichere Methode, sie zu fangen – sie nannten sie ›embarbascar con caballos‹ – mit den Pferden fischen.

Sie trieben aus der Ebene 30 Pferde und Esel zusammen und trieben sie in das sumpfige Wasserloch, wo die Zitteraale sich versteckt hielten. Gleichzeitig bildeten sie einen geschlossenen Kreis um den Tümpel und hinderten durch wilde Schreie, Speer- und Stockwürfe die Tiere daran zu entfliehen. Fast augenblicklich tauchten die Zitteraale auf, aufgeschreckt von dem Geräusch der Pferdehufe an der Oberfläche. Und dann drängten sich diese wütenden, gelblich-grünen Kreaturen, eine nach der anderen, wie große Wasserschlangen schwimmend, unter die Leiber der Pferde und Esel und entluden wiederholt ihre elektrischen Batterien, die gleichzeitig das Herz, die Eingeweide und den plexus coeliacus der Unterleibsnerven angriffen. Verschiedene Pferde wurden Opfer dieser unsichtbaren Schocks auf ihre lebenswichtigen Organe, sie brachen im Wasser zusammen und ertranken. Andere bäumten sich mit Schaum vor dem Maul, gesträubten Mähnen und einem wilden, verzweifelten Ausdruck in den Augen auf und versuchten, aus dem Tümpel zu entkommen. Die meisten wurden von den Indianern zurückgetrieben; die wenigen, die den Ring durchbrechen konnten, waren so erschöpft und schwach in den Beinen, daß sie bei jedem Schritt stolperten und sich in den Sand legen mußten, bis sie sich wieder erholt hatten.

Humboldt war entsetzt über dieses Schauspiel und überzeugt davon, daß diese Art Fischerei nur mit dem Tode aller beteiligten Tiere enden könne. Aber die Zitteraale hatten nur eine begrenzte Kapazität elektrischer Energie in ihren Batterien; bald waren sie ebenfalls erschöpft und schwammen davon. Die Pferde und die Esel beruhigten sich, und als die Zitteraale sich scheu dem Rand des Tümpels näherten, wurden sie von den Indianern harpuniert und mit langen Stricken ans Ufer gezogen. In wenigen Minuten hatten sie fünf große Exemplare gefangen, und am Nachmittag wurden noch einige auf dieselbe Weise herausgeholt. Die meisten von ihnen waren nur geringfügig verletzt.

Mit Bonplands Hilfe begann Humboldt sofort, ein paar einfache Experimente mit den lebenden Aalen am Ufer zu machen, anschließend tötete und sezierte er sie. Verschiedene bemerkenswerte Fragen erhoben sich: Erstens, wieso starben diese Kreaturen nicht durch ihre eigenen elektrischen Stromstöße? Zweitens, warum war es nicht möglich, die elektrische Entladung dieses Fisches auf die übliche Art zu registrieren? Sie zeigte sich nicht auf dem Elektrometer; eine magnetische Wirkung war ebenfalls nicht festzustellen, und kein Funke wurde sichtbar, wenn der Fisch in totaler Dunkelheit gereizt wurde. Das Einzige, woran man die Entladung messen konnte, war das Ausmaß der Schmerzen, das die kleinen Frösche und Schildkröten erlitten, die in einer Wasserröhre ganz unschuldig auf den Rücken dieser Kreaturen kletterten, – und an der Dauer der Beschwerden Humboldts und Bonplands selbst. Das, so erinnerte sich Humboldt, war unvergeßlich:

Ich erinnere mich nicht, je durch die Entladung einer großen Leydener Flasche eine so furchtbare Erschütterung erlitten zu haben wie die, als ich unvorsichtigerweise beide Füße auf einen Gymnotus setzte, der eben aus dem Wasser gezogen worden war. Ich empfand den ganzen Tag heftigen Schmerz in den Knien und fast allen Gelenken ...

Doch Humboldt und Bonpland ließen sich nicht abschrecken, die Aale weiterhin anzustacheln, sie mit bloßen Händen und allen möglichen Geräten zu stoßen und zu provozieren. Die Indianer, die nicht an die Possen gelehrter Männer gewöhnt waren, müssen mit erstaunter Belustigung beobachtet haben, wie sich Humboldt und Bonpland am Ufer dieses wenig angenehmen Sumpfes vor Schmerzen krümmten. »Ich kann versichern«, schrieb Humboldt, »daß Bonpland und ich, nachdem wir Stunden hintereinander mit den elektrischen Aalen experimentiert hatten, bis zum anderen Tag Muskelschwäche, Schmerz in den Gelenken und allgemeine Übelkeit empfanden, eine Folge der heftigen Reizung des Nervensystems«. Unter diesen Umständen war ihre Beharrlichkeit, diese erste wissenschaftliche Untersuchung des gefürchteten Zitteraales fortzusetzen, tatsächlich heroisch.

Am 27. März 1800 beendeten die Reisenden die Durchquerung der Llanos und trafen mit ihren Instrumenten und Sammlungen in San Fernando ein, dem Hauptsitz der Kapuziner-Missionare der Provinz Varinas in Venezuela. Es war ein winziger Ort, den man vor wenig mehr als zehn Jahren an einem strategischen Punkt des Rio Apure, einem wichtigen Nebenfluß des Orinoko, gegründet hatte. Er war nur wegen der außerordentlichen Hitze, die nahezu das ganze Jahr herrschte, bekannt. Hier trafen sie zufällig den Schwager des Gouverneurs der Provinz, einen heiteren und liebenswerten Mann namens Don Nicolas Sotto. Er war erst kürzlich aus Cadiz angekommen, und mutig entschloß er sich auf der Stelle, sie bei ihrer abenteuerlichen Fahrt ins Innere zu begleiten.

Die Reisenden blieben nur drei Tage in San Fernando. Durch die Unterstützung des einheimischen Missionars erhielten sie eine der langen Pirogen, die die Spanier ›Lanchas‹ nennen, außerdem vier indianische Ruderer und einen Steuermann, der wenigstens den ersten Teil ihres Reiseweges kannte. Verglichen mit dem, was ihnen später bevorstand, war die Unterbringungsmöglichkeit auf der Lancha fast luxuriös. Innerhalb weniger Stunden errichtete die indianische Besatzung eine ›Tolda‹ am Heck, eine Art Kabine, mit Palmblättern gedeckt und groß genug, einen Tisch und einige Bänke aufzunehmen. Die Bänke bestanden aus Ochsenhaut, die auf Rahmen aus brasilianischem Holz gezogen waren. Den ganzen verfügbaren Raum im Boot füllten Humboldts Instrumentenkasten,

Bonplands Pflanzenpressen, ihre kleine wissenschaftliche Bibliothek, Schußwaffen (nahezu nutzlos in dem feuchten Klima des Flußlaufes), Proviant für einen Monat, einschließlich lebendiger Küken, Eier, Bananen, Maniokmehl, Kakao und einigen Fässern mit Branntwein zum Tauschhandel mit den am Orinoko lebenden Indianern; außerdem noch Sherry, Orangen und Tamarinde, die ihnen die Kapuzinermönche gegeben hatten, um alkoholfreie Getränke daraus zu machen. Da die Reise allerdings bedeutend länger als einen Monat dauern würde, planten sie, ihre Speisekammer mit dem aufzufüllen, was sie an den Ufern erjagen würden, ›Pauxi‹, wildem Truthahn, und ›Guacharaca‹, wildem Fasan, und mit Fischen aus den Flüssen selbst, Manatees, Schildkröten und Schildkröteneiern, einem Nahrungsmittel, das weniger angenehm im Geschmack als nahrhaft war. Sie konnten sich nicht vorstellen, daß sie in einer so fruchtbaren und an jagdbarem Wild so ergiebigen Gegend jemals dem Hungertod nahekommen würden.

Der erste Teil ihrer Reise – ostwärts den Rio Apure hinab, dann nach Süden den Orinoko hinauf bis zu den Barrieren der Stromschnellen von Atures und Maipures, den Großen Wasserfällen – war bei einer kleinen Zahl einheimischer Missionare relativ gut bekannt, obgleich kein Wissenschaftler diese Strecke je befahren hatte. Unterhalb der Wasserfälle jedoch lag terra incognita, ein Gebiet, das vereinzelt und in großen Abständen während des vergangenen Jahrhunderts von kleinen Soldatengruppen und erobernden Priestern erkundet worden war. Damals wie heute wurde es nur von einigen zerstreuten Stämmen wilder Indianer und einer Handvoll isoliert lebender Missionare bewohnt. Die Berichte über die Unwirtlichkeit und die Gefahren dieser Region waren kein reines Seemannsgarn. Noch in Cumaná waren Humboldt und Bonpland sehr genau von einem umherwandernden jungen Priester informiert worden, der früher an den oberen Orinoko verbannt gelebt hatte. Er hatte ihnen weder Illusionen darüber gemacht, was sie dort alles erwarten könne, noch daß der sagenhafte Casiquiare-Kanal tatsächlich existierte; denn er hatte dessen trübes

Wasser mit eigenen Augen gesehen. Humboldts Reise mit dem Ziel, diese merkwürdige und strittige Verbindung zwischen den beiden großen Flußsystemen des Amazonas und des Orinoko zu erforschen, ist wahrscheinlich das einzige Unternehmen in seinem Leben, das man als echte geographische Forschungsarbeit bezeichnen kann, im Gegensatz zu dem, was man Geländeuntersuchungen in entlegenen Gebieten nennt. Und es zeigte sich, daß er und seine hartnäckigen Begleiter viel Glück hatten, wenn sie überhaupt überlebten. Denn den dort herrschenden rauhesten Bedingungen, die auf der ganzen Erde anzutreffen sind, hatten sie nichts als ihren Sinn für Humor, ihre »joie de vivre« und ihre unstillbare Begeisterung für die wissenschaftliche Forschung entgegenzusetzen.

ZEHNTES KAPITEL

Südlich der Großen Wasserfälle

Kurz vor der Morgendämmerung, um vier Uhr morgens am 30. März 1800, brach Humboldts Expedition zum oberen Orinoko und dem unbekannten Gebiet des Casiquiare-Kanals von San Fernando de Apure auf. Nach den trockenen und staubigen Llanos bot die Wasserwelt des Flusses tatsächlich einen beachtlichen Kontrast: eine weniger rauhe Welt, aber eine sehr beengende. Statt des unbegrenzten Ausblicks über die Ebenen fanden sie sich nun an beiden Ufern von undurchdringlichem Walddickicht eingeschlossen, und statt der körperlichen Freiheit, die sie bei ihrem Eselstreck genossen hatten, mußten sie nun bewegungslos und eingeengt auf einem schmalen Einbaum-Kanu sitzen. Trotzdem übte diese Szene auf Humboldt eine eigenartige Anziehung aus. Damals war das natürliche Leben in diesen Gebieten noch reicher als heute, und wenn seine Piroge an den Ufern des Flusses vorüberglitt, bot sich ihm eine großartige, nahe Sicht auf Vögel und Tiere von unglaublicher Vielfalt. Es war, als befände man sich in einem mächtigen Fluß-Zoo. Eines Tages fuhren sie an einer flachen Insel vorüber, die von Tausenden von Flamingos, rosafarbenen Löffelgänsen und Reihern bewohnt war; sie saßen so dicht beieinander, daß sie kaum imstande schienen, sich zu bewegen. Ein anderes Mal sahen sie Vogelschwärme, die so dicht waren, daß sie sich wie dunkle Wolken am Himmel ausnahmen. Herden von 50 oder 60 Wasserschweinen, den größten Nagetieren der Welt, paddelten wie Hunde um das Boot herum, und längsseits spielten Frischwasser-Delphine. Tapire und Nabelschweine trotteten am Ufer entlang, ohne auf das Boot zu achten, das mit ihnen Schritt zu halten schien; und nahezu jeden Augenblick konnte man da und dort ein halbes Dutzend riesiger, sechs Meter langer Alligatoren bewegungslos und mit weit aufgerissenen Mäulern auf dem Sand liegen sehen. Das Wasser war von Piranha- oder Kannibal-Fischen und Stachelrochen verseucht. Sogar während der Mittagshitze, wenn die Vögel und Tiere den Schatten aufsuchten und sich nichts bewegte, nahm Humboldt das von Millionen winziger Insektenstimmen erzeugte dumpfe Summen wahr; die tieferen Luftschichten waren voll von diesen Myriaden von Kreaturen.

Nachts pflegte die Expedition an den Ufern des Flusses anzulegen und dort im Freien zu kampieren. Gewöhnlich wurden die Hängematten zwischen die Bäume gehängt: Doch wenn es keine Bäume gab – etwa auf einer Sandbank – befestigten sie diese zwischen den in den Sand gesteckten Paddeln der Piroge; im allerschlimmsten Falle ging es auch ganz ohne Hängematten, dann schliefen sie auf ausgebreiteten Ochsenhäuten auf der Erde. Das war eine gefährliche Prozedur, weil sich die Schnaken wegen der Wärme bei ihnen einfanden. Häufig lockte ihr Lagerfeuer die Alligatoren an; sie ließen sich ringsherum nieder und starrten stundenlang hinein. Lästiger waren die Jaguare, mächtige Tiere, unglaublich zahlreich – am heutigen Stand gemessen – und von den Indianern sehr gefürchtet. Humboldt entdeckte einmal zwei Exemplare hinter seinem Hängemattenbaum. Diese Nächte in der Wildnis waren selten ganz friedlich. Manchmal entstand gegen elf Uhr ein Lärm im Wald, so daß man keinen Schlaf mehr finden konnte. Dann vernahm man die leisen, winselnden Schreie der Rollschwanzaffen, das Geheul der Brüllaffen, der Nabelschweine, der Faultiere, und das Gekreisch der Papageien und fasanenähnlichen Vögel namens Curassows. Jedesmal, wenn ein Jaguar am Waldrand auftauchte, hörte der Expeditionshund auf zu bellen und versuchte, sich jaulend und schutzsuchend unter den Hängematten zu verstecken.

Aber auch wenn sie in einheimischen Niederlassungen wohnten, was nur selten geschah, waren die Nächte nicht viel angenehmer. Einen derartigen Aufenthalt hatten sie am Apure auf einer kleinen Plantage, die einem Mann gehörte, der sich seinen Unterhalt mit der Jagd auf Jaguare verdiente. Humboldt beschreibt diese Begegnung folgendermaßen in seinem Bericht über seine »Reise in die Aequinoktialgegenden«:

Er war fast ganz nackt und schwärzlich braun wie ein Zambo, zählte sich aber nichtsdestoweniger zum weißen Menschenschlage. Seine Frau und seine Tochter, die so nackt waren wie er, nannte er Dona Isabella und Dona Manuela. Obgleich er nie vom Ufer des Apure weggekommen, nahm er den lebendigsten Anteil »an den Neuigkeiten aus Madrid«, an den Kriegen, deren kein Ende abzusehen . . . Ich hatte einen Chiguire mitgebracht und wollte ihn braten lassen; aber unser Wirt versicherte uns, nosotros cavalleros blancos, weiße Leute wie er und ich seien nicht dazu gemacht, von solchem »Indianerwildpret« zu genießen. Er bot uns Hirschfleisch an; er hatte tags zuvor einen mit dem Pfeil erlegt, denn er hatte weder Pulver noch Schießgewehr.

Wir glaubten nicht anders, als hinter einem Bananengehölze liege die Hütte des Gehöftes; aber dieser Mann, der sich auf seinen Adel und seine Hautfarbe so viel einbildete, hatte sich nicht die Mühe gegeben, aus Palmblättern eine Ajupa zu errichten. Er forderte uns auf, unsere Hängematten neben den seinigen befestigen zu lassen, und versicherte uns mit selbstgefälliger Miene, wenn wir in der Regenzeit den Fluß wieder heraufkämen, würden wir ihn unter Dach finden. Wir kamen bald in den Fall, eine Philosophie zu verwünschen, die der Faulheit Vorschub leistet und den Menschen für alle Bequemlichkeiten des Lebens gleichgültig macht. Nach Mitternacht erhob sich ein furchtbarer Sturmwind, Blitze durchzuckten den Horizont, der Donner rollte und wir wurden bis auf die Haut durchnäßt . . . Während es auf unsere Hängematten und unsere Instrumente, die wir ausgeschifft, in Strömen regnete, wünschte uns Don Ignacio Glück, daß wir nicht am Ufer geschlafen, sondern uns auf seinem Gut befänden, unter Weißen und Leuten von Stande.

Außer Don Ignacio hatten die Reisenden kein anderes menschliches Wesen gesehen, auch kein anderes Boot getroffen. Es war eine totale Wildnis. Am 5. Mai erreichten sie den

Hauptfluß; nun erweiterte sich die Landschaft. Eine ungeheure Wasserfläche, einem See gleich, dehnte sich soweit das Auge sehen konnte vor ihnen aus. Breite Strände, ständig der Sonnenglut ausgesetzt, ausgedörrt und kahl wie die Küsten des Meeres, erstreckten sich zu beiden Seiten. Der Fluß war so breit, daß die entfernt liegenden Berge aus dem Wasser herauszuragen schienen – wie über dem Horizont eines Ozeans – aus ungeheuren Granitblöcken bestehend, zerklüftet und aufeinandergestapelt, antiken Ruinen ähnlich.

Der Wind blies stark aus Nord-Nordost. Das war die beste Richtung, um den Orinoko hinaufzusegeln. Doch die Wirkung des Windes erzeugte über der Strömung weiß-gekrönte Wellen, die einige Fuß hoch waren und den ›lancha‹ so übel schüttelten, daß einige der Reisenden sofort seekrank wurden. Trotz dieser Erschwernis verfolgten sie ihren Kurs auf den südlicher gelegenen und langen Transportweg zu den Großen Wasserfällen.

Am nächsten Morgen um elf Uhr gelangten sie an eine Insel, die am ganzen unteren Orinoko wegen der jährlich dort stattfindenden Ernte der Schildkröteneier berühmt war. Nach der Einsamkeit, an die sie sich nach der Abfahrt von San Fernando gewöhnt hatten, empfanden sie die Geschäftigkeit der Menge auf der Schildkröteninsel als besonders seltsam. Dreihundert Indianer lagerten hier, jede Stammesgruppe unterschied sich durch die Farbe, mit der ihre Haut bemalt war, und unter ihnen befand sich eine Anzahl weißer Männer – hauptsächlich kleine Händler aus der am Unterlauf liegenden Stadt Angostura. Die Ankunft von Humboldts Expedition, ihre fremde Sprache, ungewöhnliche Kleidung und eigentümliche Ausrüstung verursachten eine verständliche Verwirrung unter der lärmenden Menge der Spanier und Indianer. Ein Missionar kam auf sie zu und fragte, weshalb sie gekommen seien. »Wie soll einer glauben«, meinte er, »daß ihr euer Vaterland verlassen habt, um euch auf diesem Fluß von den Moskitos aufzehren zu lassen und Land zu vermessen, das euch nicht gehört?« Und er fuhr fort, ihnen eine äußerst übertriebene Schilderung von den Unannehmlichkeiten zu geben, die sie zu erwarten hätten, wenn sie auf dem Orinoko bis über die Wasserfälle hinausgehen würden. Don Nicolas Sotto, der Schwager des örtlichen Gouverneurs, zerstreute bald die Bedenken, und während ihres kurzen Aufenthaltes auf der Insel konnte Humboldt einiges über diese sonderbare Eierernte erfahren.

Drei Fuß tief unter dem Sand lag – soweit man sehen konnte – am Ufer eine zusammenhängende Schicht von Schildkröteneiern. Es sah aus wie in einem Bergwerk, die zugeteilten Landstücke waren abgesteckt und wurden äußerst sorgfältig bearbeitet. In jedem März, während der Zeit, in der der untere Orinoko den niedrigsten Wasserstand hat, kamen riesige Kolonnen von Schildkröten zu drei speziellen Inseln, um ihre Eier in Höhlen zu legen, die sie in den Sand wühlten. Und im April trafen stets einige Hundert Indianer von verschiedenen Stämmen aus nah und fern ein. Sie errichteten ihre Lager auf den Inseln, sammelten die Eier und verarbeiteten sie dann zu Öl. Früher hatten die Jesuitenmönche die Eierernte überwacht; sie hatten darauf geachtet, daß ein Teil der Eier unberührt blieb, damit die Tiere ausschlüpfen konnten. Ihre Nachfolger, die Franziskaner, gingen jedoch nicht mit der gleichen Vorsicht ans Werk. Sie erlaubten, daß so viel wie möglich gesammelt werde, und Humboldt stellte fest, daß die Ernten von Jahr zu Jahr geringer wurden. Trotzdem war die Menge der Eier noch immer gewaltig. Man berichtete Humboldt, auf den drei Inseln des unteren Orinoko würden im Jahr insgesamt noch 5000 Krüge Schildkrötenöl gewonnen. Er schätzte, daß 33 Millionen Eier notwendig wären, um diese Menge zu produzieren – oder 330000 Schildkröten, von denen jede durchschnittlich 100 Eier legte. Die Anzahl der gesammelten Eier lag wesentlich unter der Zahl der gelegten Eier. Viele wurden zerbrochen, viele von den Indianern sofort vertilgt, bei vielen wiederum schlüpften die Tiere frühzeitiger aus. Humboldt beobachtete selbst ein ganzes Ufergebiet voll junger, zwei bis drei Zentimeter großer Schildkröten, die den Indianerkindern zu entkommen versuchten. Er schätzte, daß wahrscheinlich im ganzen über eine Million Schildkröten jedes Jahr an den Ufern des Orinoko ihre Eier legten. Seither ist jedoch sogar diese enorme Zahl durch die sinnlose Raubgier des Menschen derart reduziert worden, daß heute die Schildkröten am unteren Orinoko nahezu ausgerottet sind.

Humboldts Steuermann hatte bei ihrem Aufenthalt am Schildkrötenufer die gute Gelegenheit benutzt, ihre geringen Lebensmittelvorräte aufzufüllen, frisches Fleisch, Reis und Zwieback für die weißen Männer sowie eine Bootsladung von getrockneten Schildkröteneiern und junge Schildkröten für sich und die anderen Indianer zu besorgen. Er scheint ein eitler Mann gewesen zu sein, denn als sie gegen vier Uhr nachmittags wieder absegelten, versuchte er, all den Indianern am Ufer seine Seemannskünste vorzuführen, und das hatte beinahe ein katastrophales Ende der Expedition zur Folge.

Er hatte zeigen wollen, daß er, wenn er sich dicht am Wind hielt, mit einem Schlag die Mitte des Flusses erreichen würde, der an dieser Stelle über vier Meilen breit war. Das schwerbeladene Boot besaß jedoch ein schlechtes Segelwerk, und der Wind blies in heftigen Stößen. Gerade in dem Augenblick, als der Steuermann mit seiner Geschicklichkeit und Kühnheit prahlen wollte, fuhr ein Windstoß in die Segel und die Piroge bekam Schlagseite. Humboldt machte an einem kleinen Tisch am Heck des Bootes Eintragungen in sein Tagebuch, als sich das Wasser darüber ergoß und beinahe sein Journal mitriß. Bonpland, der in der Mitte der Piroge lag und schlief, wurde vom eindringenden Wasser und den Schreien der Indianer rauh geweckt. Er sah gerade noch, wie seine getrockneten Pflanzen und Papiere vom Wasser überflutet wurden und sich der erste Band von Schrebers ›Genera Plantarum‹ auf seine lange Reise in die Karibische See davonmachte. Humboldt, der nicht schwimmen konnte, befand sich in einer der seltenen Situationen in seinem Leben, in der er hilflos war. Diesmal fiel Bonpland die Rolle des Helden zu. Er blieb völlig kühl und beherrscht und bot Humboldt an, falls das Schlimmste eintreten sollte, ihn auf seinem Rücken zum Ufer zu bringen. Doch dann sah er, daß sich die eine Bordseite nach einem Windstoß wieder aufrichtete und erkannte, daß noch nicht alles verloren war. Die nächsten Minuten gaben ihm recht. Das Tauwerk des Segels riß plötzlich, das Segel selbst wendete sich, und die Piroge richtete sich wieder auf. Die Gefahr war vorüber. Sie schöpften das Wasser mit Flaschenkürbissen aus dem Boot, verfluchten den Steuermann, und hatten nach einer halben Stunde alles wieder »seeklar« gemacht, daß sie weiterfahren konnten. Bei Einbruch der Dunkelheit legten sie an einer kahlen Insel mitten im Strom an, setzten sich im hellen Mondlicht auf die großen Schildkrötenpanzer, die zerbrochen am Ufer lagen, und nahmen ihre Abendmahlzeit mit größerer Dankbarkeit als sonst ein. Ihre öde Insel kam ihnen wie das leibhaftige Paradies vor – trotz der drückenden nächtlichen Hitze, der Moskitoschwärme, der nahen Schreie der Jaguars, und obwohl es keine Bäume gab, an denen sie ihre Hängematten aufhängen konnten.

Am 7. April stellten sie fest, daß die Strömung immer stärker wurde, je mehr sich das Flußbett verengte, und daß sie mit ihrem Boot viel langsamer vorwärts kamen. Sie begannen auch unter Durst zu leiden, denn das Wasser in diesem Teil des Orinoko war heiß und sandig, es roch und schmeckte unangenehm, wegen der verwesenden Kaimane, die am Ufer lagen.

Früh am nächsten Morgen kamen sie in dem Ort Pararuma an, wo ein weiteres Lager von Indianern war, die Schildkröteneier sammelten. Und hier trafen sie die Missionare von Carichana und den Großen Wasserfällen, die Karten spielend und Pfeifen rauchend am Ufer saßen. Mit ihren weiten blauen Kutten, den geschorenen Köpfen und langen Bärten wirkten sie vielmehr wie Bewohner des Orients. Doch aus ihren blassen, ausgezehrten Gesichtern – einer Folge der Malaria, unter der sie monatelang gelitten hatten – ließ sich erkennen, daß sie aus den ungesunden Wäldern des Orinoko stammten.

Diese zufällige Begegnung erwies sich für Humboldt und Bonpland als äußerst günstig. Einer der Priester, Pater Bernardo Zea, der Missionar von Atures und Maipures bei den Großen Wasserfällen, erbot sich, sie zum Rio Negro und zurück zu begleiten. Und da die Piroge, die sie von San Fernando bis hierher gebracht hatte, zu groß und schwer für die Stromschnellen war, willigte ein anderer Missionar ein, ihnen eine kleinere zu einem annehmbaren Preis zu verkaufen.

Diese neue Piroge, die ihr Heim für zwei Monate oder länger werden sollte, bestand aus einem einzigen riesigen, ausgehöhlten Baumstamm. Sie war 13 Meter lang und ein Meter breit, so daß darin nur zwei Personen nebeneinander sitzen konnten. Außerdem war sie sehr wackelig; wenn jemand ohne vorherige Warnung aufstand, kenterte sie. Auf dem Hinterteil war ein Gitterdeck mit einem Strohdach aufgebaut worden, das einer primitiven Hütte aus Zweigen und Blättern ähnelte. Sie sollte zur Bequemlichkeit der vier Europäer Humboldt, Bonpland, Sotto und Zea dienen, aber sie war so winzig, daß sie darin entweder gebückt sitzen oder flach auf dem Rücken auf elend harten Ochsenhäuten oder Jaguarfellen liegen mußten, ohne die Möglichkeit, hinaussehen zu können. Dabei wurden ihre herausragenden Beine entweder vom Regen durchnäßt oder von der Sonne verbrannt. Während des Tages war es in diesem unbequemen Aufbau stickend heiß, und während der Nacht wimmelte es darin von Moskitos. Sie versuchten, ihnen zu entgehen, indem sie sich unter einer Decke verbargen oder ein rauchendes Feuer aus grünem Holz entfachten; aber das machte alles noch schlimmer. Ein großes Problem war die Raumfrage. Der Steuermann stand am Heck, und die vier indianischen Ruderer nahmen das Vorderteil der Piroge ein; sie saßen ganz nackt paarweise nebeneinander und ruderten präzis im Takt, während sie traurige, monotone Lieder sangen. Ein Mulattendiener aus Cumaná nahm mit seinen Kochutensilien und Proviantkisten den mittleren Teil in Anspruch, und die Käfige mit ihrer ständig wachsenden Menagerie von Vögeln und Affen hingen an jedem geeigneten Platz. Um die getrockneten Pflanzen, den Sextanten, den Inklinationskompaß und die meteorologischen Instrumente aufzubewahren, blieb nur noch ein Plätzchen unter dem Gittertisch übrig. Und jedes

Mal, wenn sie einen Koffer öffnen oder ein Instrument herausholen wollten, mußten sie zum Ufer paddeln und landen. Es erforderte viel Humor und äußerste Zielstrebigkeit, sich mit solchen Bedingungen längere Zeit abzufinden. Doch Humboldt schien für die Tropen geeignet zu sein.

Am 10. April um 10 Uhr vormittags begann ihre Fahrt in dem neuen Fahrzeug – ein Start, der durch einen unangenehmen Vorfall in den frühen Morgenstunden beeinträchtigt wurde. Nur die ortsansässigen Indianer kannten den Weg durch die Labyrinthe der Großen Wasserfälle. Um sicher zu gehen, daß die Mannschaft der Piroge vollständig sein würde, hatte der Missionar zwei der Indianer über Nacht in eine Art von Stockeisen gelegt. Und als einer von ihnen sich dennoch weigerte, das Boot zu begleiten, wurde er mit einem Seekuhriemen verprügelt. In den frühen Morgenstunden war Humboldt von seinen entsetzenerregenden Schreien geweckt worden. »Ohne diese Strenge«, erklärte der Priester, »würde es euch an allem fehlen ... Die Missionen stünden leer«. Humboldt widersprach ärgerlich:

Diese Gründe mögen nur scheinbar etwas für sich haben ... Weil der Indianer aus den Wäldern in den meisten Missionen als Leibeigner behandelt wird, weil er der Früchte seiner Arbeit nicht froh wird, deshalb veröden die christlichen Niederlassungen am Orinoko ... Wenn man sagt, der Wilde müsse wie das Kind unter strenger Zucht gehalten werden, so ist das ein falscher Vergleich ... Die Indianer am Orinoko sind keineswegs große Kinder, so wenig als die armen Bauern im östlichen Europa, die in der Barbarei des Feudalsystems sich der tiefsten Verkommenheit nicht entringen können.

Mit dem Einsetzen der Regengüsse begann der Fluß immer mehr anzusteigen. Und als sie sich den Wasserfällen näherten, wurde die Durchfahrt immer häufiger von riesigen Granitblöcken behindert. Sie mußten durch enge Kanäle steuern, die nur anderthalb Meter breit, aber mehr als vierzig Meter tief waren. Das Wasser rauschte hier mit erschreckendem Getöse durch, und zeitweise lief die Piroge Gefahr, an den Felsen zu zerschellen. Da die Gewalt der Strömung wuchs, wurde es immer schwieriger, gegen sie anzukämpfen. Am 12. April mußten die indianischen Ruderer ohne Unterbrechung zwölfeinhalb Stunden paddeln, wobei sie außer einigen Bananen und etwas Maniok nichts zu sich nahmen – eine Kraftleistung, die Humboldt, der selbst kein Schwächling war, äußerst bemerkenswert fand. Wenn die Strömung unüberwindlich wurde, sprangen die Ruderer ins Wasser, legten eine Leine um die Felsspitzen und zogen das Boot hinauf – eine langwierige Prozedur. Auf einer dieser Klippen, die alle möglichen Formen und Ausmaße haben und abgerundet, pechschwarz, glänzend wie Blei und ohne jede Vegetation sind, mußten sie eine beschwerliche Nacht verbringen. Ihr Schlaf wurde vom Heulen ihres Hundes, dem dumpfen Getöse der Wasserfälle ringsumher und dem entfernten Donnerrollen gestört. Von diesen Hochsitzen mitten im Fluß konnten sie die wilde und hochdramatische Landschaft überblicken: mächtige Pfeiler aus Granitblöcken, ausgedehnte, sandige Uferstreifen, Wälder und am Horizont liegende Berge.

Spät in der Nacht des 15. April kam die Reisegruppe am Fuß der Stromschnellen von Atures und Maipures, den Großen Wasserfällen, an. Diese Strecke von vierzig Meilen mit umherliegenden Felsen und Wildwasser, eine der längsten und gefährlichsten Stromschnellen-Staffeln in Südamerika, stellte den Schlußpunkt für die Schiffahrt auf dem unteren Orinoko dar. Seit Jahrhunderten hatte sie das unentdeckte Innere von Venezuela von den bevölkerten Küstenstrichen nach Norden hin abgeriegelt. Nur die ortsansässigen, mit dem Wasser vertrauten Indianer konnten mit leichten Pirogen in dieses trügerische Labyrinth eindringen und hoffen, die ruhigen Wasser am anderen Ende zu erreichen. Meist liefen auf dieser Fahrt die Pirogen voll mit Wasser, oft kenterten sie, und gelegentlich wurden sie gegen die Felsen geschleudert und in Stücke gerissen, so daß die verletzten und blutenden Indianer um ihr Leben schwimmen mußten. Wenn das Wasser jedes Weiterkommen unmöglich machte, mußten die Pirogen unter schwierigsten Bedingungen über Land getragen werden.

Humboldt und Bonpland verbrachten zwei Tage in Pater Zeas bescheidener Behausung in Atures, während die Indianer sich inzwischen abmühten, die unbeladene Piroge durch die Stromschnellen zu schaffen. Sie trafen die kleine Mission, etwa eine Meile vom Fluß entfernt, in einem beklagenswerten Zustand an. Die indianische Einwohnerschaft war auf weniger als fünfzig Personen zurückgegangen – was teilweise durch »die schändliche Sitte, giftige Kräuter zu gebrauchen, damit sie nicht schwanger werden« verursacht worden war. Sie lebten unter armseligen Bedingungen und litten unentwegt unter Krankheiten. Pater Zea selbst war vor acht Monaten von der ›calenturia‹ befallen worden, seinem »kleinen Fieber«, und bekam während der Reise häufig Malariaanfälle. Hinzu kam, daß es furchtbar heiß war und dichte Wolken von beißenden Insekten die Luft bevölkerten, so daß Humboldt nicht imstande war, den Himmel durch seine astronomischen Instrumente zu betrachten. Von nun an wurden die Insekten tatsächlich der dominierende Faktor in ihrem Leben. Pater Zea hatte die Beobachtung gemacht, daß sich in einer Höhe von über fünf bis sieben Metern über dem Erdboden weniger Insekten befanden und hatte ein kleines Baumhaus errichtet, in dem man freier atmen konnte. Jeden Abend pflegten Humboldt und Bonpland die Leiter zu diesem Refugium hinaufzuklettern, um ihre Pflanzen zu trocknen und ihre Tagebücher fortzuführen. Dennoch begannen sie sichtlich unter den Insektenstichen zu leiden, und ihre Hände waren beträchtlich angeschwollen:

Wer die großen Ströme des tropischen Amerikas nicht befahren hat, kann nicht begreifen, wie man ohne Unterlaß, jeden Augenblick im Leben, von den Insekten, die in der Luft schweben, gepeinigt wird, weil die Unzahl dieser kleinen Tiere weite Landstrecken fast unbewohnbar machen kann ... Es ist unvermeidlich, immer wieder von der Betrachtung abgezogen zu werden, wenn Moskitos, Zucandos, Jejen und Tempraneros einem Hände und Gesicht bedecken, einem mit ihrem Saugrüssel, der in einen Stachel ausläuft, durch die Kleider durchstechen und in Nase und Mund kriechen, so daß man husten und niesen muß, sobald man in freier Luft spricht. In den Missionen

am Orinoko, in diesen von unermeßlichen Wäldern umgebenen Dörfern am Stromufer, ist aber auch die ›plage de la moscos‹ (Moskitoplage) ein unerschöpflicher Stoff der Unterhaltung. Begegnen sich morgens zwei Leute, so sind ihre ersten Fragen: »Wie haben Sie die Zancudos heute nacht gefunden?« »Wie steht es heute mit den Moskitos?« In den Raudales (Großen Wasserfällen) in Atures, besonders aber in Maipures erreicht die Plage sozusagen ihr Maximum. Ich zweifle, daß es ein Land auf Erden gibt, wo der Mensch grausamere Qualen zu erdulden hat als hier in der Regenzeit . . . Sehr merkwürdig schien uns der Umstand, daß man zu verschiedenen Tagesstunden immer wieder von anderen Arten gestochen wird. Von sechseinhalb Uhr morgens bis fünf Uhr abends wimmelt die Luft von Moskiten, die nicht wie in manchen Reisebeschreibungen zu lesen ist, unseren Schnaken, sondern vielmehr einer kleinen Mücke gleichen. Eine Stunde vor Sonnenuntergang werden die Moskitos von einer kleinen Schnakenart abgelöst, Trempaneros genannt . . . Sie bleiben kaum eineinhalb Stunden und verschwinden zwischen sechs und sieben Uhr abends, oder, wie man hier sagt, nach dem Angelus. Nach einigen Minuten Ruhe fühlt man die Stiche der Zancudos, einer anderen Schnakenart mit sehr langen Füßen. Der Zancudo, dessen Rüssel eine stechende Saugröhre enthält, verursacht die heftigsten Schmerzen, und die Geschwulst, die dem Stiche folgt, hält mehrere Wochen an . . . Die Indianer wollen Zancudos und Trempaneros ›am Gesang‹ unterscheiden können . . . Die Luft erhält zu bestimmten, nie wechselnden Stunden, immer wieder eine andere Bevölkerung; und man könnte beinahe an dem Sumsen der Insekten und an den Stichen Tag und Nacht mit verbundenen Augen erraten, welche Zeit es ist.

Gegenwärtig sind es nicht mehr die Gefahren der Schiffahrt in kleinen Kanoen, nicht die wilden Indianer oder Schlangen, die Krokodile oder die Jaguare, was den Spaniern die Reise auf dem Orinoko bedenklich macht, sondern nur, wie sie naiv sich ausdrücken »el sudar y las moscas« – der Schweiß und die Mücken.

Manche Erfindungen, um diesen Insektenschwärmen zu entkommen, waren ebenso genial wie Pater Zeas Baumhaus. Einige Indianerstämme schliefen in kleinen Lehmöfen, die voll von den Rauchschwaden nassen, brennenden Strauchwerks waren – Bonpland pflegte in diese stickigen Gemächer hineinzukriechen, um seine Pflanzen zu trocknen. Andere gruben sich bis zum Hals in den Sand ein und bedeckten das Gesicht mit einem Kleidungsstück. Manche rieben sich mit Lehm oder Schildkröteneieröl ein, wieder andere empfahlen die insektenabstoßenden Qualitäten eines verwesenden Krokodils oder schwelenden Kuhdungs. Im Gebiet der Großen Wasserfälle suchten die Indianer nachts Zuflucht auf den Felsen mitten im Strom; und Humboldt gab den Rat, die Europäer sollten in versiegelten mit Fischbeinreifen gespannten Leinensäkken reisen. Aber das einzig Wirksame, was man während der hellen, qualvollen Stunden des Tageslichtes tun konnte, war doch, ständig mit den Armen zu fuchteln und sich auf den Körper zu klatschen. »Je mehr ihr euch rührt, um so weniger werdet ihr gestochen«, pflegten die Missionare zu sagen. Die Indianer, so stellte Humboldt fest, schlugen sich ganz automatisch gegenseitig in ihren Hängematten, selbst während des Schlafens.

Am Abend des 16. April erfuhren die Reisenden, daß die Piroge sicher durch die Katarakte von Atures gelangt sei. Am nächsten Morgen begannen sie ihren Marsch am Ufer entlang, um wieder zum Boot zu gelangen, und nach zwei beschwerlichen Tagen auf dem Fluß kamen sie in Pater Zeas Mission in Maipures an. Es war ein einsamer Ort, in dem man das ferne Brausen des Wasserfalls vernahm; und glücklicherweise war er frei von Insekten.

Die Katarakte von Maipures waren noch größer und wilder als die von Atures, und Humboldt und Bonpland wurden nicht müde, von einem nahegelegenen Hügel auf sie hinunterzusehen. Viele Meilen weit war das Flußbett mit einem Archipel von Inseln verstopft, mächtige, eisenschwarze Steinmassen, bedeckt von üppigen Bäumen und durch Granitdeiche miteinander verbunden. Durch die schmalen Kanäle zwischen den Inseln und über die Fälle, die durch die Deiche gebildet wurden, brauste und wirbelte der Fluß in vielen ungestümen Katarakten. Die Oberfläche des Wassers war eine schaumige Decke; eine dichte Dunstmasse, ein weißlicher Nebel, hing über ihr so weit man sehen konnte. Gegen Abend entstanden durch das gebrochene Sonnenlicht Regenbögen, die unter den Fällen wie Irrlichter auftauchten und wieder verschwanden – eine großartige, optische Sinnestäuschung. Das Brausen dieser gewaltig hinabstürzenden Wassermassen war betäubend, besonders in der Nacht.

Südlich der Großen Wasserfälle lag ein unbekanntes Land. Was Humboldt darüber wußte, hatte er nur vom Hörensagen erfahren; denn niemals hatte jemand, der hier gewesen war, etwas darüber geschrieben. Zum Zeitpunkt seiner Reise, fast dreihundert Jahre nachdem Diego de Ordaz zum ersten Mal seinen Weg in den Orinoko ausgekundschaftet und Sir Walter Raleigh sich auf der Suche nach El Dorado in die unteren Gebiete gewagt hatte, lebten hier nicht mehr als ein halbes Dutzend weißer Männer in einem Umkreis von 450 Kilometer. Es waren einfache Missionare, die den Erzählungen der Indianer Glauben schenkten, den Erzählungen von Menschen mit Hundeköpfen, mit Mündern über dem Nabel oder mit Augen in der Mitte der Stirn. Und sie verbreiteten diese Berichte in der zivilisierten Welt: »Die Patres haben sie gesehen, aber weit, weit oberhalb der Großen Wasserfälle!« Der obere Orinoko blieb ein Fabelland, seine Quelle unentdeckt, seine zahlreichen Nebenflüsse unbekannt; in seinen Wäldern lebten zerstreute Stämme von wilden und sich wahrscheinlich gegenseitig bekämpfenden Indianern, von denen man fast nur den Namen kannte. »Wenn ihr meine Mission verlassen habt«, hatte der Pater in Uruana ihnen gesagt, »werdet ihr reisen wie Stumme«. Die Unterschiede in den Sprachen, die an den Ufern des Meta, des Orinoko, des Casiquiare und des Rio Negro gesprochen wurden, waren so gewaltig, daß ein Reisender, gleichgültig wie groß sein Sprachtalent war, niemals genügend lernen konnte, um sich nur verständlich zu machen. Deshalb mußten Humboldt und Bonpland, die als erste ausgebildete Wissenschaftler dieses Land betraten, ihre Erkundungen mit Hilfe der Zeichensprache machen und sich auf Informationen stützen, die ihnen einige leichtgläubige Mönche gaben.

Sie verbrachten zweieinhalb Tage in Maipure und starteten am 21. April. Schon schien das Ungewöhnliche der Orinoko-Expedition verblaßt, denn jeder Morgen bescherte ihnen dieselbe Hitze, dieselben Fliegen und dieselbe Flußlandschaft. Doch sie richteten sich hartnäckig darauf ein, die vor ihnen liegenden, mühseligen Wochen zu ertragen, die ständige Plage ihres überfüllten Bootes, das sich mit bedrückender Langsamkeit Meter für Meter gegen die heftige Strömung vorwärtskämpfte, die armselige, eintönige Ernährung und die langen, heißen Äquatornächte auf den unbewohnten Flußbänken, wobei sie gleichzeitig Regenstürmen und wilden Tieren ausgesetzt waren. Vielleicht war es allein ihre Forschungsarbeit, die sie all das leichter ertragen ließ, denn sie waren unermüdlich tätig, Bonpland mit seinen Pflanzensammlungen, Humboldt mit seinen unaufhörlichen Messungen der Flußtemperatur, der Erdtemperatur, der Lufttemperatur, des Barometerdrukkes, der Inklination der Magnetnadel, der geographischen Längen- und Breitengrade.

Während die Tage vergingen, kamen sie der Wasserscheide zwischen dem Amazonasbecken und dem Orinoko immer näher. In der Nacht des 24. April verließen sie den Lauf des Orinoko ganz und bogen nach Süden in einen Nebenfluß ein, den Rio Atabapo, einen der sogenannten ›Schwarzwasser-Flüsse‹. Beim Anbruch der Morgendämmerung des nächsten Tages glaubte Humboldt, in ein völlig anderes Land versetzt zu sein.

Alles hatte sich verändert – die Luftbeschaffenheit, die Farbe des Wassers und die Baumarten am Flußufer. Sie mußten bei Tage nicht mehr unter den Stichen der Moskitos leiden, und südlich der Mission von San Fernando del Atabapo verschwanden auch die Zancudos bei Nacht. Das Wasser des Orinoko – einem sogenannten ›Weißwasserfluß‹, war erdig und von einem fauligen, bisamartigen Geruch gewesen, so daß Humboldt es oft durch ein Tuch seihen mußte, um es trinkbar zu machen. Im Gegensatz dazu war das ›schwarze Wasser‹ des Atabapo klar, kühl, geruchlos und schmeckte köstlich. Bis zu einer Tiefe von sieben bis zehn Metern konnte man die kleinsten Fische erkennen, und manchmal sahen die Reisenden auf den Grund des Flusses hinab, der aus Quarz- und Granitsand bestand und blendend weiß schimmerte. Humboldt schrieb: »Nichts geht über die Schönheit der Ufer des Atabapo«.

Vom 26. bis 30. April folgte die Expedition dem Lauf dieses herrlichen Flusses – gelegentlich von vier bis fünf Meter langen Boaschlangen begleitet, die seitwärts schwammen; dann wandten sie sich westlich zum Rio Temi, einem kleineren Schwarzwasser-Strom. Der Wald war an diesem Punkt überflutet, und die indianischen Kanumänner konnten deshalb die Windungen des Flusses abkürzen, indem sie durch schmale Kanäle zwischen den Bäumen hindurchfuhren. Wenn der Kanal durch natürliche Hindernisse verstopft war, schlugen sie ihren Weg mit einer Machete frei. Einmal, im dichtesten Teil des Waldes, sahen sie sich plötzlich von einer ›Schule‹ von Süßwasser-Goldmakrelen umringt, die Strahlen von Wasser und komprimierter Luft ausstießen – ein sonderbares Schauspiel, 1300 bis 1800 Kilometer weit entfernt von den Mündungen des Orinoko und Amazonas.

Am 30. April erreichten sie schließlich den Zusammenfluß des Temi und einem noch kleineren Schwarzwasserfluß, dem Tuamini. Sie fuhren südwestwärts den Tuamini hinab, in Richtung auf die Quellflüsse des Rio Negro, des großen Nebenflusses des Amazonas, und erreichten die Missionsstation Javita. Dies war ihr letzter gastlicher Hafen im Orinokogebiet – zumindest auf dem entlegenen Teil ihrer Reise. Denn in dieser einsamen Mission glückte es ihnen, von den Indianern die notwendige Unterstützung zu erhalten, um ihre Piroge 10 Kilometer durch den Wald über einen Landvorsprung zu bringen, der den Rio Tuamani im Orinoko-Bassin von dem kleinen Canyon Pimichin im Amazonasbecken trennt. Der Transport sollte vier Tage dauern, und Humboldt nahm die Gelegenheit wahr, sich bei diesem unerwarteten Aufenthalt einige schmerzhafte ›Eiersäcke‹ aus seinen Füßen entfernen zu lassen. Sie stammten von einer Sandfliege, die ›Ackerer‹ genannt wurde, weil sie sich in die Haut eingrub. Außerdem durchforschten sie die Wälder in der Umgebung. Viele Bäume waren gewaltige Exemplare von 35 Metern Höhe. In botanischer Hinsicht verursachten sie den Forschern mehr Enttäuschung als Befriedigung, weil sich die meisten ihrer Blätter und Blüten hoch oben im Wipfel, außerhalb ihrer Reichweite, befanden. Die Indianer zeigten sich nicht sehr hilfreich. »Alle diese großen Bäume tragen weder Blätter noch Früchte«, pflegten sie unentwegt zu sagen. Sie verhalten sich wie die Botaniker im Altertum, klagte Humboldt, sie stellen alles in Abrede, was ihnen nicht der Mühe wert ist zu erforschen. Die Indianer waren seiner ewigen Fragerei müde und machten ihn dadurch ärgerlich. Doch sie ließen ihn einige Musterstücke des einheimischen wilden Gummi sehen und zeigten ihm, wie er ihn statt der Korkpfropfen für seine Spezialgefäße benützen könne.

Jeden Tag vergewisserten sie sich, ob der Transport der Piroge Fortschritte machte. Dreiundzwanzig Indianer waren damit beschäftigt, sie über Land zu schleppen, wobei sie Äste als Rollen benutzten. Die Piroge war schwerer als die üblichen und mußte mit besonderer Vorsicht behandelt werden, damit ihr Boden nicht beschädigt wurde. Humboldt verbrachte einige Zeit damit, einen formellen Brief an König Carlos IV. in Madrid zu verfassen. Würde man statt der Frachtstrecke einen Kanal anlegen, schrieb er, dann wären die Verbindungen zwischen den portugiesischen Besitztümern am Amazonas und pen spanischen am Orinoko wesentlich einfacher. Er markierte sogar die Bäume an der Strecke, wo der geplante Kanal verlaufen sollte. Der Missionar in Javita bemühte sich indessen, seinen unerwarteten Gästen das Leben so angenehm wie möglich zu machen.

Am 5. Mai erreichte ihre Piroge den Pimichin, und am nächsten Morgen beim Sonnenaufgang schiffte sich die Expedition wieder ein. Wie Humboldt berichtete, wand und schlängelte sich der Pimichin viel stärker als alle anderen Flüsse in Amerika, mit Ausnahme des Rio Chagre in Panama; man sagt, er habe insgesamt 85 Windungen. Deshalb überrascht es nicht, daß sie viereinhalb Stunden rudern mußten – und diesmal mit der Strömung – bis sie endlich einen der größten und schönsten aller Flüsse im Amazonasgebiet erreichten, den Rio Negro.

Es war ein herrlicher Augenblick. Der Morgen wahr kühl und lieblich. Nach einer Fahrt von 36 Tagen in einer engen Piroge, von Fliegen zerbissen, von Regengüssen durchweicht, bedroht von Wasserfällen und Strudeln, waren sie nun in Reichweite ihres Zieles angelangt.

Doch noch weitere tausend Meilen gefährlicher Wasserläufe lagen vor ihnen, bis sie ihr Reiseziel erreichten.

ELFTES KAPITEL

Die unbekannte Welt des Casiquiare

Am 7. Mai traf die Expedition in einem kleinen militärischen Stützpunkt an der Grenze zwischen Venezuela und Brasilien, in San Carlos am Rio Negro, ein. Sie befand sich nun auf dem halben Weg zwischen der Mündung des Orinoko und der Mündung des Amazonas. Einen Augenblick lang war Humboldt in Versuchung, die ganze Sache hinzuschmeißen, den Rio Negro hinab- und dann weiter auf dem Amazonas bis zur atlantischen Küste von Brasilien zu segeln. Wie gut, daß er letzten Endes diesen Plan aufgab, denn die portugiesischen Behörden in Brasilien hatten Wind von seiner Expedition zum Rio Negro bekommen und daraufhin einen Verhaftungsbefehl wegen Spionageverdachts erwirkt. Humboldt war politisch unerwünscht, »weil in so kritischen Umständen und bei der jetzigen Lage der Dinge die Reise eines solchen Fremden verdächtig wird, der vielleicht unter Scheinvorwänden den Plan verbirgt, in einer so zart zu behandelnden und gefährlichen Lage die Gemüter der Nation, seiner treuen Untertanen dieser weiten Gebiete, mit neuen Ideen und verfänglichen Prinzipien zu überraschen«. Nach seiner Festnahme sollte Humboldt nach Lissabon geschafft werden, doch glücklicherweise kam es nicht dazu. Denn nach einem Aufenthalt von knapp drei Tagen verließ die Expedition San Carlos wieder, um ihre Rückreise zur Karibischen Küste von Venezuela anzutreten – diesmal durch den geheimnisvollen Casiquiare-Kanal.

Am 10. Mai bog die Expedition nur acht Meilen oberhalb von San Carlos nach rechts in den Casiquiare ein. Sie begann ihre Fahrt durch eine unbekannte Welt, von der ein Großteil der Lehnstuhl-Geographen in Europa glaubte, sie könnte nicht existieren. Tatsächlich gab es keinen greifbareren Beweis von der Existenz dieses einmaligen Wasserweges als den überraschenden, nahezu überwältigenden Überfall der Insekten, die sie sofort begrüßten, nachdem sie den Rio Negro verlassen hatten. Der Casiquiare führte nämlich das sogenannte ›weiße Wasser‹ des Orinoko, und folglich war die Luft mit Insekten aller Art erfüllt, speziell mit den winzigen peinigenden Moskitos.

Humboldt achtete darauf, daß sie sich nicht zu weit von der Mündung des Casiquiare entfernten, bevor er astronomische Beobachtungen von deren Lage angestellt hatte. Deshalb verbrachten sie die erste Nacht in der kleinen Missionsstation von San Francisco Solano, etwas stromaufwärts. Hier konnte er bei den Indianern zwei Neuerwerbungen für seine reisende Menagerie machen – einen jungen, äußerst boshaften Tukan und einen prächtigen, purpurroten Ana, eine Ara-Art. Humboldts schwimmender Zoo war allmählich recht ansehnlich geworden. Abgesehen von ihrem Hund und diesen beiden Neuerwerbungen besaßen sie bereits sieben Papageien, zwei farbenprächtige Felshühner, einen ebenso schönen eichelhäherähnlichen Vogel namens ›Motmot‹, zwei wilde Dschungel-Hennen, ›Guane‹ genannt, zwei zibetähnliche Säugetiere, ›Manaviris‹, und acht Affen, darunter zwei Spinnenaffen, zwei Nachtaffen, einen schwarzköpfigen Cacajao mit kurzem Schwanz, eine Viudita und drei winzige Pinseläffchen oder ›Titis‹. Pater Zea beklagte sich leise über den ständigen Zuwachs der Tierbevölkerung auf ihrer schmalen Piroge, vor allem, weil manche von ihnen frei herumliefen. Doch Humboldt und Bonpland amüsierten sich stundenlang so sehr mit den seltsamen Possenreißern, daß sie manchmal darüber sogar die Plage der Moskitos vergaßen.

Der neuerworbene Tukan, beispielsweise, der nach Humboldts Ansicht in der Lebensweise und in seinen geistigen Anlagen dem Raben glich, machte es sich an Bord der Piroge bald bequem. Er stahl alles, was er mit seinem großen Schnabel erreichen konnte und neckte die melancholischen, leicht erregbaren Nachtaffen unentwegt. Doch die beliebtesten Tiere an Bord waren die Pinselaffen. Diese anmutigen kleinen Affen von sehr schöner, goldgelber Haarfarbe und mit großen, runden Augen, hatten Köpfe, die, relativ gesehen, größer als die eines Menschen waren, und Gesichter, die außerordentlich an ein Kind erinnerten. Sie besaßen den gleichen unschuldigen Ausdruck, dasselbe spielerische Lächeln, die gleiche Fähigkeit, schnell von Freude in Trauer überzuwechseln; und wenn sie erschreckt wurden, flossen die Tränen. Sobald es nach Regen aussah, suchten sie in den weiten Ärmeln von Pater Zeas Franziskanerkutte Schutz. Sie liebten Insekten, vor allem Spinnen. Eines der Äffchen war gescheit genug, um die verschiedenen Insektenarten, die auf Cuviers ›Tableau Elémentaire d'Histoire Naturelle‹ abgebildet waren, zu unterscheiden. Wenn Humboldt ihm die elfte Abbildung dieses gelehrten Werkes mit Schwarz-Weiß-Stichen von Heuhüpfern und Wespen zeigte, schoß die Hand der Titis hervor, um eines der abgebildeten Tiere zu fangen. Es blieb jedoch völlig uninteressiert, legte man ihm Stiche von Skeletten oder Tierköpfen vor.

Dieser Zoo von 25 Vögeln und anderen Tieren, begleitet von 13 menschlichen Wesen, verließ Solano in seinem überfüllten Boot am nächsten Morgen ziemlich spät, denn es gab sichere Zeichen, daß sich das Wetter ändern würde. Deshalb wollte die Gruppe nicht sehr weit fahren, und um fünf Uhr abends hielten sie in der Nähe eines freistehenden Granitfelsens, dem Culimacari, an. Seit vielen Tagen war der Himmel zum ersten Mal klar, und Humboldt konnte eine gute astronomische Breitenbestimmung durch das Südliche Kreuz machen. Die Länge bestimmte er chronometrisch, nach der Höhe der beiden schönen Sterne, die zu Füßen der Zentaurs leuchteten. Diese Beobachtungen gaben – für geographische Zwecke genau genug – die Lage des Felsens von Culimacari an und folglich auch den Zusammenfluß des Casiquiare mit dem Rio Negro. Humboldt hatte damit das Hauptanliegen seiner Expedition zu dem oberen Orinoko erreicht. Er hatte ein für allemal die Existenz dieses Phänomens bestätigt: der einzigen natürlichen Wasserstraße der Welt, die zwei gigantische Flußsysteme miteinander verbindet.

Humboldt selbst hatte nie an ihrer Existenz gezweifelt, und auch in Venezuela wußte man während der letzten fünfzig Jahre davon. Nur in Europa hatte man die Tatsache geleugnet. 1798 hatte der französische Geograph Philippe Buache – der erste, der jemals Gebrauch von den Schichtlinien machte – eine Karte dieses Gebietes veröffentlicht, in der er mit Vorbedacht den Kanal ausließ. Er schrieb dazu: »Der lange vermutete Kanal zwischen dem Orinoko und dem Amazonas ist ein kolossaler geographischer Irrtum. Um die Vermutung über diesen Punkt zu berichtigen, ist es nur nötig, die Richtung der großen Gebirgsketten zu beobachten, die diese Gewässer trennen.«

Aber hier gab es keine Gebirge. Und bereits 1744 war ein gewisser Pater Manuel Roman, ein spanischer Jesuit, vom Orinoko zum Rio Negro und zurück durch den Casiquiare gesegelt; und während der vergangenen dreißig Jahre fuhren zwei oder drei Pirogen jährlich dieselbe Route, um Salz und Sold für die Besatzung nach San Carlos zu schaffen. Humboldt hatte nun, trotz der härtesten Bedingungen, die Lage dieses Inlanddeltas in Form von astronomischen Fixpunkten bewiesen, ein Beweis, den er nach Europa mitnehmen konnte. Nun brauchte er nichts anderes mehr zu tun, als die Küste wieder gesund zu erreichen – und, falls es die Umstände erlauben sollten, vielleicht einen Umweg zur Quelle des Orinoko zu machen.

Am Morgen des 12. Mai brach die Expedition früh um halb zwei Uhr auf. Sie verließ den Felsen von Culimacari mit der Absicht, den mehr als 300 Kilometer langen, ungesunden Casiquiare-Kanal so schnell wie möglich hinter sich zu bringen. Doch sie kamen nur mühsam gegen die Strömung vorwärts, die an manchen Stellen etwa 15 Kilometer in der Stunde betrug. Die Ruderer mußten unentwegt tätig sein; und doch benötigten sie 14 Stunden bis zu ihrem nächsten Rastplatz, der Mission Mandavaca, die nur zehn Kilometer entfernt lag.

Der Missionar von Mandavaca lebte bereits zwanzig Jahre am Casiquiare – eine unglaubliche Buße. Seine Beine waren derartig mit Insektenstichen und dem getrockneten, stecknadelgroßen Schorf der Stiche bedeckt, daß man die ursprüngliche Hautfarbe nicht mehr erkennen konnte. Entlang des ganzen Kanales lebten nur etwa 200 Menschen, alles Indianer, und der Missionar sprach mit seinen Besuchern über seine Verlassenheit und die barbarischen Gewohnheiten dieser Stämme, deren abscheuliche Verbrechen er häufig ungesühnt lassen mußte. Vor ein paar Jahren hatte der Häuptling eines benachbarten Stammes eine seiner Frauen gemästet und sie dann verzehrt. Und sogar die besten und frömmsten Stämme innerhalb seiner Mission fielen sehr häufig in Perioden wahllosen Gemetzels und wilden Kannibalismus zurück. Humboldt sollte bald selbst entdecken, wie verbreitet der Kannibalismus in diesem Gebiet war. Er hatte kurz zuvor einen flüchtigen Indianer vom Rio Negro in seine Dienste genommen; es war ein stiller, anhänglicher und intelligenter junger Mann, der ihm beim Aufstellen seiner Instrumente half, die er für seine nächtlichen astronomischen Beobachtungen brauchte. Eines Tages unterhielt sich Humboldt mit Hilfe eines Dolmetschers mit ihm; sie sprachen über das Fleisch der Affen. Zu Humboldts Bestürzung erklärte ihm der Indianer: »Das Fleisch der Manimodasaffen ist allerdings schwärzer, er meine aber doch, es schmecke wie Menschenfleisch.« Und als ob das nicht schon genug sei, fügte er noch mit Gesten wilder Genugtuung hinzu: »Meine Verwandten essen vom Menschen die Handflächen am liebsten.« Ob Humboldt die Dienste dieses Indianers weiterhin in Anspruch genommen hat, ist nicht überliefert, jedenfalls wurde er nicht mehr erwähnt.

In den Wochen nach ihrer Abreise von Mandavaca scheinen die Bedingungen am Casiquiare selbst für Humboldt unerträglich geworden zu sein. Der Regen und die Insekten brachten ihn soweit, daß er sogar die Eintragungen in sein Tagebuch unterbrach und seine ganze Energie nur aufs Überleben richtete.

Vom 14. bis 21. Mai brachten wir die Nacht immer unter freiem Himmel zu: Ich kann aber die Orte, wo wir unser Nachtlager aufschlugen nicht angeben. Dieser Landstrich ist so wild und so wenig von Menschen betreten, daß die Indianer, ein paar Flüsse ausgenommen, keinen der Punkte, die ich mit meinem Kompaß aufnahm, mit Namen zu nennen wußten. Einen ganzen Grad weit konnte ich durch keine Sternbeobachtung die Breite bestimmen . . . Die fünf folgenden Nächte wurden immer beschwerlicher, je näher wir der Gabelteilung des Orinoko kamen. Die Üppigkeit des Pflanzenwuchses steigerte sich in einem Grade, von dem man sich keinen Begriff macht, selbst wenn man mit dem Anblick der tropischen Wälder vertraut ist. Ein Gelände ist gar nicht mehr vorhanden; ein Pfahlwerk aus dichtbelaubten Bäumen bildet das Flußufer. Man hat einen 390 Meter breiten Kanal vor sich, den zwei ungeheure, mit Lianen bedeckte Wände einschließen. Wir versuchten öfters zu landen, konnten aber nicht aus dem Kanu kommen. Gegen Sonnenuntergang fuhren wir zuweilen eine Stunde lang am Ufer hin, um nicht eine Lichtung (dergleichen gibt es gar nicht), sondern nur einen weniger dicht bewachsenen Fleck zu entdecken, wo unsere Indianer mit der Axt soweit aufräumen konnten, um für 12 bis 13 Personen ein Lager aufzuschlagen. In der Piroge konnten wir die Nacht nicht zubringen. Die Moskiten, die uns den Tag über plagten, setzten sich haufenweise unter den ›Tolde‹, d. h. unter das Dach aus Palmblättern, das uns vor dem Regen schützte. Nie waren uns Hände und Gesicht so stark geschwollen gewesen. Pater Zea, der sich bis dahin immer gerühmt, er habe in seinen Missionen an den Katarakten die größten und wildesten Moskiten, gab nach und nach zu, nie haben ihn die Insektenstiche ärger geschmerzt als hier am Casiquiare. Mitten im dicksten Wald konnten wir uns nur mit Mühe Brennholz verschaffen; denn in diesen Ländern am Äquator, wo es beständig regnet, sind die Baumzweige so saftreich, daß sie fast gar nicht brennen. Wo es keine trockenen Ufer gibt, findet man auch so gut wie kein altes Holz, das wie die Indianer sagen, »an der Sonne gekocht« ist. Feuer bedurften wir übrigens nur als Schutzwehr gegen die Tiere des Waldes; unser Vorrat an Lebensmitteln war so gering, daß wir zur Zubereitung der Speisen des Feuers ziemlich hätten entbehren können.

Man macht sich im allgemeinen nicht klar, daß die uralten Regenwälder in Südamerika, die so fruchtbar scheinen, tatsächlich eine Art Wüste sind, und daß es durchaus möglich ist, dort zu verhungern. Humboldts Expedition befand sich zu diesem Zeitpunkt tatsächlich in einer recht verzweifelten Situation, und die Mitglieder mußten Ameisen essen und kleine Portionen von getrocknetem, gestoßenem Kakao, ohne Zukker, mit großen Mengen Flußwasser hinunterspülen, weil dadurch das Hungergefühl für einige Stunden gestillt wurde. Doch trotzdem blieben sie guten Mutes; und jeder Tag, der vorüberging, brachte sie dem Orinoko und dem langen Heimweg näher. Am 20. Mai verbrachten sie ihre letzte Nacht am Casiquiare. Diese Nacht wurde durch einen tragischen Unfall gestört, der einem der beliebtesten Teilnehmer der Reisegesellschaft zustieß.

Der Platz, den sie sich zum kampieren ausgesucht hatten, lag sehr nahe an der Stelle, an der sich der Orinoko gabelt. Zunächst hatten sie gehofft, einige astronomische Beobachtungen machen zu können. Durch den Dunst, der den Himmel bedeckte, sahen sie Sternschnuppen fallen, die Indianer nannten sie den ›Urin der Sterne‹. Doch bald verdichteten sich die Wolken, und sie beschlossen, ins Lager zu gehen. Mitten in der Nacht wurde Humboldt von den Indianern aufgeweckt. Sie warnten ihn, weil sie ganz in der Nähe das Gebrüll von Jaguaren gehört hatten. Diese waren durch das Gebell und den Geruch des Hundes angelockt worden, der zunächst kläffte, dann jaulte und sich schließlich unter den Hängematten versteckte. Da die Lagerfeuer hell brannten, machte sich Humboldt keinerlei Sorgen. Doch am nächsten Morgen war er tief betrübt, als ihm die Indianer mitteilten, daß der Hund verschwunden sei. Sie warteten einen Teil des Vormittags ab, weil sie hofften, das Tier hätte sich nur verlaufen. Doch alles Suchen war vergeblich; es stand fest, ihr ständiger Begleiter war von den Jaguaren verschleppt worden.

Am 21. Mai lief das Expeditionsboot wieder in den Orinoko ein. Nun hatten sie noch 1390 Kilometer bis zur Stadt Angostura zu fahren, die nahe der Flußmündung lag; doch jetzt ging es mit der Strömung, und das belebte ihre Gemüter ein wenig.

Humboldt, der dankbar war, den Casiquiare hinter sich zu haben, sagte dieser unwirtlichen Wasserstraße dennoch eine rosige Zukunft voraus. Er sah die Zeit kommen, in der sie die Aufmerksamkeit der Handelswelt erregen würde, als eine der wichtigsten Verkehrsstraßen zwischen Venezuela und Brasilien, den Anden und der Karibischen See. Seine Vision über die Zukunft des Casiquiare erfüllte sich jedoch nie. In den ersten Jahren des 19. Jahrhunderts, in der Zeit der Kautschuk-Hochkonjunktur, zog er eine kleine Zahl von Gummizapfern an seine Ufer; und während des Zweiten Weltkrieges wurde er von einem Ingenieurs-Corps der US-Streitkräfte bewacht. Man sah in ihm den Teil einer möglichen Inlandroute, die zum Transport von geschmuggeltem Amazonasgummi für die nordamerikanischen Geschützfabriken diente. Doch keine der beiden Unternehmungen führte zu etwas. Der Casiquiare bleibt das, was er seit undenklichen Zeiten gewesen ist: eine unveränderte, natürliche Wildnis. Als der Autor im Jahre 1968 auf ihm entlangfuhr, erschien er womöglich noch verlassener als in Humboldts Tagen. Die Moskitos waren so unerträglich wie immer, die Jaguare genauso gefährlich und die Uferbänke ebenso beengend. Nur die Missionen waren verschwunden und mit ihnen die Indianer. Und an dem 300 Kilometer langen Lauf des Casiquiare lebten nur noch zwei menschliche Wesen. Es war noch immer eine der verlassensten und ungastlichsten Gegenden der Welt.

Der obere Orinoko ist am Zusammenfluß mit dem Casiquiare mehr als anderthalbtausend Kilometer vom Meer entfernt, doch bereits einen halben Kilometer breit. Auf seinem rechten Ufer erhebt sich ein schöner Gebirgsstock, die Sierra Duida, bis zu 2500 Meter hoch, und am südöstlichen Fuß des Berges, mehr als dreißig Kilometer stromaufwärts von der Gabelung des Casiquiare, liegt die kleine Missionssiedlung Esmeralda. Es war der nächste Hafen, den Humboldt anlaufen wollte. In Esmeralda gab es keinen Missionar, der nächste saß über 225 Kilometer weit entfernt in Santa Barbara. Ein alter Offizier hatte die Aufsicht über den Ort, er nahm Humboldt und seine Mitreisenden freundlich auf. Er hielt sie für katalonische Kaufleute, die gekommen waren, um in seinem unkultivierten Bereich Waren zu verkaufen. Als er ihre Papierbündel sah, die zum Pflanzentrocknen bestimmt waren, lächelte er über ihre Naivität. »Ihr kommt in ein Land, wo derartige Ware keinen Absatz findet«, belehrte er sie. »Geschrieben wird hier nicht viel ... und trockne Blätter brauchen wir hier, wie in Europa das Papier, um Nadeln, Fischangeln und andere kleine Sachen einzuwickeln.« Der alte Offizier war hier zuständig für die zivilen und kirchlichen Angelegenheiten. Er lehrte die Kinder den Rosenkranz beten, er läutete die Glocken, weil es ihm Spaß machte, und manchmal benutzte er seinen Küsterstock auf eine Weise, die den Eingeborenen nicht sehr behagte.

Esmeralda hatte seinen Namen einem Mißverständnis zu verdanken, weil früher einmal einige Bergkristalladern in den Vorbergen für kostbare Steine gehalten worden waren. Das Dorf liegt sehr schön auf einer weiten, grasbewachsenen Ebene, die von zahlreichen Gewässern mit süßem, klarem Wasser durchzogen wird. Es dehnt sich vom Fluß bis zu den steilen, blauen Abhängen der Berge aus, und wilde Paradiesfeigen und Ananas von enormer Größe wachsen hier im Überfluß. Von den Spitzen der Bergausläufer und den zerstreut liegenden Hügeln kann der Reisende meilenweit über offenes Land blicken und stundenlang frei umherwandern. Und nach der bedrückenden Enge der Wälder empfindet man diese Freiheit als großartig.

Doch – leider – mußte Humboldt nach sehr kurzer Zeit entdecken, daß Esmeralda ein schrecklicher Aufenthalt war. Für die Spanier stellte das Dorf das Ende der ihnen bekannten Welt dar; jenseits dieses Punktes gab es keine Ansiedlungen von Weißen mehr, und es bestanden nur die nebelhaftesten Vorstellungen über die Lage des Gebietes. Kein spanischer Vorposten war entlegener, armseliger und mehr gefürchtet als

Esmeralda. Wolken von beißenden Insekten verdunkelten an jedem Tag des Jahres den Himmel. Und zu manchen Jahreszeiten gab es nichts zu essen als das Fleisch von Brüllaffen und Mehl aus gestoßenen Fischknochen. Bei den Patres in den Missionen wurde es als ein Verbannungsort betrachtet, als eine Hölle auf Erden, wohin ein Mann geschickt wurde, den man »zu den Moskitos verurteilt« hatte.

Esmeralda war auch gleichzeitig der berüchtigteste Ort am Orinoko, weil hier das berühmte Curare-Gift hergestellt wurde; die Indianer benutzten es, um Menschen und Tiere zu töten oder zu betäuben und um Magenbeschwerden zu heilen. Obwohl seit Raleighs Zeiten die Existenz dieses Giftes bereits bekannt war, konnte Humboldt als erster Reisender die genaue Herstellungsweise beobachten – die in der Regel geheimgehalten wurde – und sogar Proben davon mit nach Europa nehmen. Zu seinem Glück war er gerade an einem Tag nach Esmeralda gekommen, an dem die meisten Indianer von einer Fahrt flußaufwärts zurückkehrten, bei der sie die Schlingpflanzen gesammelt hatten, aus denen das Gift hergestellt wurde. Weniger glücklich war der Umstand, daß sich alle Indianer bald sinnlos betranken und zwei Tage lang betrunken blieben. Alle, das heißt, einen ausgenommen.

Er war der Chemiker des Ortes und in der ganzen Mission als Giftmeister bekannt. Seine Hütte wirkte so sauber und ordentlich wie ein chemisches Laboratorium, und er fühlte sich äußerst geschmeichelt von dem Interesse, das die europäischen Wissenschaftler an seinen chemischen Prozeduren zeigten. »Ich weiß«, sagte er mit selbstzufriedenem Ausdruck und in pedantischem Ton zu ihnen, »die Weißen verstehen die Kunst, Seife zu machen und das schwarze Pulver, bei dem das Üble ist, daß es Lärm macht und die Tiere verscheucht, wenn man sie fehlt. Das Curare, dessen Bereitung bei uns von dem Vater auf den Sohn übergeht, ist besser als alles, was ihr dort drüben über dem Meer zu machen wißt. Es ist der Saft einer Pflanze, der ganz leise tötet, ohne daß man weiß, woher der Schuß kommt.«

Schritt für Schritt zeigte dann der Giftmeister von Esmeralda Humboldt und Bonpland seine Methode, wie eine harmlose Schlingpflanze namens ›bejuco de mavacure‹ (eine Pflanze der Strychneen-Art) in ein schwarzes, klebriges, teerartiges Gift verwandelt wird. Mit der selbstlosen Begeisterung aller echten Experimentierer schluckten Humboldt und Bonpland auch verschiedene kleine Dosen dieser tödlichen Substanz und fanden den Geschmack »angenehm bitter«. Da das Gift nur wirkt, wenn es in die Blutbahn gelangt, hatten sie zuvor genau untersucht, ob ihre Gaumen oder Lippen bluteten. Doch trotz all dieser Vorsichtsmaßnahmen wäre Humboldt einige Tage später beinahe einem verhängnisvollen Zufall zum Opfer gefallen. Ein Gefäß mit Curare, das er zu seinen persönlichen Dingen eingepackt hatte, war in seine Wäsche ausgelaufen, und die Zehe eines seiner Strümpfe hatte sich damit vollgesogen. Er bemerkte das, als er den Strumpf gerade anziehen wollte. Dadurch ist er wahrscheinlich einer tödlichen Vergiftung entgangen, denn seine Füße bluteten damals von den Wunden der Sandflöhe.

Der Kriegszustand, in dem die wilden Guaica- und Guaharibo-Indianer stromaufwärts von Esmeralda lebten, zwang Humboldt und Bonpland, ihre halb ausgereiften Pläne, an die Quelle des Orinoko zu gelangen, aufzugeben. Statt dessen bereiteten sie sich auf ihre lange Fahrt flußabwärts vor. Sie waren allmählich in schlechter körperlicher Verfassung. Die Insekten, die schlechte Ernährung und die Enge und Feuchtigkeit ihrer Piroge hatten sie arg mitgenommen, und sie fühlten sich – ohne ernstlich krank zu sein – matt und stumpf. Sie mußten ihre Abfahrt am 23. Mai bis in den Nachmittag verschieben, weil die Mannschaft versuchte, die unzähligen Ameisenschwärme zu entfernen, die sich in dem Palmblätterdach ihres Bootes eingenistet hatten. Dann stießen sie erleichtert vom Ufer ab und überließen sich der Strömung des großen Flusses, der unablässig zum Meer hinabrauschte.

Da der Orinoko hier keine Klippen hat, konnte der Steuermann die ganze Nacht über das Boot der Strömung überlassen. Sie hielten sich nur dann am Ufer auf, wenn sie ihre Mahlzeiten aus Bananen und Reis zubereiteten. Daher benötigten sie nur 35 Stunden von Esmeralda nach Santa Barbara und legten in der Stunde durchschnittlich siebeneinhalb Kilometer zurück. In den letzten Maitagen fuhren sie wieder in die brausenden Stromschnellen der Großen Wasserfälle ein. Sie landeten am 31. Mai am östlichen Ufer der Katarakte von Atures, um von hier aus die Grabstätten eines ausgestorbenen Aturen-Stammes zu besuchen – die Höhle von Ataruipe.

Die Höhle lag in einiger Entfernung vom Fluß in einem dichtbewachsenen Tal; Humboldt zählte dort nahezu 600 gut erhaltene Skelette. Jedes Skelett lag einzeln in einem Korb, der wie ein viereckiger Sack aussah. Die Größe entsprach dem Alter des Verstorbenen. Die Skelette waren alle vollständig erhalten, weder eine Rippe noch ein Fingerglied fehlte. Die Indianer in Humboldts Begleitung erklärten ihm, daß die Leichen wahrscheinlich zunächst in feuchter Erde beigesetzt worden waren. Nach einigen Monaten hatte man sie dann herausgeholt, mit scharfen Steinen die Reste des Fleisches von den Knochen geschabt und sie dann auf eine von drei Arten behandelt: Entweder wurden die Gebeine in der Sonne gebleicht oder mit ›Onoto‹ rot gefärbt, oder aber wie bei Mumien mit duftenden Harzen bestrichen und in Blätter gewickelt. Keines der Gebeine war sehr alt – nicht über hundert Jahre –, und sie gehörten ausschließlich Toten des Aturenstammes an, dessen letzte Familien noch dreißig Jahre zuvor gelebt hatten.

Humboldt nahm einige Schädel, das Skelett eines etwa sechsjährigen Kindes und die Skelette zweier Erwachsenen aus der Höhle von Ataruipe mit; auf seiner Rückreise nach Cumaná bereitete ihm diese Beute allerdings eine Menge Unannehmlichkeiten. Obwohl er sie mit neugewobenen Matten verkleidet hatte und behauptete, es handele sich um Seekuh- und Krokodilsknochen, mußte er mit Erstaunen feststellen, daß die Indianer, die er auf seiner Reise traf, den Geruch des Harzes, mit dem die Gebeine ursprünglich behandelt waren, identifizierten und erkannten, daß es sich um ihre alten Verwandten handelte. Nur die Autorität der Missionare brachte es fertig, den Widerwillen zu überwinden, den die Indianer gegen die Beförderung einer solchen makaberen Last hatten.

Die Reisegesellschaft hielt sich nur solange in Atures auf, bis man ihre Piroge zum letzten Mal durch die großen Katarakte geschafft hatte. Der Boden dieses zerbrechlichen Fahrzeuges war allmählich so dünn geworden, daß es mit größter Sorgfalt behandelt werden mußte – und offensichtlich würde es kaum noch zu einer weiteren Reise imstande sein. Hier verließ Pater Zea die Expedition, um wieder in seine Mission zu gehen. Obgleich er noch immer an seinen Malariaanfällen litt, hatte er sich so daran gewöhnt, daß er ihnen wenig Beachtung schenkte. Die meisten Indianer seiner Mission lagen an einer gefährlichen, ansteckenden Seuche darnieder. Sie waren so schwach, daß sie nicht einmal ihre Hängematten verlassen konnten, um sich Nahrung zu verschaffen. Anfangs schien es, als würde die Expedition ohne schlimmere Erkrankungen zu ihrem Endpunkt gelangen. Doch nur wenige Tage nach ihrer Abfahrt aus Atures zeigten sich bei Bonpland deutliche Krankheitsanzeichen. Obwohl er ruhebedürftig war, bestand er darauf, ausgedehnte Fußmärsche am Flußufer zu machen. Er sammelte Pflanzen und wurde dabei täglich mehrmals bis auf die Haut durchnäßt.

Am 5. Juni kam die Expedition wieder in Uruana an und hielt sich in der Mission auf, die von Otomaken-Indianern bewohnt wurde. Humboldt stellte fest, daß die Otomaken zu den unzivilisiertesten Stämmen gehörten. Sie waren ein häßliches, wildes, rachsüchtiges, ruheloses und aufrührerisches Volk, mit zügellosen Sitten, und dafür berüchtigt, schwer lenkbar zu sein. Sie tranken nicht nur übermäßig, sondern benutzten auch eine berauschende Droge, ›Niopo‹ genannt, die sie in wahnsinnähnliche Zustände versetzte. Was jedoch diesen ungemein abstoßenden Stamm von seinen Nachbarn noch besonders unterschied, war eines der ungewöhnlichsten physiologischen Phänomene, die er je gesehen hatte.

Sie essen Erde; das heißt, sie verschlingen sie mehrere Monate lang täglich in ziemlich bedeutenden Mengen, um den Hunger zu be-

schwichtigen, ohne daß ihre Gesundheit darunter leidet . . . Sie sind im höchsten Grad ›omnivore Tiere‹ . . . Solange das Wasser im Orinoko und seinen Nebenflüssen tief steht, leben die Otomaken von Fischen und Schildkröten. Sobald die Anschwellungen der Flüsse erfolgen, ist es jedoch mit dem Fischfang vorbei, und es ist schwierig, Nahrung zu finden. Zur Zeit der Überschwemmungen, die zwei bis drei Monate dauern, verschlingen die Otomaken Erde in unglaublicher Masse. Wir fanden in ihren Hütten pyramidalisch aufgesetzte 1 bis 1,3 Meter hohe Kugelhaufen; die Kugeln hatten 8 bis 10 cm im Durchmesser . . . Der Otomake nennt sie seine Hauptnahrung, denn in dieser Zeit bekommt er nur selten eine Eidechse, eine Farnwurzel, einen toten Fisch, der auf dem Wasser schwimmt.

Am 7. Juni traten Humboldt, Bonpland und Don Nicolas de Sotto die letzten 300 Meilen ihrer Reise an. Zwei Tage später verließ Sotto sie, um quer durch das Land heimzukehren. Der große Fluß hatte seinen Lauf nun verändert; er wurde immer breiter und verlief zwischen Wäldern auf dem rechten Ufer und offenen Llanos auf dem linken; und auch die menschliche Bevölkerung – meist Neger und Weiße – nahm außerordentlich zu. Gewöhnlich verbrachten sie die Nacht auf der Piroge, die von der Strömung fortgeführt wurde. Doch in Boca del Infierno (Höllenschlund) gingen sie an Land, um Sonnenhöhen aufzunehmen und verbrachten die Nacht in der Nähe auf einem weiten, feinsandigen Ufergelände. Das war ihre letzte Nacht im Freien an den Ufern des Orinoko. Am 13. Juni erreichten sie ihr Reiseziel auf den Flußwegen, die Stadt Angostura, die heute Ciudad Bolivar heißt.

Nur schwer vermöchte ich das angenehme Gefühl zu schildern, mit dem wir in Angostura, der Hauptstadt von Spanisch-Guyana, das Land betraten . . . Obgleich nach unserem Leben in den Wäldern unser Anzug nichts weniger als gewählt war, säumten wir doch nicht, uns Don Felipe de Ynciarte, dem Statthalter der Provinz Guyana, vorzustellen . . . Da wir aus fast menschenleeren Ländern kamen, fiel uns das Treiben in einer Stadt, die keine 6000 Einwohner hat, ungemein auf. Wir staunten an, was Gewerbefleiß und Handel dem zivilisierten Menschen an Bequemlichkeit bieten; bescheidene

Wohnräume kamen uns prachtvoll vor, wer uns anredete, erschien uns geistreich. Nach langer Entbehrung gewähren Kleinigkeiten hohen Genuß, und mit unbeschreiblicher Freude sahen wir zum erstenmal wieder Weizenbrot auf der Tafel des Statthalters.

Humboldt, Bonpland und Sotto (der nun mit einer Verbeugung für immer aus der Geschichte verschwindet) hatten somit die erste wissenschaftliche Entdeckungsreise von 2300 Kilometern in das nahezu unbekannte Land zwischen den Quellflußgebieten des Amazonas- und Orinoko-Bassins erfolgreich vollendet. Dabei legten sie die Längen- und Breitengrade von mehr als 50 Orten fest, einschließlich denen des Casiquiare-Kanals, machten wichtige magnetische Messungen, und brachten eine riesige Sammlung von zwölftausend Pflanzenarten mit, wovon viele der Wissenschaft nur wenig bekannt oder gänzlich unbekannt waren. Die Expedition hatte in jeder Hinsicht bemerkenswerte Erfolge gehabt. Humboldt war während der ganzen Zeit über die treibende Kraft gewesen. Doch in seinen Briefen nach Hause legte er Wert darauf, die Energie, den Takt und den Mut seines Begleiters Bonpland gebührend zu loben. Kein Forscher vor Humboldt ist sich jemals über die Wichtigkeit der öffentlichen Meinung so klar gewesen; in einem seiner Briefe an Willdenow erlaubte er sich sogar, ein oder zwei ziemlich dicke Flunkereien einfließen zu lassen, denn er wußte genau, wie es auf die Öffentlichkeit wirken würde, wenn die Zeitungen sie eines Tages nachdruckten. »Wir sind 6,433 Meilen gereist ... Überall, überall im freien Südamerika (ich rede von dem Teile südlich von den Katarakten des Orinoko, wo außer fünf bis sechs Franziskanermönchen kein Christenmensch vor uns eindrang) fanden wir in den Hütten die entsetzlichen Spuren des Menschenfressens.«

Kaum waren die Reisenden in Angostura angelangt, gab es jedoch einige Rückschläge. Als sie ihre Pflanzenbehälter öffneten, um ihre Sammelobjekte zu sichten, hätten sie am liebsten geweint. Die extreme Feuchtigkeit des Klimas hatte mehr als ein Drittel der Stücke zerstört, und die restlichen liefen Gefahr, dasselbe Schicksal zu erleiden. »Täglich finden wir neue

Insekten, welche Papiere und Pflanzen zerstören. Kampher, Terpentin, Teer, verpichte Bretter, Aufhängen der Kisten in freier Luft, alle in Europa ersonnenen Künste scheitern hier, und unsere Geduld ist ermüdet.«

Doch es sollte noch schlimmer kommen. Einige Tage nach ihrer Ankunft in Angostura wurden Humboldt, Bonpland und ihr mulattischer Diener aus Cumaná fast gleichzeitig von einer ernsten Krankheit befallen, wahrscheinlich einem typhusähnlichen Fieber, das sie sich in den Wäldern geholt hatten. Der Diener fiel alsbald in ein Koma, erholte sich aber rasch wieder. Humboldt behandelte sich mit einer dort gebräuchlichen Essenz aus Honig und ›cortex Angosturae‹, der Grundsubstanz von Angostura Bitter, und genas bald. Doch bei dem armen Bonpland dauerte das Fieber an und wurde noch durch eine Ruhr verschlimmert. Einige Tage lang war sein Zustand äußerst alarmierend, er schien dem Tode nahe, und auch nachdem er die Krise überstanden hatte, erholte er sich nur sehr langsam. »Ich kann Dir meine Unruhe nicht beschreiben, in der ich während seiner Krankheit war«, schrieb Humboldt an seinen Bruder Wilhelm. »Niemals würde ich einen so treuen, tätigen und mutigen Freund wieder gefunden haben.« Es dauerte einen Monat, bis Bonpland kräftig genug war, um zu dem beschwerlichen Treck durch die Llanos nach Nuevo Barcelona aufzubrechen. Dort heuerten sie ein kleines Küstenboot nach Cumaná. Aber sie wurden von einem Kaperschiff aus Halifax aufgebracht, und man hätte sie beinahe nach Neu-Schottland abtransportiert, wäre nicht eine englische Korvette der Schiffsblockade aufgekreuzt, die sie befreite. So wurden Humboldt und Bonpland ironischerweise zuletzt von den Leuten gerettet, mit denen sie um jeden Preis immer eine Begegnung hatten vermeiden wollen. Humboldt war von der untadeligen Haltung und dem Bildungsstand der englischen Offiziere entzückt. Erst Ende August kamen die beiden Reisenden endlich in Cumaná an, sie waren fast die meiste Zeit des Jahres unterwegs gewesen. Der erste Abschnitt der südamerikanischen Forschungsreise war damit beendet.

ZWÖLFTES KAPITEL

Die Besteigung des Chimborazo

Am 24. November 1800 schifften sich Humboldt und Bonpland auf einem kleinen Frachter nach Cuba ein, der eine Ladung Fleisch an Bord hatte. Es wurde keine angenehme Reise. Windstille und Stürme, in denen sie beinahe Schiffbruch erlitten, hielten sie auf. Und kaum eine Woche, nachdem sie Venezuela verlassen hatten, brach ein Feuer an Bord aus. Obwohl die Flammen rasch gelöscht wurden, war es doch ein recht unerfreuliches Erlebnis auf einem so kleinen Schiff, das ausschließlich aus Holz bestand. Es war fast Weihnachten, als sie nach einer überlangen Reise von 25 Tagen in Havanna anlegten, das damals einer der geschäftigsten Häfen der Welt war und die wichtigste Basis der spanischen Kolonialflotte darstellte.

Humboldt hatte die Absicht, die Westküste Amerikas bis hinauf zu den Kanadischen Seen zu erforschen, sich dann über den Ohio und Mississippi nach Süden zu wenden, dessen Wasserlauf zu jener Zeit noch größtenteils unentdeckt war, und anschließend über Mexico, die Philippinen und Ostindien nach Europa zurückzukehren. In Cuba wollte er sich nur solange aufhalten, bis er sich die Insel ein wenig angesehen und die Verschiffung seiner Kollektionen nach Hause arrangiert haben würde.

Die Verbindungswege mit Europa aufrechtzuerhalten, war wohl ein Problem, das Humboldt während seiner ganzen Expedition das größte Kopfzerbrechen bereitete. Sogar unter den günstigsten Umständen war es nicht leicht gewesen: Schiffe gingen unter, liefen auf Grund, wurden vom Feuer zerstört, von Piraten gekentert oder erreichten aus unbekannten Gründen ihr Ziel nicht. Aber in dieser Periode des Seekrieges wurde alles noch weitaus unsicherer. Die britische Schiffsblockade der europäischen und karibischen Küste war außerordentlich wirksam. Die Fahrten spanischer Schiffe wurden allmählich so selten, daß Humboldts Briefe oft monatelang in Häfen liegen blieben, bevor sie abgeschickt werden konnten. Und selbst dann bezweifelte er, ob mehr als ein Brief von vieren seinen Bestimmungsort erreichen würde, denn die Kapitäne der Postschiffe waren imstande, schon bei der bloßen Erwähnung des Namens ›Royal Navy‹ die Postsäcke über Bord zu werfen. Um den rückläufigen Verkehr stand es nicht besser, denn im Verlauf von drei Jahren hat Humboldt von seinem Bruder nicht mehr als ein halbes Dutzend Briefe erhalten. »Von der übrigen Welt ist man hier vollständig abgeschlossen«, klagte er, »so, als wäre man auf dem Mond.«

Humboldt hatte sich zur Gewohnheit gemacht, dieselben Nachrichten in mehreren Briefen zu wiederholen. Auf diese Weise, meinte er, könnte eine davon durchkommen. Auf die gleiche Art teilten er und Bonpland nun ihre Sammlungen und Manuskripte in Havanna auf. Sie behielten ein kleines Herbarium für ihre eigenen Zwecke, sandten ein zweites nach Frankreich und ein drittes, welches aus 1600 Arten von Sporenpflanzen und Gräsern bestand, nach London via Charleston, USA. Ebenfalls für ihren eigenen Gebrauch behielten sie ein Manuskript, welches 1400 neue oder seltene Arten von Pflanzen beschrieb, und sandten das andere durch den französischen Vizekonsul an Bonplands Bruder in La Rochelle. »Nichts beschäftigt mich so ängstlich als die Rettung meiner Manuskripte und Herbarien; es ist sehr ungewiß, fast unwahrscheinlich, daß wir beide, Bonpland und ich, lebendig über die Philippinen und das Kap der Guten Hoffnung zurückkehren. Wie traurig wäre es in dieser Lage, die Früchte seiner Arbeit verloren gehen zu sehen«, schrieb Humboldt aus Havanna an Willdenow. Und tatsächlich sind viele der Früchte verloren gegangen. Eine Sendung ist vor der Küste Guineas versenkt worden. Eine andere – eine Sammlung geologischer Stücke – fiel in die Hände der Royal Navy und wurde viele Jahre später von Sir Joseph Banks erworben, der anbot, sie seinem rechtmäßigen Besitzer zurückzuerstatten.

Humboldts Besuch auf Cuba wurde plötzlich durch die Nachricht in einer amerikanischen Zeitung vereitelt, daß Kapitän Baudin endlich aus Frankreich zu seiner Weltumsegelung aufgebrochen und auf dem Wege nach Kap Horn und der peruanischen Küste sei. Als Humboldt das las, gab er sofort seine nordamerikanischen Pläne auf und beschloß, den Versuch zu machen, Baudin in Lima zu treffen. Also schifften sich Humboldt und Bonpland am 8. März in Cuba auf einem kleinen 40 Tonnen-Küstenschiff ein und erreichten nach einer langwierigen Reise von 25 Tagen vor Cartagena das Festland Südamerikas. Es herrschte gerade ein aus östlicher Richtung kommender Sturm, der fast ihr Ende bedeutet hätte.

Bei dem Versuch, sich gegen den Sturm und die wilde See ihre Einfahrt in den Hafen zu erkämpfen, legte sich das Schiff plötzlich auf die Seite. Eine riesige Woge ging über das winzige Schiff hinweg und drohte, es zu verschlingen, und im selben Augenblick schrie der Steuermann: »No gobierna el timon!« (»Das Steuerruder reagiert nicht!«). Humboldt glaubte, seine letzte Stunde sei gekommen, doch der Mannschaft gelang es, ein Segel zu kappen. Das Schiff richtete sich plötzlich auf dem Kamm der nächsten Woge wieder auf und fand vor dem Sturm Zuflucht hinter einem Vorgebirge.

Auch nachts hatte Humboldt kein Glück. Um eine Mondfinsternis besser beobachten zu können, fuhr er in einem Boot an Land. Aber kaum hatten er und seine Helfer festen Boden unter den Füßen, als sie durch Kettengerassel aufgeschreckt wurden. Mehrere kräftige Neger, entwichene Sträflinge aus einem Cartagener Gefängnis, stürzten sich mit blanken Dolchen auf sie, um sich des Bootes zu bemächtigen. Humboldt und die anderen flohen zum Wasser und hatten gerade noch Zeit, ins Boot zu klettern und vom Land abzustoßen.

Der schnellste Weg, nach Lima zu gelangen, wäre der Seeweg über den Isthmus von Panama gewesen. Aber in Cartagena erfuhr Humboldt, daß die Passatwinde im Stillen Ozean für diese Jahreszeit vorüber seien und die Reise eventuell drei Monate in Anspruch nehmen könnte. Er entschloß sich daher, auf dem unvergleichlich schwierigeren Landweg, nämlich den Anden entlang, nach Lima zu reisen. Dies hatte jedoch den Vorteil, das Land nördlich des Amazonas kartographisch aufnehmen zu können und seine Pflanzensammlung mit der des Botanikers José Celestino Mutis zu vergleichen, der zu jener Zeit die größte Autorität auf dem Gebiet der südamerikanischen Flora war und in Bogotá lebte.

Die Reisenden verbrachten drei Wochen in Cartagena und verschickten die schweren Stücke ihrer Ausrüstung auf dem Seeweg nach Lima. Sie beobachteten im nahegelegenen Turbaco eine Anzahl merkwürdiger Gas-Vulkane von etwa sieben bis acht Meter Höhe, die alle 15 Sekunden Wasser und Schlamm ausspien. Dann, am 21. April, schifften sie sich am Hafendamm von Barancas Nuevas auf dem Magdalenen-Strom zur ersten Etappe ihrer großen Reise ein.

Humboldt, gekleidet wie immer in hohe, umgekrempelte Stiefel, gestreifte, sackartige Hosen und großen schwarzen Hut, das große Barometer, das er niemals aus den Augen ließ, fest umklammernd, seinen getreuen Begleiter Bonpland zur Seite und gefolgt vom Gepäcktroß mit den wichtigsten Instrumenten, wandte wieder einmal seine Schritte dem Inneren Südamerikas zu. Nach seiner Erforschung des großen venezualischen Flußsystems verwandte er jetzt seine Energie auf die Erforschung einer der höchsten vulkanischen Bergketten unserer Erde, der Anden von Kolumbien, Equador und Peru – eine zweijährige Expedition, die für alle Zeit seinen Namen in der Welt berühmt machen sollte.

Die Inlandroute bis zum Fuß der östlichen Kordilleren führte fast genau in südlicher Richtung mit dem Magdalenenstrom, eine Strecke von ungefähr 500 Meilen, durch unbewohnte Wälder bis zu der kleinen Flußsiedlung Honda. Humboldt und Bonpland muß sie an vergangene Zeiten erinnert haben. Denn mehr als sechs Wochen waren sie auf ein indianisches Kanu angewiesen, geplagt von Insekten und ununterbrochenen Regengüssen. Der Strom führte Hochwasser, sie kamen gegen die starke Strömung nur sehr langsam an, durchschnittlich schafften sie kaum mehr als 16 Kilometer am Tag. Von ihrer aus zwanzig Mann bestehenden Indianermannschaft mußten acht wegen Erschöpfung nach Hause geschickt werden, während sich bei den meisten anderen übelriechende, tropische Geschwüre entwickelten. Inmitten dieser äquatorialen, naßkalten Hölle brachten es Humboldt und Bonpland dennoch fertig, nicht krank zu werden und ihre wissenschaftlichen Beobachtungen fortzusetzen. Doch sie waren froh, gegen Mitte Juni den Hafen von Honda zu erreichen und dem Strom den Rücken kehren zu können.

Von Honda aus stiegen die Reisenden zu der 2700 Meter über dem Meeresspiegel liegenden Hochebene auf, wo die Stadt Santa Fé de Bogotá, die heutige Hauptstadt von Kolumbien, liegt. Humboldt hoffte, dort Mutis zu begegnen. Aber sie waren nicht auf den Zustand des Weges vorbereitet, den sie nun gehen mußten, und den Humboldt als unbeschreiblich schlecht schilderte. Obwohl es einer der Hauptwege des Landes war, hatte man ihn innerhalb dreier Jahrhunderte nicht ausgebaut; der erbärmliche Pfad, den man nur mit einem Rinnsal vergleichen konnte, bestand stellenweise nur aus Stufen von 50 cm Breite. Er war zwischen zwei Felswänden herausgehauen und so eng, daß sich ein Maultier kaum hindurchzwängen konnte. Während sie diesen qualvollen Durchgang durch die östlichen Kordilleren immer höher hinauf durch Wälder aus Walnuß-, Muskatnuß- und Chinarindenbäumen bezwangen, erkrankte der arme Bonpland an Malaria. Er litt immer stärker an Kopfschmerzen und Übelkeit. Welch eine Erleichterung, als sie endlich die Ebene von Bogotá mit ihren kühlenden Winden, bewohnten Dörfern und Kornfeldern erreichten!

Man hatte die Ankunft der Expedition erwartet. Am Tag nach ihrem Eintreffen wurden sie in der großen, vor der Stadt gelegenen Ebene, als vornehme Besucher des hochgeachteten

Mutis von einer elegant gekleideten Reiterschar begrüßt und in einer triumphalen Prozession in die Hauptstadt geleitet. Humboldt wurde aufgefordert, die sechsspännige, aus London importierte Karosse des Erzbischofs zu besteigen; hinter ihm folgte Bonpland in einem Wagen, links und rechts wurden sie von einem Zug von ungefähr 60 angesehenen Bürgern der Stadt eskortiert. Als sie sich der Städt näherten, wurde die Menge der Neugierigen immer größer. Nur wenige Wissenschaftler können sich eines so herzlichen Empfangs rühmen; doch Humboldt empfand das Ganze eher als komisch. Eine riesige Schar von Schulkindern und Straßenjungen rannte schreiend und mit den Fingern zeigend hinter den Kutschen her. Und alle Fenster waren von Zuschauern belagert. »Seit vielen Jahren hatte in dieser toten Stadt nicht so ein Gewühl und Tumult geherrscht«, stellte Humboldt mit einer gewissen Befriedigung in seinem Tagebuch fest. Denn wenige Einwohner Bogotás hatten zuvor einen Ausländer gesehen und noch dazu einen Ketzer, der vom anderen Ende der Welt gekommen zu sein schien, lediglich um sein ›Heu‹ mit dem ›Heu‹ des alten Mutis zu vergleichen.

Mutis hatte die Witwe seines Bruders veranlaßt, ihr Haus zu räumen, so daß wir unser eignes Haus mit Hof, Garten und Küche hatten. Vor dieser Wohnung erwartete uns mit seinen Freunden der alte Kron-Botaniker, eine ehrwürdige, geistreiche Gestalt in priesterlichem Kleide. Wie ich mit dem Barometer in der Hand ausstieg und das Instrument niemandem anvertrauen wollte, lächelte er; mit vieler Herzlichkeit umarmte er uns und war bei dieser ersten Zusammenkunft fast verlegen bescheiden. Wir sprachen sofort von wissenschaftlichen Dingen. Ich begann gleich von den Pflanzen zu erzählen, die ich im Lauf des Tages gesehen hatte. Er aber lenkte das Gespräch geschickt auf allgemeine Gegenstände, damit es den Umstehenden verständlicher werde. In den für uns bereiteten Zimmern war ein prächtiges Essen aufgetischt . . .

Humboldt wollte fast seinen Augen nicht trauen, als der berühmte Salvador Rizo, dem Cavanilles eine Pflanze gewidmet hatte, als Diener auftrat und sie bei Tisch bediente. Mutis selbst war damals ein alter Mann von siebzig Jahren. 1732 in Cadiz geboren, gehörte er zu den ersten spanischen Schülern von Linnaeus, bevor er 1760 nach Kolumbien auswanderte. Seine dortigen Studien über das Chinin und die Untersuchungen zur Malariabekämpfung, sowie sein erschöpfendes Werk über die Flora Südamerikas, das er als Leiter der Königlich Botanischen Expedition von Neugranada geschrieben hatte, verbreiteten seinen Ruf in der Neuen wie in der Alten Welt. Seine botanische Bibliothek, nur derjenigen von Sir Joseph Banks in London nachstehend, stellte er Humboldt und Bonpland zur Verfügung. Natürlich konnte er den Besuchern nur einen Bruchteil der riesigen, 20000 Pflanzen umfassenden Sammlung sowie einige der vielen tausend auserlesenen botanischen Zeichnungen zeigen. Die Zeichnungen waren Miniatur-Malereien eines dreißigköpfigen Künstlerteams, das 15 Jahre daran gearbeitet hatte. Keine von ihnen wurde vor dem Jahr 1955 veröffentlicht. Sie waren als Illustrationen zu Mutis, monumentalem, aber nie vollendetem Werk ›Flora de Bogotá o de Nueva Granada‹ gedacht. Alles in allem war es eine anregende und lohnende Begegnung.

Bonplands Krankheit zwang Humboldt, zwei volle Monate in Bogotá zu bleiben. Aber er scheint es mit der Weiterreise nicht besonders eilig gehabt zu haben, denn er fand genug Gelegenheit, sich zu beschäftigen. Während dieser Zeit erhielt er, nach über zwei Jahren, seinen ersten Brief aus Europa, speiste mit dem Vizekönig auf seinem Landsitz zu Mittag (das Protokoll ließ es nicht zu, daß der Vizekönig mit gewöhnlichen Sterblichen in seiner Stadtresidenz speiste), entdeckte fossile Knochen eines Mastodont, Kohlefelder und große Steinsalzlager in der nahegelegenen Ebene, besuchte den Guatavita-See und bestimmte die Höhen der umliegenden Berge, von denen mehrere über 5000 Meter hoch waren. Dann, am 8. September, als Bonpland wieder vollständig gesund war, nahm die Expedition Abschied von Mutis und verließ Bogotá, um sich auf dem gefährlichen, steilen und hochgelegenen Weg über den Quindiu-Paß nach Quito zu begeben. Während des ganzen folgen-

den Jahres mußten sie im Hochland der Anden leben. Die Erforschung der großen vulkanischen Gipfel machte sie zu den besten Bergsteigern jener Zeit und revolutionierte die geologischen Kenntnisse des Zeitalters.

Zunächst führte sie ihr Weg westwärts, hinunter über den Magdalenen-Strom durch Contreras nach Ibagué, einer der ältesten Städte des Königreiches von Neu Granada, und dann wieder aufwärts zum östlichen Ausläufer der Kordilleren über den schneebedeckten Quindiu-Paß selbst.

Diese Paßstraße war eine der unwegsamsten im gesamten Andengebiet. An ihrem höchsten Punkt erreichte sie fast 3000 Meter über dem Meeresspiegel, und an einigen Stellen war der Boden so morastig, daß die Expedition Ochsen statt Maultiere als Lastenträger nehmen mußte. Über lange Strecken wand sich der Weg durch dichten, vollständig unbewohnten Wald, und da hier weder Nahrung noch Obdach zu finden war, mußten sie für einen Monat Proviant mitnehmen. Der Pfad war äußerst schmal; größtenteils glich er einer offenen, in den Felsen gehauenen Galerie. Er verlief am Grunde von 6 Meter tiefen Schluchten. Der Boden war sumpfig, und über ihren Köpfen wucherte die Vegetation so dicht, daß sie das Tageslicht kaum wahrnehmen konnten. Wenn sie einem aus der entgegengesetzten Richtung kommenden Ochsenzug begegneten, mußten sie entweder den Weg, den sie gekommen waren, zurückgehen, oder die steilen Hänge der Schlucht hinaufklettern und sich an den hervorstehenden Wurzeln der oberen Bäume anklammern. Noch schlimmer war, daß es in Strömen zu regnen begann, als sie den Westhang des Passes hinabstiegen; die Bambusstümpfe in den Sümpfen zerstörten ihre Stiefel so gründlich, daß sie barfüßig und blutend in Cartago ankamen.

Trotz des schlechten Zustandes ihrer Füße lehnten es Humboldt und Bonpland ab, sich von den Cargueros, den indianischen Menschenträgern, befördern zu lassen. Für die Beamten der Minengesellschaften war es in diesen Gegenden üblich, die Indianer mit einem Stuhl zu satteln und auf diesen menschlichen Tragtieren täglich vier bis fünf Stunden zu reiten. Diesen entwürdigenden Brauch mitansehen zu müssen und zu hören, wie menschliche Wesen mit Ausdrücken bezeichnet wurden, die sonst für Pferde oder Maultiere verwendet werden, brachten Humboldts Blut in Wallung. Er zog es vor, selbst zu leiden, als anderen auf diese Art Leiden zuzufügen.

Von Cartago aus reisten sie südlich durch das herrliche Cuenca Tal nach Popayán, wo sie den größten Teil des November mit botanischen und geologischen Ausflügen verbrachten. Sie machten auch einen Abstecher zum Puracé-Vulkan (4900 m hoch), der mit großem Getöse stoßweise Schwefelwasserdämpfe auswarf. Dann ging es wieder weiter.

Der schwerste Teil der Reise stand ihnen nun bevor. Sie mußten die Páramos von Pasto durchqueren, eine hochgelegene Wüstenebene ohne jede Vegetation und von einer Kälte, die bis ins Mark drang. Es war eine schreckliche Straße, besät mit den Knochen von Maultieren, die vor Kälte oder Erschöpfung verendet waren. Ab und zu wurde sie von Sümpfen unterbrochen, in denen ihre Packtiere bis zum Sattelgurt versanken.

Die ganze Gegend von Pasto bestand aus einem öden und gefrorenen Bergplateau. Der Himmel blieb kalt und grau, feuchte Nebel zogen über die leeren, unfreundlichen Flächen, und die einzigen Pflanzen waren niedrige, immergrünähnliche Büsche und alpine Gräser. Überall bemerkten sie nun die Spuren vulkanischer Tätigkeit, und die Rauchwirbel stiegen ununterbrochen aus noch tätigen Schwefelwasserstoffbecken hoch. Nachts, wenn die Reisenden keine Unterkunft gefunden hatten, kauerten sie sich zum Schutz vor dem Regen unter die Zelte, die von den Indianern aus Heliconiablättern gemacht worden waren. Diese Blätter griffen wie Ziegel übereinander, hielten das Wasser ab und konnten am Morgen wie Schirme wieder eingerollt werden. Die Expedition verbrachte Weihnachten in der kleinen Stadt Pasto und erreichte endlich, nach zahllosen Entbehrungen, Anfang Januar Quito, in dem angenehmere Bedingungen herrschten.

Humboldt beschrieb Quito als eine schöne, aber kalte und wolkenbedeckte Stadt. Das große Erdbeben von 1797, das die ganze Provinz betroffen hatte und dem mehr als 40000 Menschen in der zentral gelegenen Stadt Riobamba zum Opfer gefallen waren, hatte sich in jeder Beziehung verheerend ausgewirkt. Die Durchschnittstemperatur hatte sich merklich gesenkt, und neue Erdstöße, darunter einige sehr heftige, kamen jetzt häufiger vor. Trotz alledem fand Humboldt die Bewohner von Quito fröhlich, lebhaft und liebenswert. »Ihre Stadt«, schrieb er, »atmet nur Wollust und Üppigkeit, und nirgends vielleicht gibt es einen entschiedeneren und allgemeineren Hang, sich zu vergnügen. So kann sich der Mensch gewöhnen, ruhig am Rande eines jähen Verderbens zu schlafen.«

Humboldt blieb sechs Monate in Quito, wo er die Gesellschaft einiger der vornehmsten, ältesten und feudalsten Familien Lateinamerikas, der Selvalegres, der Miraflores, der Villa-Orellanas, der Solandos, der Guerreros und anderer genoß. Die engste Freundschaft verband ihn mit der Familie des Duque de Selvalegre, dem Provinzial-Gouverneur. Der Herzog selbst, Don Juan Pio Aguirre y Montúfar, fand ein schönes Haus für die Reisenden, in dem sie wohnen konnten, und sein junger Sohn, Carlos, »ein ehrbarer junger Mann«, wurde der unzertrennliche Begleiter Humboldts für den Rest seiner südamerikanischen Expedition. Viele Jahre später erinnerte sich Rosa Montúfar, Carlos' Schwester, damals noch eine junge Frau von großer Schönheit, des Eindrucks, den der junge preußische Wissenschaftler bei seinem Aufenthalt auf sie gemacht hatte.

Der Baron war immer galant und liebenswürdig. Bei Tisch verweilte er indessen nie länger als notwendig war, den Damen Artigkeiten zu sagen und seinen Appetit zu stillen. Dann war er immer wieder draußen, schaute jeden Stein an und sammelte Kräuter. Bei Nacht, wenn wir längst schliefen, starrte er zu den Sternen. Wir Mädchen konnten all das noch viel weniger begreifen als der Marquis, mein Vater.

Viele Jahre lang hing bei den Montúfars in Chillo, ihrem Landsitz außerhalb Quitos, ein lebensgroßes Brustbild von Humboldt, das ein einheimischer Künstler während Humboldts Aufenthalt in der Stadt gemalt hatte. Er ist in der Uniform eines preußischen Mineninspektors, in dunkelblauer Jakke mit weißen Aufschlägen, weißer Weste und weißen Reitstiefeln, dargestellt. Seine rechte Hand ruht auf einem Buch, das den bezeichnenden Titel ›Aphorism ex Phys. Chim. Plant‹ trägt. Er wirkt schlank, gesund, lebhaft, selbstsicher, hübsch und sensibel. So sah Humboldt, damals 30 Jahre alt, auf dem Höhepunkt seiner physischen Kraft aus, in der Zeit, da er seinen Weltruhm durch eine einzigartige körperliche Leistung begründete – die Besteigung des Chimborazo, des Berges, den man damals für den höchsten der Welt hielt.

Während seines halbjährigen Aufenthalts in Quito widmete Humboldt den größten Teil seiner Zeit den Untersuchungen aller großen Vulkane der Umgebung: des Pichincha, Cotopaxi, Antisana, Tungurahua, Iliniza, Chimborazo, manchmal in Begleitung Bonplands, manchmal ohne ihn. Zu jener Zeit war Bergsteigen noch eine unerhörte Angelegenheit. Die physiologischen Auswirkungen der Höhe auf den Menschen waren noch vollständig unbekannt; es gab keine Spezialtechniken, keine Spezialausrüstungen, keine besondere Kleidung. Man zog einfach einen wollenen Poncho über die Alltagskleidung und stapfte bergauf. Humboldts Leistungen als Bergsteiger waren das Ergebnis langer Erfahrungen, errungen durch Versuch und Irrtum, einer beträchtlichen, inneren Bereitschaft und einer langen Periode der Akklimatisation an Höhen von mehr als 3000 Meter.

Sein allererster Aufstieg wurde ein totaler Fehlschlag. Hoch oben auf dem Pichincha, dem 4787 Meter über Quito aufragenden Vulkan, erlitt er Schwindelanfälle und verlor sogar das Bewußtsein. Unerschrocken, versuchte er am 26. Mai, diesmal nur in Begleitung eines Indianers namens Aldas, zum zweiten Mal die Spitze des Vulkans zu erreichen.

Alles verlief gut. Sie arbeiteten sich langsam auf ihrem Weg über den schneebedeckten Abhang des Kegels empor, als Aldas plötzlich mit einem lauten Schrei bis zur Brust in einer Spalte einsank. Ohne es zu merken, hatten sie eine Wächte begangen, die über dem Krater hing, und wenige Schritte weiter konnten sie das Tageslicht durch die Öffnung sehen.

Humboldt zog Aldas aus der Spalte und entschied sich, erschrocken, aber nicht abgeschreckt, für einen weiteren Aufstieg. Diesmal gelang es ihnen, eine lange schmale Platte, vier Meter lang und zwei Meter breit, zu erreichen, die wie ein Balkon über den Abgrund hinausragte. Alle zwei oder drei Minuten wurde dieser unsichere Horst von heftigen Beben erschüttert, aber Humboldt tastete sich vorwärts und befand sich sogleich über dem Schlund des Vulkans.

Es war ein furchterregender Anblick. Der Krater des Vulkans bestand aus einer kreisförmigen Öffnung von eineinhalb Kilometer Umfang und seine glanzlosen, dunklen Seiten tauchten in unergründliche Tiefen. Humboldt konnte in dem düsteren Schlund in 600 Meter Tiefe aus dem Dampf einige Felsspitzen hervorragen sehen, während noch tiefer bläuliche Flammen sichtbar wurden, ein untrügerisches Zeichen, daß der Pichincha wieder tätig war.

Auf Grund barometrischer Messungen berechnete Humboldt die von ihm am Pichincha erreichte Höhe als wenig unter 4600 m, und es war reichlich nach Mitternacht, als er am 27. Mai nach achtzehnstündigem ununterbrochenem Marsch wieder in Quito eintraf. Er muß damals in ausgezeichneter physischer Verfassung gewesen sein, denn bereits am nächsten Tag plagte er sich wieder zu seinem unsicheren Horst über dem Krater empor, diesmal aber mit einer Reihe von Instrumenten ausgerüstet, mit denen er geophysikalische Beobachtungen und Versuche vornehmen konnte. Während dieser dritten Besteigung des Pichincha konnte er in einem Zeitraum von 36 Minuten ganz eindeutig 15 Erdstöße feststellen. Dies faszinierte zwar den unerschrockenen Humboldt, die Bürger Quintos hingegen verängstigte es sehr. Das Gerücht verbreitete sich, der ketzerische Deutsche habe absichtlich die Erdbeben ausgelöst und Kanonenpulver in den Vulkan geworfen.

Kaum 14 Tage später, am 9. Juni, verließen Humboldt, Bonpland und ihr junger Freund Carlos Montúfar Quito auf dem Weg zu dem lieblichen, schneeglitzernden Chimborazo, dessen abgerundeter Gipfel zu einer Höhe von 6300 Meter (20702 Fuß) über dem Meeresspiegel aufragt. Am 23. Juni begann ihr historischer Aufstieg:

Glücklicherweise war der Versuch, den Gipfel des Chimborazo zu erreichen, die letzte unserer Bergreisen in Südamerika, daher die früher gesammelten Erfahrungen uns leiten und mehr Zuversicht auf unsere Kräfte geben konnten.

Wir gelangten mit großer Anstrengung und Geduld höher, als wir hoffen durften, da wir meist in Nebel gehüllt waren. Der Kamm hatte meist nur die Breite von 8-10 Zoll. Zur Linken war der Absturz mit Schnee bedeckt, dessen Oberfläche durch Frost wie verglast erschien. Zur Rechten senkte sich unser Blick schaurig in einen 800 bis 1000 Fuß tiefen Abgrund, aus dem schneelose Felsen senkrecht hervorragten. Wir hielten uns mehr zur rechten als zur linken Seite . . .

Das Gestein wurde immer bröckeliger, das Steigen schwieriger und gefährlicher. An einzelnen sehr steilen Staffeln mußte man die Hände und Füße zugleich anwenden, und da das Gestein sehr scharfkantig war, so wurden wir, besonders an den Händen, schmerzhaft verletzt. Ich hatte dazu seit mehreren Wochen eine Wunde am Fuß, die durch die Anhäufung der Niguas (Sandflöhe) veranlaßt war . . . .

Wir konnten den Gipfel auch auf Augenblicke nicht mehr sehen, und waren daher doppelt neugierig, zu wissen, wieviel uns zu ersteigen übrig bleiben möchte. Wir öffneten das Gefäßbarometer an einem Punkt, wo es die Breite des Kammes erlaubte, daß zwei Personen bequem nebeneinander stehen konnten. Wir waren erst 17300 Fuß hoch . . .

Nach einer Stunde vorsichtigen Klimmens wurde der Felskamm weniger steil, aber leider blieb der Nebel gleich dick. Wir fingen nun nacheinander an, alle an großer Übelkeit zu leiden. Der Drang zum Erbrechen war mit etwas Schwindel verbunden und weit lästiger als die Schwierigkeit zu atmen. Wir bluteten aus Zahnfleisch und Lippen; die Bindehaut der Augen wurde ebenfalls mit Blut unterlaufen. Diese Erscheinungen hatten für uns nichts Beunruhigendes, da wir mit ihnen aus mehrmaliger, früherer Erfahrung bekannt waren . . .
Alle diese Erscheinungen sind nach Beschaffenheit des Alters, der Kon-

stitution, der Zartheit der Haut, der vorhergegangenen Anstrengungen der Muskelkraft sehr verschieden, doch für einzelne Individuen sind sie eine Art Maß der Luftverdünnung und absoluten Höhe, zu welcher man gelangt ist.

Die Nebelschichten, die uns hinderten, entfernte Gegenstände zu sehen, schienen jetzt plötzlich zu zerreißen ... Wir erkannten einmal wieder, und zwar ganz nahe, den domförmigen Gipfel des Chimborazo. Es war ein ernster, großartiger Anblick; die Hoffnung, diesen ersehnten Gipfel zu erreichen, belebte unsere Kräfte aufs neue. Der Felskamm, der nur hier und da mit dünnen Schneeflocken bedeckt war, wurde etwas breiter; wir eilten sicheren Schrittes vorwärts, als auf einmal eine Talschlucht von etwa 400 Fuß Tiefe und 60 Fuß Durchmesser unserem Unternehmen eine unübersteigliche Grenze setzte ... Die Kluft war nicht zu umgehen ... die Lockerheit des Schnees und die Form des Absturzes machte das Herabklimmen unmöglich.

Es war ein Uhr mittags. Wir stellten mit vieler Sorgfalt das Barometer auf, es zeigte 13 Z. 11 2/10 L. Die Temperatur der Luft war nur 1 Grad unter dem Gefrierpunkte, aber nach einem mehrjährigen Aufenthalt in der Tropenwelt schien uns die geringe Kälte erstarrend. Dazu waren unsere Stiefel ganz von Schneewasser durchzogen ... Wir hatten nach der La Place'schen Barometerformel eine Höhe von 18 096 Pariser Fuß (5881 m) erreicht.

Wir blieben kurze Zeit in dieser traurigen Einöde, bald wieder ganz in Nebel gehüllt, die feuchte Luft war dabei unbewegt. Wir sahen nicht mehr den Gipfel des Chimborazo, keinen der benachbarten Schneeberge, noch weniger die Hochebene von Quito. Wir waren wie in einem Luftballon isoliert.

Da das Wetter immer trüber und trüber wurde, so eilten wir auf demselben Felsgrate hinab. Vorsicht war indessen wegen der Unsicherheit des Trittes noch mehr nötig als im Heraufklimmen. Wir hielten uns nur solange auf, als wir brauchten, Fragmente der Gebirgsart zu sammeln. Wir sahen voraus, daß man uns in Europa oft um ›ein kleines Stückchen vom Chimborazo‹ ansprechen würde.

Als wir ungefähr in 17 400 Fuß Höhe waren, fing es an heftig zu hageln. Zwanzig Minuten, ehe wir die untere Grenze des ewigen

Schnees erreichten, wurde der Hagel durch Schnee ersetzt. Die Flok-
ken waren so dicht, daß der Schnee bald viele Zoll tief den Felskamm
bedeckte. Wir wären gewiß in große Gefahr gekommen, hätte uns der
Schnee auf 18 000 Fuß Höhe überrascht . . . Nur einige Steinflechten
waren uns bis über die Grenzen des ewigen Schnees gefolgt, ungefähr
in 16 920 Fuß Höhe; das letzte Moos grünte 400 Toisen tiefer. Ein
Schmetterling war von Herrn Bonpland in 15 000 Fuß Höhe gefangen
worden, eine Fliege sahen wir noch um 1600 Fuß höher . . . Doch wir
sahen keinen Condor, der auf dem Antisana und Pinchincha so häu-
fig ist . . . Um 2 Uhr und einige Minuten erreichten wir den Punkt,
wo unsere Maultiere standen.

So lautete Humboldts eigener knapper Bericht von dem
Ausflug, der ihn zu dem höchstgelegenen Punkt geführt hatte, der in der Geschichte bis zu diesem Tage von Menschen erreicht worden war. Er entbehrt jeglichen heroischen Tons, sogar jeglicher Hervorhebung einer Leistung. Und doch war es
dieses Ereignis an einem Tag des Monats Juni im Jahre 1802,
das Humboldts außergewöhnliche Berühmtheit begründete
und sie auch über das folgende halbe Jahrhundert oder länger
erhalten hat. Es war eine rekordbrechende ›Erste‹, und als viele Monate später die Pariser Zeitungen diese Heldentat verbreiteten, nahm sie die Phantasie der Menschen gefangen. Obwohl Aimé Bonpland, Carlos Montúfar und ein Mischling aus
dem nahegelegenen Dorf von San Juan dieselbe Höhe erklommen hatten, wurde dennoch nur Humboldt als Held gefeiert,
nur ihm die Weltrekordleistung zugeschrieben, die mehr als
dreißig Jahre lang ungebrochen blieb. Es gereicht Humboldt
nicht unbedingt zu Ehren, daß er sich niemals ausdrücklich
darum bemüht hat, seinen Ruhm mit seinen Kameraden zu
teilen. Jahre später, als der britische Vermessungsdienst im
Himalaya Gipfel entdeckte, die beträchtlich höher waren als
der Chimborazo, schien Humboldt fast bestürzt. »Ich habe mir
mein Leben lang etwas darauf eingebildet, unter den Sterblichen derjenige zu sein, der am höchsten in der Welt gestiegen
ist – ich meine am Abhang des Chimborazo!« Sogar im höchsten Alter blieb der Chimborazo eine seiner liebsten Erinne-

rungen, wohl ein Symbol für den großartigen Augenblick, da er Himmel und Erde, den beiden Komponenten des Kosmos, physisch am nächsten kam.

Humboldts erschöpfende Untersuchungen der wichtigsten Vulkane Ecuadors, brachten jedoch viel bedeutendere Resultate, als es die sportliche Rekordleistung war. Auf den Gebieten der Seismologie und der Pflanzengeographie stellte er wesentliche Beobachtungen an, und die verwitterten Lava- und Bimssteinströme verwiesen eindeutig auf den vulkanischen Ursprung der großen Andenkette. Die Ausrichtung der Vulkane brachte ihn allmählich zu der Erkenntnis, daß sich entlang den geologischen Verwerfungen Bergzüge gebildet hatten, durch tiefe, unterirdische Risse, an denen sich die Erdkruste verformt hatte. Er war nach Südamerika als überzeugter Anhänger Werners, seines ehemaligen Professors in Freiberg, gekommen, der damals der führende Vertreter des Neptunismus war. Werners Theorie besagte, daß sich alles Gestein aus flüssigen Ablagerungen gebildet habe. Nachdem Humboldt aber nun mit eigenen Augen den Unterschied zwischen vulkanischem und sedimentärem Gestein gesehen und eigene Untersuchungen über die Veränderung in der Struktur von Mineralien angestellt hatte, die sich in der Nachbarschaft eines Vulkans ereignen können, änderte er seine Ansicht radikal. Zur Bestürzung seiner ehemaligen Befürworter, besonders Goethes, wurde er ein Vulkanist, ein überzeugter Anhänger des Plutonismus, der Theorie, die behauptet, daß sich die Berge durch gewaltsames Emporheben gebildet haben.

Während seines Aufenthaltes in Quito erhielt Humboldt endlich die Nachricht, daß Baudins Expedition auf ihrer Weltumsegelung keinesfalls Lima berühren würde. Er beschloß daher, sich von nun an nur auf seine eigenen Mittel zu verlassen – tatsächlich blieb ihm auch keine andere Wahl. Zusammen mit Bonpland und Montúfar verließ er Quito und wandte sich nun nach Süden, um über die äußersten Oberläufe des Amazonas Peru zu erreichen.

Ihr Weg führte sie nun in Etappen in das gemäßigtere Klima der Chinarindenbaum-Wälder und in das ehemalige Land der Inkas. In Riobamba, wo sie Gäste des Bruders von Montúfar, des Friedensrichters, waren, nahm Humboldt die Gelegenheit wahr, einzigartige Manuskripte aus dem 16. Jahrhundert zu studieren. Sie gehörten einem Abkömmling der Inkakönige und waren in einem erloschenen, später ins Spanische übersetzten Dialekt abgefaßt. Sie berichteten von Ereignissen, die sich noch vor der Eroberung des Inkareiches zugetragen hatten und von dem großen Ausbruch des Vulkans Nevado de Altar. Dieser hatte einen Teil des Gipfels weggesprengt, so daß in den folgenden sieben Jahren ein vulkanischer Aschenregen über den nahegelegenen Städten niedergegangen war. Auf dem Weg von Riobamba nach Cuenca über den hohen Paramo von Azuay besichtigte Humboldt die Überreste der großen Inkastraße, die aus besonders behauenen porphyrenen Pflastersteinen bestand und einst zur Hauptstadt des Inkareiches bei Cuzco geführt hatte. Diese Straße war genau so gut und so gerade wie die besten römischen Straßen Europas. Er besuchte die nahen Ruinen des Inkatempels Tapayupangi, mit seinem aus dem Fels gehauenen sogenannten Sommerhaus, von dem aus man einen Blick auf eine bezaubernde Landschaft hatte. »Unsere englischen Gärten haben nichts Eleganteres aufzuweisen«, schrieb er voller Bewunderung über die öffentlichen Anlagen der vernichteten Inka-Nation, für deren verschwundene Kultur er sich später in Europa so entschieden einsetzen sollte.

Nachdem sie durch Azuay gekommen waren und anschließend durch Cuenca, wo zu ihren Ehren Stierkämpfe veranstaltet wurden, schlugen die Reisenden den Weg nach Loja ein, um ihre Untersuchungen des Chinarindenbaums (Cinchona condaminea) zu vervollständigen. Aus seiner Rinde gewann man Chinin, das berühmte Mittel gegen Malaria. In der Gegend von Jaen Peru verbrachten sie ungefähr drei Wochen damit, die Quellen des Amazonas zu erforschen und kehrten dann dem Tropenwald wieder den Rücken. Sie überquerten bei Cajamarca – dem Ort, bei dem Pizarro den Inkakönig Atahualpa überfallen und gefangengenommen hatte – nochmals die Anden und gelangten dann an einen Punkt, bei dem sich die Kompaßnadel von Norden nach Süden drehte. Sie hatten den ›magnetischen Äquator‹ überschritten, ein halbes Jahrhundert lang wurden alle geomagnetischen Untersuchungen auf die an diesem Ort von Humboldt ausgeführten Messungen des Magnetfeldes der Erde bezogen. Nicht weit von hier, von einem günstig gelegenen Aussichtspunkt hoch oben an den westlichen Hängen der Anden, auf dem Weg abwärts nach Trujillo, öffnete sich plötzlich auf wunderbare Weise die Welt vor ihren Augen, und Humboldt erblickte weit unten das Ziel all seiner Jugendträume.

Der Himmel, der solange wolkenbedeckt gewesen war, strahlte plötzlich. Ein harter Südwestwind zerriß den Nebel; er enthüllte ein dunkelblaues Himmelsgewölbe zwischen schmalen Streifen von hohen, federartigen Wolken. Die Ausläufer der Cordilleren und die Ebenen von Chala und Molinos bis zur Küste von Trujillo hinab dehnten sich vor ihren Augen aus. Zum ersten Mal genossen sie den Anblick des Pazifischen Ozeans. Im Glanz des gewaltigen Lichtes sahen sie deutlich eine endlose Meeresfläche.

Humboldt, seit seinem Knabenalter mit den Reisebeschreibungen von James Cook und Vasco Nuñez de Balboa vertraut, erlebte nun den Augenblick, daß er als erster Europäer den Stillen Ozean vom Festland Amerikas aus erblickte. Es war ein Augenblick von so tiefer Ergriffenheit, daß er in der Aufregung vergaß, seine üblichen Barometermessungen vorzunehmen, um die Paßhöhe zu bestimmen.

Im Oktober 1802, nach anderthalb Jahren ununterbrochener Reisen im Hochland der Anden, stieg die Expedition bei Trujillo wieder auf die Höhe des Meeresspiegels hinab und erreichte nach der Durchquerung der großen wüstenähnlichen Ebene an der pazifischen Küste von Peru am 22. Oktober die Stadt Lima.

Um ihre Pflanzen- und Gesteinssammlungen zu sortieren und zu verpacken, bevor sie nach Mexiko und Europa verschifft wurden, blieben sie etwas länger als zwei Monate dort. Lima, der Sitz des Vizekönigs von Peru, war eine kleine verkommene Stadt, und Humboldt hielt nicht mit seiner Kritik zurück. Er habe dort nicht ein einziges gut eingerichtetes Haus noch eine gut gekleidete Frau gesehen, sagte er, und mit Ausnahme der Stierkämpfe gäbe es keine öffentlichen Vergnügungen. Nachts sei es unmöglich, wegen all der Straßenköter und umherliegenden Eselsgerippe, die den Weg versperrten, im Wagen durch die Straßen zu fahren. Hasardspiel und Familienzwistigkeiten hätten jedes gesellschaftliche Leben zerrüttet; in ganz Lima würden niemals mehr als acht Personen an einer Geselligkeit teilnehmen. Er konstatierte in dieser Stadt kalten Egoismus und grausame Gleichgültigkeit dem Elend gegenüber. Es erschien ihm, als sei Lima vom übrigen Peru ebenso weit entfernt wie von London. Er werde froh sein, in fünf oder sechs Wochen nach Acapulco weiterreisen zu können.

Trotzdem war die Zeit dort nicht ganz verloren. Es gelang ihm, die Beobachtung eines Durchgangs des Merkurs durch die Sonne zu beobachten und auf diese Weise auch zum ersten Mal die genaue Länge des Hafens von Callao zu bestimmen. Den Brutplätzen der riesigen Kolonien von Kormoranen, Pelikanen und weißen Seeraben entlang der Küste und auf den davorliegenden Inseln mit etwa fünf Millionen Vögeln pro Quadratmeile entnahm er Proben einer merkwürdigen als ›Guano‹ bekannten Substanz, einer dicken, zähen, aus Vogelexkrementen und anderen organischen Resten bestehende Masse, die er zur chemischen Analyse nach Paris sandte. Die außerordentliche Düngefähigkeit des Guano war den peruanischen Bauern schon seit Jahrhunderten bekannt – sie war dreißigmal größer als die des gewöhnlichen Düngers. Doch in Europa und Nordamerika war der Guano praktisch unbekannt, bis ihm Humboldt wissenschaftliche Aufmerksamkeit schenkte.

Am Heiligen Abend ging die Expedition in Callao an Bord eines Schiffes nach Quayaquil, und während der langsamen Reise an der Küste entlang nahm Humboldt, wie es seine Gewohnheit war, Messungen der Flut und der Temperatur der kalten ozeanischen Strömung vor, die an der peruanischen

Küste entlangstrich. Entdeckt hat Humboldt diese Strömung nicht, sie war schon während der vergangenen drei Jahrhunderte jedem Fischer zwischen Chile und Payta bekannt. Sein Verdienst bestand lediglich darin, der erste gewesen zu sein, der ozeanographische Messungen und genaue Untersuchungen über die geographischen Eigentümlichkeiten dieser Strömung anstellte. Wenn der Chimborazo seinen Namen zu Lebzeiten in der Öffentlichkeit bekannt gemacht hat, so hat diese kalte peruanische Strömung ihn nach seinem Tod lebendig erhalten. Denn, ungeachtet all seiner Proteste, wurde die Bezeichnung ›Humboldt-Strom‹ auf allen Atlanten eingetragen, mit Ausnahme der von ihm selbst angefertigten, und so ist es bis zum heutigen Tag geblieben. Ironischerweise ist dies sein bekanntestes Denkmal.

Am 15. Februar 1803 schiffte sich Humboldt von Guayaquil nach Mexiko ein und beobachtete zum letzten Mal, wie die Küste Südamerikas am Horizont verschwand. Aus der Ferne sah er einen Ausbruch des Cotopaxi, und 350 Kilometer vom Land entfernt hörte er noch über dem Rauschen der Bugwellen und dem Knarren der Spanten und Hölzer das dumpfe Getöse seines donnernden Abschiedsgrußes.

DREIZEHNTES KAPITEL

Der Freund von Thomas Jefferson

Im März 1803 kamen Humboldt und seine Begleiter in Acapulco an. Das ganze folgende Jahr über reisten sie in Mexiko umher, das damals die reichste und fortschrittlichste der spanisch-amerikanischen Besitzungen war. Diese Periode stellte in vieler Hinsicht den ereignislosesten Abschnitt ihrer Expedition dar, denn sie verbrachten ebensoviel Zeit in Amtszimmern und Bibliotheken wie bei Geländefahrten. Humboldt war weniger mit der Absicht nach Mexiko gekommen, Entdeckungen zu machen, als im ganzen Land gezielte wissenschaftliche Untersuchungen unter geographischen, wirtschaftlichen und politischen Gesichtspunkten anzustellen. Dies führte dann auch zu dem regional-geographischen Essay ›Versuch über den politischen Zustand des Königreiches Neuspanien‹, dem ersten Essay dieser Art, das wir kennen. Er verdankte dieses Projekt der großzügigen Unterstützung des spanischen Vizekönigs, der ihm alle möglichen statistischen Daten, Unterlagen und Dokumente zur Verfügung stellte und ihm den Zugang zu allen öffentlichen Archiven ermöglichte.

Über seine persönlichen Erlebnisse in Mexiko machte Humboldt nur fragmentarische Angaben, und jeder Bericht über seine Reisen muß zwangsläufig karg sein – Knochen ohne Fleisch. Von seinem Hauptsitz in Mexico City aus unternahm er verschiedene Ausflüge in die Umgebung. Er bestieg oder vermaß Vulkane: den Jorullo, Toluca, Popocatepetl, Cofre de Perote und Orizaba. Er stieg in Silberminen hinab, besonders in die von Taxco, Real del Monto und die großen Gruben von Guanajuato, wo er sich zwei Monate lang aufhielt. Er bestimmte die Breiten- und Längengrade verschiedener Orte und nahm die Bucht von Acapulco topographisch auf; sie war auf manchen Karten fast um vier Breitengrade fehlerhaft bestimmt. Außerdem befaßte er sich intensiv mit den Überresten der Aztekenkunst.

Am 7. März 1804 segelte er schließlich von Veracruz nach Havanna, um seine wissenschaftlichen Sammlungen abzuholen, die er dort sicherheitshalber drei Jahre zuvor eingelagert hatte.

Als Humboldt zu seinem mißglückten Treffen mit Baudin in Lima aufgebrochen war, sah es aus, als hätte er es endgültig aufgegeben, den nördlichen Teil des amerikanischen Kontinents zu besuchen. Ende November 1802 schrieb er an das ›Institut National‹ in Paris, er hoffe, im Herbst des kommenden Jahres nach Europa – via Mexiko und Cuba – zurückzukehren. »Ich denke an nichts anderes, als daran, die Manuskripte, die ich besitze, zu retten und zu veröffentlichen«, schrieb er. »Und wie sehne ich mich danach, in Paris zu sein!«

Den Entschluß, die Heimreise zu verzögern und noch die Vereinigten Staaten zu besuchen, scheint er ganz plötzlich gefaßt zu haben. Zweifellos beruhte er auf seiner großen Bewunderung für Thomas Jefferson, den Präsidenten der USA, und er fühlte sich verpflichtet, ihm einen Besuch abzustatten, bevor er die Neue Welt verließ. Außerdem war er neugierig auf Jeffersons Pläne, den fernen Westen Amerikas zu erforschen; ihn persönlich interessierte dabei besonders das Gebiet zwischen den Rockies und der ungenau bestimmten Grenze der Vereinigten Staaten mit Mexiko, weil er es zumindest von der mexikanischen Seite her gut kannte.

Am 29. April 1804 schifften sich Humboldt und seine beiden Begleiter, Bonpland und Montúfar, von Havanna aus auf der spanischen Fregatte ›Conception‹ nach Philadelphia ein. In der Straße der Bahamas mußten sie eine Woche lang einen sehr heftigen Sturm durchstehen, so daß Humboldt sich große Sorgen um seine Sammlungen machte, die sich ebenfalls auf dem Schiff befanden. Nach 24 Tagen gelangte das Schiff sicher in die ruhigeren Gewässer des Delaware, und die Reisenden erblickten zum ersten Mal die Vereinigten Staaten.

Aus der Entfernung war es ein erfreulicher Anblick. Die Küsten der Bucht und des Delaware-Flusses waren niedrig und waldbedeckt, dazwischen lagen Streifen von Marschland; erst als sich das Schiff dem Hafen von Philadelphia näherte, das bis vor kurzem noch die Hauptstadt des Landes gewesen war, wurden die Flußufer höher, und auf der Westseite erblickte man zahlreiche saubere Bauernhöfe. Sie lagen in Waldlichtungen, und ihre Ländereien dehnten sich bis ans Ufer hinab. Nachdem sie eine bewaldete Landspitze umsegelt hatten, kamen in einer Entfernung von etwa drei Meilen stromaufwärts die Türme von Philadelphia selbst in Sicht. Aus der Ferne, besonders nach einer langen Seereise, wirkte die Stadt sehr beeindruckend; doch als sie näher kamen, erschien ihnen der Anblick weniger einnehmend, denn vom Wasser aus konnte man nur ein Durcheinander von Lagerschuppen und Landeplätzen voll stinkender Abfälle erkennen. Hinter dem Hafen lag allerdings eine saubere, gut angelegte Stadt mit 75000 Einwohnern. Noch war sie die größte des Landes, und sie erinnerte Humboldt sehr an Europa. Die Straßen waren gepflastert und mit Pappelbäumen gesäumt, nachts machte der Nachtwächter seine Runden und rief die Stunden aus. Die Häuser aus roten Ziegelsteinen waren meist dreistöckig, zu vielen Eingängen führten Marmorstufen hinauf, und die Wohnungen waren mit erstaunlicher Eleganz eingerichtet. Das wichtigste öffentliche Gebäude – außer dem Regierungsgebäude – war die Philosophical Hall, der Hauptsitz der ›American Philosophical Society‹. Diese Institution sollte der Brennpunkt von Humboldts Aufenthalt in den USA werden, und ihre gelehrten Mitglieder nahmen es persönlich auf sich, die notwendigen Arrangements beim Besuch ihres berühmten Gastes zu treffen. Zwar war Philadelphia nicht mehr die Hauptstadt, seitdem Washington sich im Aufbau befand, es stellte jedoch noch immer das kulturelle und wissenschaftliche Zentrum der neuen Republik dar.

Humboldt und seine beiden Begleiter fanden unweit des Hafens in einem Gasthof in der Market Street angenehme Unterkunft, und die Lokalzeitungen berichteten pflichtgemäß über ihre Ankunft. »Baron von Hombott ist am Mittwoch abend in dieser Stadt eingetroffen«, schrieb Relfs ›Philadelphia Gazette and Daily Advertiser‹. Inzwischen verlor der ›Baron von Hombott‹ keine Zeit, um Verbindung mit dem Präsidenten aufzunehmen. Am 24. Mai schrieb er in Französisch:

Herr Präsident!   *24. Mai 1804*

Nach meiner Ankunft auf der gesegneten Erde dieser Republik, deren Regierung in ihre Hände gelegt wurde, ist es für mich eine Ehre und Freude, Ihnen meine Ehrerbietung auszusprechen und meine große Bewunderung für Ihre Schriften, Ihre Handlungen und den Liberalismus Ihrer Ideen, die mich seit meiner Jugend inspiriert haben. Ich würde mich geehrt fühlen, dürfte ich Ihnen meine Empfindungen persönlich ausdrücken. Ich übermittle Ihnen gleichzeitig das beigefügte Paket, das mir mein Freund, der Konsul der Vereinigten Staaten in Havanna, zu überbringen auftrug . . .

Aus moralischen Gründen konnte ich nicht widerstehen, die Vereinigten Staaten zu besuchen und mich an dem tröstlichen Anblick eines Volkes zu erfreuen, das das kostbare Geschenk der Freiheit begriffen hat. Ich hoffe, Sie werden mir erlauben, Ihnen meine Hochachtung persönlich auszudrücken . . .

Während er auf die Antwort des Präsidenten aus Washington wartete, wurde Humboldt von den Mitgliedern der Amerikanischen Philosophischen Gesellschaft, deren Präsident Jefferson war, als Ehrengast aufgenommen und zum Mitglied gewählt. Die Gesellschaft war 1743 von Benjamin Franklin nach dem Muster der Royal Society in London gegründet worden und hatte zu Humboldts Zeit ihren Sitz in der Fifth Street, zwischen Chestnut Street und Wall Street, südlich des Obersten Gerichtshofes. In dieser Institution vereinigten sich alle wissenschaftlichen Hoffnungen der Republik. Hier hatte Joseph Priestley über seine berühmte Entdeckung des Sauerstoffs referiert und Benjamin Franklin Vorlesungen über Physik gehalten. Die Mehrzahl der Mitglieder wohnte am Ort, Humboldt verbrachte einen großen Teil seiner Zeit mit ihnen. Es waren Männer wie Dr. Caspar Wistar, bekannt durch sein Bemühen, die Impfung obligatorisch zu machen; Benjamin Smith Barton, Botaniker und Fachmann für amerikanisch-indianische Kultur; und Dr. Benjamin Rush, einer der Unterzeichner der Amerikanischen Unabhängigkeitserklärung, der als Mediziner besonderes Interesse für Humboldts Ansichten über die Heilungseffekte der Chinarinde zeigte.

Charles Wilson Peale, ein Maler, autodidaktischer Wissenschaftler und Freund Jeffersons, wurde Humboldts ständiger Begleiter in den USA. Er zeigte ihm sein berühmtes Museum – ein Museum, das er selbst als einmalig in der Neuen Welt bezeichnete. Auf einem Schild über dem Eingang des Holzhauses, das seine Sammlungen beherbergte, konnte man lesen: ›Schule der Weisheit‹, während darunter, auf einem anderen stand: »Das offene Buch der Natur – Erforsche das wunderbare Werk und die Institution der ewigen Gesetze«. Im Inneren waren die Räume vollgestopft mit Vögeln, Insekten, ausgestopften Alligatoren, Berglöwen mit Glasaugen und echten Wimpern, einer fünfbeinigen Kuh, die ein zweiköpfiges Kalb säugte, Hosen aus Walfischgedärmen, einem Mammut und den Schuhen und Socken eines irischen Riesen namens Obrian, der acht Fuß, siebeneinhalb Zoll maß. Peale hatte auch eine Anzahl Gemälde berühmter amerikanischer Maler zum Verkauf anzubieten und besaß einen Apparat, den er von dem Erfinder Hawkins geschenkt bekommen hatte. Es war ein ›physiognotrace‹, ein Physiognomiezeichner, mit dem jeder seine eigne Silhouette oder die eines anderen nachzeichnen konnte. Peale, der anscheinend eine außergewöhnliche Persönlichkeit war, dachte auch an seinen eigenen Vorteil. Er überredete Humboldt zu einer Sitzung vor seinem Physiognomiezeichner und fertigte von ihm einen ganzen Stoß Silhouetten an.

Als Humboldt eines Tages das Inhaltsverzeichnis einer wissenschaftlichen Zeitschrift durchsah, stieß er auf eine Nachricht, die ihm einen Freudenschrei entriß: »Ankunft der Manuskripte des Herrn von Humboldt via Spanien in seines Bruders Haus in Paris.« Diese zufällige Entdeckung war für Humboldt der erste Hinweis über das Schicksal der von ihm und Bonpland Anfang 1801 – also mehr als drei Jahre zuvor – von Cuba aus abgeschickten Sammlungen und Manuskripte.

Da Humboldt von Jefferson noch keine Antwort erhalten hatte, verließen Bonpland, Montúfar und er in Begleitung von Peale, der sie bei Jefferson einzuführen versprach, am 26. Mai Philadelphia in einer Postkutsche. Sie wollten über Baltimore nach Washington fahren. Mit ihnen reisten Dr. Thomas Fothergill aus Bath, England, und der Geistliche Nicholas Collin. Humboldts dynamische und einnehmende Persönlichkeit hatte die Philadelphier sehr beeindruckt. Dagegen haben anscheinend seine beiden Begleiter, Bonpland und Montúfar, betrüblicherweise kaum einen Eindruck hinterlassen – zum Teil wahrscheinlich, weil sie kein Wort Englisch konnten – und allmählich spielten sie im Verlauf von Humboldts kurzem, aber kometenähnlichem Besuch in Amerika eine zweitrangige Rolle.

Peale führte ein Tagebuch über die Reise nach Washington. Die Postkutschenetappe kostete demnach acht Dollar pro Person; Humboldt sprach ohne Unterlaß, sein Repertoire an Reiseberichten enthielt auch verschiedene pikante Anekdoten über das Leben an europäischen Höfen. Ihr Mitreisender, Hochwürden Collin, gab Anlaß zur Heiterkeit, denn er war nicht nur kurzsichtig, sondern auch geistesabwesend: in der Fähre auf dem Fluß, der den prächtigen Namen ›Brandywine‹ hat, unterschätzte er die Entfernung zwischen Ufer und Boot und sprang ins Wasser. Und nachdem er dann seinen Geldbeutel samt dem Geld in der nächstgelegenen Herberge zum Trocknen aufgehängt hatte, vergaß er ihn bei der Abfahrt am nächsten Morgen. In der Kutsche befanden sich jetzt noch weitere acht Personen, aber es ist kaum anzunehmen, daß sie Humboldts Redefluß gehemmt haben. Peale vermerkte:

Der Baron sprach sehr gut Englisch, mit deutschem Akzent. Ich muß hier bemerken, daß er eine überraschende Redegewandtheit besaß; es war amüsant, wie er Englisch, Französisch und Spanisch sprach und alles in rascher Rede vermischte. Er ist sehr mitteilsam und besitzt einen erstaunlichen Fond von Kenntnissen in Botanik, Mineralogie, Astronomie, Philosophie und Naturgeschichte. Er hat eine liberale Erziehung genossen und sein Wissen bei Gelehrten in aller Welt gesammelt. Denn seit seinem elften Lebensjahr ist er ständig gereist und hielt sich nie länger als sechs Monate an irgend einem Ort auf, wie er uns berichtete.

Man darf sich fragen, womit Alexander ihre Köpfe gefüllt haben mag, während sie durch das Land Pennsylvania ratterten.

Am 1. Juni, noch rechtzeitig für ein spätes Abendessen, kam die Gesellschaft in Washington an. Sie stieg in Stelles Hotel und City Tavern ab, einem großen Hotel mit ausgedehnten Stallungen für die Pferdegespanne. Pflichtgemäß berichtete die ›United States Gazette‹ über ihre Ankunft: »Aus Philadelphia kommend trafen gestern der berühmte Dr. Fothergill senior ein, sowie Baron Humboldt und Dr. Collin. Diese Herren befinden sich auf einer Reise nach dem Süden.«

Von Bonpland und Montúfar kein Wort.

In der Zwischenzeit hatte Humboldt seine Antwort vom Präsidenten erhalten, die das Datum des 28. Mai trug:

. . . Ein lebhafter Wunsch wird allgemein empfunden, die Informationen zu empfangen, die Sie uns zu geben imstande sind. Niemand wird das stärker empfinden als ich, weil wohl auch niemand mehr als ich diese Neue Welt mit der partiellen Hoffnung betrachtet, daß ihre Entwicklung zu einer Verbesserung der menschlichen Bedingungen führen möge. An dem neuen Ort, an dem sich der Sitz unserer Regierung befindet, haben wir nichts Bemerkenswertes, was die Aufmerksamkeit eines Reisenden anziehen könnte. An dessen Stelle können wir nur das Willkommen setzen, mit dem wir Sie empfangen würden, wenn es Ihnen passend erschiene, Ihre Reise so weit auszudehnen.

Als Humboldt Washington besuchte, das im Jahre 1800 zur neuen Hauptstadt der Vereinigten Staaten erklärt worden war, machte es noch den Eindruck eines Grenzortes – »die beste Stadt der Welt für eine zukünftige Residenz«. Es war erst zur Hälfte erbaut, hatte weniger als 5000 Einwohner und kaum mehr als 800 Häuser, die sich hauptsächlich um das Capitol, das Haus des Präsidenten und das Marinedock am Potomac-Fluß gruppierten.

Humboldt wurde mit typisch amerikanischer Wärme und Herzlichkeit begrüßt. Man lud ihn überall und zu allen Tageszeiten ein, zum Mittagessen, zum Tee und zum Abendessen. Damit er die Aussicht bewundern könne, fuhr man ihn in einer Kutsche auf die Höhe des Capitolhügels, lud ihn auf ein amerikanisches Kriegsschiff im Marinedock ein und führte ihn in die provisorischen Büros des Repräsentantenhauses. In den beiden folgenden Wochen wurde er nach Mount Vernon gefahren und von einem betrunkenen Kutscher in der halben Zeit wieder zurückbefördert. Er trank Wein und dinierte bei allen Großen, bei James Madison, dem Staatssekretär und späteren vierten Präsidenten und sogenannten ›Vater der Konstitution‹, bei Albert Gallatin, dem Staatssekretär des Schatzamtes, bei dem berühmten Maler Gilbert Stuart, bei dem Naturwissenschaftler Dr. William Thornton. Wohin er auch ging und mit wem er zusammentraf, alle waren von seiner Lebhaftigkeit und seinem umfassenden Wissen beeindruckt. Am 5. Juni schrieb Frau Dolly Madison, die Gemahlin des Staatssekretärs, an ihre Schwester:

Wir haben kürzlich einen großen Genuß durch die Gesellschaft eines bezaubernden preußischen Barons von Humboldt gehabt. Alle Damen sagen, sie seien in ihn verliebt, trotz seines Mangels an persönlichen Reizen. Er ist der höflichste, bescheidenste, bestinformierte und interessanteste Reisende, der uns je begegnete und sehr angetan von Amerika. In einigen Tagen wird er nach Frankreich segeln ... In seiner Begleitung befand sich ein Gefolge von Philosophen, die – obwohl sie gewandt und unterhaltend waren – keinen Vergleich mit Humboldt aushielten.

An einem Samstag, dem zweiten Tag seines Aufenthalts in Washington, erhielt Humboldt vom Präsidenten eine Einladung für den kommenden Montag zum Mittagessen im ›Executive Mansion‹ um 15.30 Uhr. Damals war das Hauptquartier des Präsidenten noch genau so unvollendet wie seine Hauptstadt. Am Haus selbst mußte noch viel getan werden, und der Rasen ringsum glich einer Kuhweide. Jeffersons Arbeitszimmer fungierte zugleich als ›Ministerium‹. Es war ein weiter Raum, vollgepfropft mit offiziellem und privatem Zeug, einschließlich seiner Bücher, Urkunden, Karten, Gartengeräten und Haushaltsutensilien, Töpfen, Rosen, Geranien und einem Käfig, in dem sein Liebling, eine Spottdrossel, saß. In eben diesem Raum führte Jefferson ausführliche Gespräche mit seinem preußischen Gast.

Jefferson war damals 61 Jahre alt, ein anspruchsloser Mann und guter Familienvater, und das Mittagessen am Montag – ein sehr auserlesenes Mahl, aber ohne jede Zeremonie – wurde ein großer Erfolg. Peale war anwesend und vermerkte in seinem Tagebuch, daß von keiner Seite Toasts ausgebracht wurden und kein Wort über Politik fiel. Die Gesellschaft zog es vor, über Naturgeschichte zu sprechen, über die Bräuche der verschiedenen Völker und über Möglichkeiten, die Lebensbedingungen zu verbessern.

Jefferson und Humboldt hatten offensichtlich großen Respekt voreinander, und Jefferson sah in Humboldt sogar den bedeutendsten Wissenschaftler, den er je getroffen hatte. Sie besaßen die gleiche politische Überzeugung, erhofften dasselbe für die Zukunft Amerikas und hatten – natürlich – auch die gleichen wissenschaftlichen Interessen. Jefferson war keineswegs ein Laie auf wissenschaftlichem Gebiet. Als amerikanischer Botschafter in Paris hatte er meteorologische Beobachtungen durchgeführt, in Italien landwirtschaftliche Techniken studiert und sogar einen Pflug entworfen. Er kannte sich gut in den Werken von Buffon, Cuvier und Blumenbach aus und besaß gute praktische Kenntnisse in Astronomie und Paläontologie. Die beiden Männer verstanden sich so gut, daß Jefferson Humboldt seine Residenz in Washington zur Verfügung stellte und ihn auf seinen Landsitz in Monticello in Virginia einlud.

Da Humboldt am häuslichen Leben von Jefferson teilnahm, konnte er gelegentlich einen kurzen, faszinierenden Eindruck gewinnen, wie der dritte Präsident der Vereinigten Staaten seine wenigen ungestörten Mußestunden verbrachte. Eines Morgens traf er Jefferson an, als dieser auf der Erde saß, umtobt von einem halben Dutzend seiner kleinen Enkel. Der Präsident war so beschäftigt, daß er Humboldts Anwesenheit zunächst nicht bemerkte. Als er ihn erblickte, stand er auf, schüttelte ihm die Hand und meinte: »Sie haben meine Hanswursterei gesehen, Herr Baron, aber ich weiß, daß ich mich deswegen nicht bei Ihnen entschuldigen muß«.

Ein anderes Mal, als Humboldt gerade mit William A. Burwell, dem Sekretär des Präsidenten, frühstückte, stürmte Jefferson die Treppe herunter und schwenkte einen Zeitungsausschnitt in der Hand. Er enthalte, sagte er, »die gröbste persönliche Beleidigung gegen ihn«; er wolle ihn Humboldt übergeben, damit er in einem europäischen Museum ausgestellt werden könne als Beweis dafür, wie wenig Unheil durch die Freiheit der Presse angerichtet werde. Denn trotz unzähliger täglicher Zeitungsberichte ähnlicher Art sei seine Regierung niemals beliebter gewesen.

Was Jefferson eigentlich von Humboldt wünschte, war eine genaue und detaillierte Auskunft über die unbestimmten und umstrittenen Grenzgebiete zwischen den USA und Mexiko. Denn als Ergebnis des Louisiana-Kaufvertrages hatte die amerikanische Regierung von Napoleon, zum Preis von 15 Millionen Dollar, zusätzlich eine Million Quadratmeilen Territorium erworben. Auf diese Weise hatte die Nation eine gemeinsame Grenze mit Neu-Spanien (Mexiko) erhalten, die sich am Red River entlang bis zu den oberen Gewässern des Missouribeckens zog; doch kein Amerikaner wußte aus eigener Erfahrung etwas darüber. Tatsächlich hatten die Vereinigten Staaten, ohne einen Schuß abzugeben, über Nacht ihr Gebiet verdoppelt. Jefferson machte große Pläne für die Erschließung und Entwicklung seines Landesinneren und sah ein riesiges Imperium voraus, das sich vom Atlantischen Ozean bis zum

Pazifik erstrecken werde. Lewis und Clarke hatte er bereits auf eine erste Durchquerung Nordamerikas geschickt; und nun fand er vor seiner Türschwelle unerwarteterweise einen deutschen Forscher höchster Qualität, der sich bereit erklärte, ihm seinen ganzen Reichtum an Karten und statistischem Material über die geographischen Gegebenheiten gerade der Gegend zur Verfügung zu stellen, an der er äußerst interessiert war. Am 9. Juni sandte er Humboldt eine Notiz zu diesem Thema:

Jefferson bittet, sich zu Baron von Humboldt über die Frage der Grenzen von Lousiana zwischen Spanien und den USA äußern zu dürfen. Sie beanspruchen, daß sie an dem Fluß Mexicana oder Sabine verlaufen soll, und von dessen oberen Ende nordwärts an den Oberläufen des Mississippi bis zur Quelle, entweder an dessen östlichem oder westlichem Arm; von da aus zu dem Oberlauf des Red River und so weiter. Kann mir der Baron darüber Auskunft geben, welche Art von Bevölkerung – weiße, rote oder schwarze Menschen – zwischen diesen Grenzen leben mag? Und ob es dort Bergwerke gibt und welcher Art sie sind? Er dankt für die Informationen und spricht ihm seine ehrerbietigen Grüße aus.

Großzügig stellte Humboldt seine Informationen zur Verfügung; er lieh Madison seine Karten und gestattete Albert Gallatin, dem in der Schweiz geborenen Staatssekretär des Schatzamtes, seine statistischen Daten abzuschreiben. Nach einer Sitzung mit Humboldt schrieb Gallatin an seine Frau Hannah in New York:

Wir halten ihn alle für einen ungewöhnlichen Mann, und seine Reiseerlebnisse, die er nach seiner Rückkehr nach Europa veröffentlichen will, werden – so glaube ich – über jeder anderen Publikation dieser Art stehen. Ich neige nicht dazu, mich leicht zufrieden zu geben, und er war für meinen Geschmack nicht besonders einnehmend; denn er redet mehr als Lucas, Finley und ich zusammengenommen und zweimal so schnell wie irgendjemand, den ich kenne, und zwar Deutsch, Französisch, Spanisch und Englisch durcheinander. Doch ich war tatsächlich begeistert, weil ich mehr Informationen über die verschiedensten Dinge in weniger als zwei Stunden erhielt, als ich in den beiden vergangenen Jahren gelesen oder gehört habe. Er scheint nicht viel älter als dreißig zu sein, und Du mußt gar nicht viel selbst reden, denn er nimmt den Gedanken, den Du vermitteln willst, mit perfekter Präzision auf, bevor Du das dritte Wort Deines Satzes ausgesprochen hast. Ausschließlich seines auf Reisen erworbenen Wissens, ist das Ausmaß seiner Belesenheit und seiner wissenschaftlichen Kenntnisse erstaunlich. Ich muß eingestehen, um meine Begeisterung zu erklären, daß er von Karten, Aufstellungen etc. umgeben war, die für mich alle neu gewesen sind, und er erlaubte uns freimütig, verschiedene von ihnen zu kopieren.

Und dann, so plötzlich wie er gekommen war, verschwand Humboldt wieder. Am 13. Juni verließ er Washington, verbrachte einige Tage im Kreise gebildeter Menschen in Lancaster, und war am 18. wieder in Philadelphia. Ungefähr eine Woche brauchte er, um seine Rückreise nach Europa vorzubereiten. Widerwillig stellte ihm der Britische Konsul ein ›Laissez-passer‹ aus, das Humboldt ermöglichen sollte, auf beiden Seiten des Atlantischen Ozeans ungeschoren durch die britische Blockade zu kommen – eine der Hauptsorgen Humboldts auf dieser letzten Etappe seiner großen Expedition. Vom amerikanischen Staatssekretär James Madison erhielt er ein ähnliches Dokument. Er bekam auch in der letzten Minute noch seine wertvollen Karten zurück. Gallatin schickte er hundert Dollar zur Begleichung seiner Hotelrechnung. An Jefferson und alle seine Freunde in Philadelphia und Washington sandte er Dankes- und Abschiedsbriefe. Er liebte Amerika aufrichtig, und seine Briefe waren voll des Lobes für »dieses schöne Land«, für »einen schönen Traum«, »den einzigen Fleck der Erde, an dem der Mensch Freiheit besitzt, und an dem die kleinen Mißstände durch die großen, guten Dinge aufgehoben werden«. Aber es gab ein Übel, das er nicht übersehen konnte: das Problem der Sklaverei. »Um frei sein zu können«, schrieb er an William Thornton, »ist es notwendig, gerecht zu sein, denn ohne Gerechtigkeit gibt es keinen dauernden Wohlstand«. Sklaverei hin, Sklaverei her, er hatte die größte Hoffnung, daß sie schließlich abgeschafft werden würde. Er hoffte, eines Tages nach Amerika zurückzukehren, und nahezu inbrünstig hofften die Amerikaner dasselbe, denn sie zählten ihn nun zu den ihren.

Am 30. Juni 1804 schifften sich Humboldt, Bonpland und Montúfar mit ihren 40 Kisten voll wissenschaftlicher Ausbeute an Bord der französischen Fregatte ›La Favorite‹ nach Bordeaux ein. Am selben Tag lichtete das Schiff die Anker und fuhr an den bewaldeten Ufern des Delaware entlang; und nachdem sie das Kap May überwunden hatten, wurden die Segel gesetzt und Kurs nach Osten genommen. Vor ihnen lag Europa, alte Freunde, neue Hoffnungen und ein anderes Leben. Die Expedition von Humboldt und Bonpland in die Neue Welt war beendet.

Diese private Zweimann-Expedition, die Humboldt über ein Drittel seines Vermögens gekostet hatte, gehörte zu den bemerkenswertesten Expeditionen in der Geschichte der wissenschaftlichen Forschung. In fünf Jahren waren diese tapferen, unermüdlichen Männer 6000 Meilen durch entlegenste Regenwälder gereist und auf die höchsten vulkanischen Gebirge der Welt gestiegen. Nach Europa brachten sie 45 Kisten voll wissenschaftlichen Materials: nicht weniger als 60000 Pflanzen und eine Vielzahl geologischer, zoologischer und ethnographischer Sammlungen. Humboldt hatte stets betont, sein Hauptziel sei, mehr Erkenntnisse als Gegenstände zu sammeln; deshalb enthielten seine Notizbücher mit Vermessungsangaben, Statistiken, kartographischen Skizzen und Profilen mindestens ebensoviel Material wie die Kisten. Er hatte astronomische, geologische, meteorologische, ozeanographische Daten gesammelt, unzählige Breiten- und Längenbestimmungen vorgenommen, und 124 erdmagnetische Messungen durchgeführt, die sich über 115 Längengrade erstreckten und vom 52. Grad nördlicher Breite bis zum 12. Grad südlicher Breite reichten. Diese Messungen zeigten deutlich, daß die erdmagnetische Intensität mit zunehmender Breite stärker wird. Sie veranlaßten Gauß später zur Formulierung seiner Theorie der magnetischen Felder. Kurz, Humboldts Forschungen in Südamerika schufen die Basis für eine neue Konzeption der Geographie und wurden der Ausgangspunkt der modernen Geophysik. Vor allem aber hatte Humboldt in der unbegrenzten Vielfalt des Naturgeschehens eine allgemeingültige Ordnung, ein kosmisches Gesetz entdeckt. »In den Wäldern des Amazonenflusses, wie auf dem Rücken der hohen Anden«, schrieb er, als er wieder wohlbehalten zu Hause war, »erkannte ich, wie von einem Hauch beseelt von Pol zu Pol nur ein Leben ausgegossen ist, in Steinen, Pflanzen und Tieren und in des Menschen schwellender Brust.«

VIERZEHNTES KAPITEL

Nachlese

Am 1. August 1804 ging die ›Favorite‹ nach nur dreiundzwanzigtägiger Atlantiküberquerung in der Garonne bei Bordeaux vor Anker, um auf die Abfertigung der Quarantäne-Behörden zu warten. Humboldt und Bonpland, lebendig, munter und noch immer gute Freunde nach ihrem großen Abenteuer, blickten wieder auf die rebenbedeckten Hügel Frankreichs. Nach fast sechsjähriger Abwesenheit schien es ihnen, als kämen sie in ein fremdes Land, und wie alle heimkehrenden Reisenden mußten sie sich ihrer veränderten Situation erst anpassen und die Fäden ihres früheren Lebens wieder aufnehmen.

Humboldt benützte die Verzögerung, die durch die Quarantäne entstand, um an das Institut National in Paris einen Brief zu schreiben, dessen Inhalt unmittelbar an seine Schwägerin Caroline weitergeleitet wurde, die sich zu jener Zeit in Paris befand. Das Schreiben enthielt lediglich die Nachricht von Humboldts glücklicher Rückkehr nach Europa, doch rief sie große Aufregung hervor, da viele Leute glaubten, er sei tot. Die Zeitungen hatten wiederholt von seinem Ableben berichtet. Im Sommer 1803 war in Paris gemeldet worden, er sei bei den Wilden in Nordamerika verschwunden, und der ›Hamburger Correspondent‹ verkündete am 12. Juni 1804: »Wir bedauern, mitteilen zu müssen, daß der berühmte Reisende, Herr von Humboldt, leider zu Acapulco am gelben Fieber gestorben ist.«

Niemand war weiter vom Tode entfernt als Humboldt, als er am 27. August in Begleitung von Carlos Montúfar in Paris eintraf – Bonpland war bei seinem Bruder in La Rochelle geblieben – und sich mit seinen Freunden, seiner Schwägerin und deren Kindern wieder vereinte. Caroline, die im siebten Monat schwanger war und ihre Niederkunft in Paris erwartete, schrieb an ihren Gatten Wilhelm, den damaligen preußischen Gesandten im Vatikan: »Alexander ist in den sechs Jahren, die er von uns entfernt lebte, nicht um ein Haar gealtert. Sein Gesicht ist merklich runder geworden, und die Lebendigkeit seiner Rede und seines ganzen Wesens ist womöglich noch vermehrt.« Er war reifer geworden, männlicher und »unendlich beschäftigt«. Er war in Paris der Held des Tages. Wo er erschien, ob bei öffentlichen Veranstaltungen der wissenschaftlichen Institutionen oder bei intimeren Soiréen in privaten Salons, wurde der gutaussehende und so berühmte junge Deutsche, der mit seiner Rekordbesteigung des Chimborazo die Bewunderung der Öffentlichkeit errungen hatte, wie ein heimkehrender Held gefeiert. »Schwerlich hat die Erscheinung eines Particuliers je mehr Aufsehen gemacht als die seine«, schrieb Caroline, »und ein so allgemeines Interesse hervorgerufen«. Und das genoß Humboldt sehr. »Alexander läßt sich durch den Charme der Franzosen hinreißen«, beklagte sich die patriotische Caroline ein bißchen später beunruhigt. Sein Sinn für Selbstreklame – man denke an die sorgfältig abgefaßten Briefe aus Südamerika, die in so verführerischer Mischung von wissenschaftlicher Pionierarbeit und persönlichem Abenteuer berichteten – hatten ihn zu einer populären Berühmtheit gemacht, bevor er auch nur einen Fuß nach Paris setzte. Für die meisten Europäer jener Zeit, deren Leben sich in einem engumgrenzten Gebiet vollzog, umgeben von den vertrauten Formen des Tier- und Pflanzenreiches, war der unerforschte südamerikanische Kontinent so unerreichbar und betörend wie der Mond. Dem Mann, der zur Bereicherung des menschlichen Wissens dessen Berge bezwungen, die Dschungel durchstreift und die Schrecken ertragen hatte, bereitete die Pariser Öffentlichkeit einen Empfang, der heutzutage nur Mondfahrern vorbehalten ist. Als er im Oktober im Jardin des Plantes die erste Ausstellung seiner Sammlungen und Zeichnungen eröffnete – ein bereits Wochen vorher eifrig diskutiertes Ereignis – starrte eine riesige Menge auf seine Felsen vom Chimborazo und seine Chininrinde vom Amazonas, als seien sie Mondstaub. Sechs Wochen nach seiner Rückkehr organisierte das Institut National eine Veranstaltung, bei der Humboldt die wissenschaftlichen Ergebnisse seiner Expedition vor einer gebannten Zuhörerschaft darlegte. Der Beifall der Versammelten war überwältigend, und hinterher äußerte einer ihrer führenden Köpfe, der große französische Chemiker Berthollet, zu dessen Ehren Humboldt den brasilianischen Nußbaum ›Bertholletia excelsa‹ benannt hatte: »Dieser Mann ist eine vollständige, wandelnde Akademie.« Niemand mißgönnte Humboldt den Beifall – außer einem.

Es ist selbstverständlich, daß es damals in Europa nur einen Mann gab, der sich eines noch größeren Ruhmes erfreute als Alexander von Humboldt – und das war Napoleon Bonaparte. Es war vorauszusehen, daß die Begegnung zwischen diesen beiden fünfunddreißigjährigen Männern – das erste und einzige Mal, wo sie einander gegenüberstanden – kein Erfolg sein würde. »Kaiser Napoleon«, schrieb Humboldt später, »war von eisiger Kälte gegen Bonpland, voll Haß gegen mich«. Alles, was Napoleon Humboldt zu sagen hatte, als dieser bei Hof vorgestellt wurde, war: »Sie beschäftigen sich mit Botanik? Auch meine Frau treibt sie.« Nach dieser Kränkung kehrte er ihm den Rücken und richtete kein weiteres Wort mehr an ihn. Napoleon kannte Humboldts Verdienste sehr wohl und war sogar bereit, auf seine Forderung einzugehen, Bonpland eine Pension von 3.000 Francs zu gewähren; aber es scheint, daß ihm Humboldt selbst – ein Ausländer aus einer feindlichen Nation – nicht nur als übermäßig beliebt, sondern auch als politisch verdächtig mißfiel. Und es dauerte nicht lange, so versuchte er, ihn unter dem Verdacht der Spionage aus der Stadt weisen zu lassen.

Trotzdem gab es für Humboldt keinen geeigneteren Platz, sich niederzulassen, als das Paris Napoleons. Es hatte sich während seiner Abwesenheit sehr verändert, in mancher Hinsicht sogar zum Schlechteren. Als er 1799 Paris verlassen hatte, waren die Ideale der Revolution mehr oder weniger intakt und Frankreich noch eine Republik. Als er zurückkehrte, fand er die revolutionäre Bewegung bis zur Unkenntlichkeit verzerrt und einen ehrgeizigen General auf dem kaiserlichen Thron. Doch Humboldt, obzwar er niemals seine politische Überzeugung änderte, wußte sich stets äußerst geschickt der jeweiligen Regierung anzupassen, und verstand es auch, unter einem ihm unsympathischen Regime zu überleben. In einen neuen Gehrock gekleidet, den er für 800 Francs zu diesem Zweck anfertigen ließ – »man muß nach solcher Reise nicht scheinen, auf den Hund gekommen zu sein« – mischte er sich unter die Gäste, die Napoleons Krönung im Dezember beiwohnten. Und letzten Endes blieb er länger in Paris als Napoleon und alle seine Minister.

Von der Politik abgesehen, brachte die Herrschaft Napoleons verschiedene Vorteile. Die kaiserliche Verschwendungssucht, die in öffentlichen Gebäuden, Kunstsammlungen und im höfischen Leben zum Ausdruck kam, erstreckte sich auch auf wissenschaftliche Einrichtungen. In seiner Aera ist Paris der wissenschaftliche Mittelpunkt der Welt geworden; auf den Gebieten der Mathematik, der Physik und besonders der Naturwissenschaft waren Männer mit hervorragenden Fähigkeiten tätig, deren Namen noch heute unvergessen sind. Für Humboldt, der die Anregung von brillanten Köpfen und erstklassige, technische Einrichtungen brauchte, um sein südamerikanisches Material zu verarbeiten und künftige Reisen zu planen, war Paris der einzig denkbare Ort auf der Welt, in dem er leben konnte. Hier wohnten die wissenschaftlichen Mitarbeiter, Kartenzeichner, Illustratoren und Verleger, deren Hilfe er für die Vorbereitung und Herausgabe des monumentalen Werkes über seine Expedition benötigte. Außerdem lebten hier alle seine Freunde, und das ausgedehnte, anregende gesellschaftliche Leben in den Cafés und Salons entsprach ganz seinem Temperament. Vergeblich versuchte sein Bruder Wilhelm, ein glühender preußischer Nationalist, ihn zu überreden, daß er seine »Deutschheit« zugeben und nach Berlin zurückkehren solle, wo er seine wahre Pflicht und Anerkennung finden werde, oder wie er sich sonst noch ausdrückte. Auch Kunth erklärte ihm vergeblich, daß und wie er in Berlin jährlich 2000 bis 3000 Taler verdienen könnte, »ohne einen Finger zu rühren«. Berlin, antwortete Alexander, sei in seinen Augen eine Sandwüste. »Ihr könnt sicher sein«, sagte er, »daß ich es nie mehr für notwendig erachten werde, meine Blicke auf die Giebel von Berlin zu richten.« Und abgesehen von einigen kurzen Besuchen blieb er im Laufe der nächsten 25 Jahre bei dieser Ansicht.

Von Anfang an entwickelte Humboldt in Paris eine außergewöhnliche Arbeitswut. Caroline berichtete, daß er ständig arbeite und rede; schon um 6 Uhr morgens hatte er Termine, und er frühstückte nicht vor neun Uhr mit ihr. »Seine Sammlungen sind immens«, schrieb sie, »und um sie zu bearbeiten, zu vergleichen und seine Ideen weiterzuentwickeln, werden fünf bis sechs Jahre vergehen.« Er verwendete sehr viel Zeit darauf, diese Sammlungen zu ordnen und sie teilweise an öffentliche Institutionen und Privatleute zu verteilen, die einen Nutzen oder einen Anspruch auf sie hatten. Es reichte nicht immer für jeden, und nur wenige Exemplare blieben in seinem Besitz. Bonpland behielt die vollständigste Sammlung von Pflanzenmustern, während ein Duplikat davon dem Jardin des Plantes zum Geschenk gemacht wurde; andere Sammlungen gingen nach Berlin und Kiew.

Die Arbeiten an seinen Sammlungen, seine Veröffentlichungen, seine nie endenden Experimente und seine halbfertigen Pläne für eine spätere Expedition ins nördliche Asien ließen ihm kaum Zeit für irgend etwas anderes. »Mein hiesiges Leben ist so arbeitsam als freudenleer«, schrieb er an einen Freund in Deutschland, »ich habe mehr begonnen, als ich fast zu leisten imstande bin«. Er traf Caroline häufig – »er behandelt mich wirklich mit größter Aufmerksamkeit« – und speiste mit ihr in ihrem Appartement, wenn er Zeit dazu fand. Ihre enge Beziehung wurde jedoch durch den Tod ihres neugeborenen Kindes, Luise, im Oktober gestört. Caroline, die ihren ältesten Sohn erst kurz zuvor verloren hatte, beschuldigte in ihrem übergroßen Schmerz Alexander, er lege »mehr Demonstrationen von Sentimentalität als echtes Gefühl« an den Tag. Zu Weihnachten kehrte sie völlig verzweifelt nach Italien zurück.

Manchmal besuchte Alexander die berühmten Gesellschaften, die Berthollet in seinem Landhaus in Arceuil in der Nähe von Paris gab, wo hochgestellte Persönlichkeiten verschiedenartigen Rufs, Wissenschaftler, Künstler, Politiker, ihren Witz aneinander schärften und ihre Ideen in vielseitigen Konversationen von unglaublicher Brillanz und Originalität aneinander maßen. Bei einer dieser hitzigen Diskussionen traf er einen siebenundzwanzigjährigen Physiker namens Louis Joseph Gay-Lussac, der gerade am Beginn einer hervorragenden Karriere stand.

Es schien zunächst kein glücksverheißendes Zusammentreffen. Unter den im Salon von Arceuil versammelten Leuten war Humboldt ein großer junger Mann von »bescheidenem, aber beherrschtem Benehmen« aufgefallen. Es war Gay-Lussac, der erst einige Wochen zuvor Humboldts Höhenrekord von 18096 Fuß am Chimborazo eingestellt hatte, indem er einen außergewöhnlich kühnen Alleinflug in einem Ballon bis in eine Höhe von über 23000 Fuß gewagt hatte, um den Sauerstoffgehalt der Luft in verschiedenen Höhen zu messen. Schon damit allein hatte er sich bei Humboldt unbeliebt gemacht, der auf seinen Weltrekord immer stolz gewesen war. Doch um die Sache noch zu verschlimmern, erinnerte sich Humboldt daran, daß es jener Gay-Lussac gewesen war, der einen glühenden Angriff gegen seine Vorlesung über Eudiometrie im Institut National im Jahre 1799 geschrieben hatte. Rachsucht und Neid lagen jedoch nicht in Humboldts Natur. Er ging direkt auf Gay-Lussac zu, beglückwünschte ihn zu seinem Wagnis auf dem Gebiet der Luftschiffahrt und schüttelte ihm die Hand. Das war der Beginn einer lebenslangen Freundschaft.

Im Frühjahr 1805 trat Humboldt zusammen mit seinem neuen Freund eine Reise nach Italien an. Er plante zwei Dinge. Einmal wollte er nach siebenjähriger Trennung seinen Bruder in Rom wiedersehen, und zum zweiten beabsichtigte er, seine Messungen über die magnetische Anziehungskraft der Erde in verschiedenen Breiten fortzuführen und Gay-Lussac bei seinen Forschungen über die Luftzusammensetzung zu unterstützen. Am 11. März überquerten sie zu Fuß am St. Bernhard-Paß die Alpen, ausgerüstet mit einem Deklinations-Magnometer, einem Gasanalysengerät und einem metereologischen Ballon.

In Bologna machten sie Halt, um den berühmten Graf Zambeccari zu besuchen, einen Glücksritter, Märtyrer der Wissenschaft und den verwegensten aller bahnbrechenden Ballonflieger. Er befaßte sich damals mit ähnlichen Experimenten wie sie selbst. Als sie ihn trafen, war er bereits über 50 Jahre alt und hatte ein unglaubliches Leben hinter sich. Er hatte als Söldner in der spanischen und russischen Marine gedient, war dann durch die Inquisition aus Spanien verbannt und von den Türken ins Gefängnis geworfen worden. Im Jahre 1783 hatte er in England erfolgreich den ersten Versuchsballon geflogen und kürzlich einen kombinierten Ballon erfunden, der zu einem Teil mit Wasserstoff und zum anderen mit heißer Luft gefüllt war. Die Katastrophe war vorauszusehen: Bei seinem ersten Flug verschwand er, von Flammen umgeben, am Himmel und bei seinem zweiten Flug stürzte er in die eisbedeckte Adria. Als Folge davon mußten ihm sechs erfrorene Finger amputiert werden; als Humboldt und Gay-Lussac sich an ihn wandten, befand er sich noch im Bett, um sich von dieser Operation zu erholen. »Das nächste Mal«, bemerkte Humboldt, wozu er kein besonderes hellseherisches Talent benötigte, »wird er sich selbst in die Luft jagen.« Und er tat es wirklich.

Nach sechswöchiger Reise kamen sie in den ersten Maitagen in Rom an. Es gibt keinen Bericht über das Zusammentreffen der beiden Humboldt-Brüder, aber nach so langen Jahren war es vermutlich sehr herzlich. Obwohl sie in ihren Meinungen und Temperamenten sehr unterschiedlich waren und weit auseinanderliegende Ziele verfolgten – Alexander die Erforschung der äußeren Welt und Wilhelm die Entwicklung des inneren Menschen – empfanden sie trotzdem eine unzerstörbare Zuneigung füreinander. Wenn sich überhaupt etwas geändert hatte, so waren sie ernster als früher, und wahrscheinlich hat Wilhelms persönlicher Schmerz – über den plötzlichen Fiebertod seines ältesten Sohnes zwei Jahre zuvor – ein unauslöschbares Zeichen in ihm hinterlassen. Sonst hatten sie sich in den vergangenen Jahren nur wenig verändert.

Wilhelm war zu jener Zeit preußischer Gesandter im Vatikan, eine Stellung, für die er als Diplomat, Literat und Kunstliebhaber durch seinen Geschmack und seine Neigungen bestens geeignet war. Es war kein sehr anstrengender Beruf. Nach der Meinung Alexanders bestand seine Hauptaufgabe darin, Scheidungen für römisch-katholische Mitglieder der preußischen Aristokratie zu erlangen. In seiner reichlich bemessenen Freizeit widmete sich Wilhelm seinen Sprachstudien, die zum wesentlichen Inhalt seines Lebens wurden; er führte ein offenes Haus für ausländische Künstler, von denen einige nun sofort den Auftrag erhielten, von Alexanders südamerikanischen Skizzen (einschließlich der Ansichten von Cayamba und der Icononzo-Brücke) Reinzeichnungen und Stiche für seine Bücher anzufertigen.

Während seines Aufenthalts in Rom traf Humboldt zum zweiten Mal einen zierlichen einundzwanzigjährigen Revolutionär aus Venezuela mit schwarzem Haar und dunklen Augen, die wachsam, doch zugleich verträumt blickten. Es war Simón Bolívar. Sie waren sich bereits im vergangenen Herbst in Paris begegnet. Bolívar, der aus Trauer über den plötzlichen Tod seiner jungen Frau in Caracas durch Europa wanderte, wandte sich damals der Idee der spanisch-amerikanischen Unabhängigkeit zu und fragte Humboldt, ob nach seiner Ansicht die spanischen Kolonien in der Lage wären, sich selbst zu regieren. Der genaue Wortlaut der Antwort Humboldts ist nicht bekannt. Nach Ansicht eines von Bolívars Biographen, des kreolisch-irischen Adjudanten General Daniel Florencio O'Leary, hat Humboldt vermutlich die Meinung vertreten, daß die spanischen Kolonien »zwar reif dazu seien, er jedoch keinen Mann wisse, der sie zur Freiheit führen könne«. Humboldt, der die Freunde und Verwandten Bolívars in Caracas gekannt hatte, hörte aufmerksam zu und bewunderte Bolívars Leidenschaft für seine Sache. Bolívar seinerseits brachte Humboldt stets ungeheure Achtung entgegen und beschrieb ihn als den »Entdecker der Neuen Welt« und als einen Mann, dessen Studie über Amerika »mehr Gutes vermocht hatte als alle Conquistadoren zusammen«. In Spanisch-Amerika hat man manchmal vermutet, Humboldt hätte als Katalysator bei den Kriegen mitgewirkt, mit denen Bolívar, der ›Befreier‹, einige Jahre später die Unabhängigkeit für Spanisch-Amerika gewinnen sollte. Auch heute wird er in diesen Ländern noch entsprechend verehrt. Es ist jedoch sehr unwahrscheinlich, daß dies der Fall war. Als Liberaler würde Humboldt ohne Zweifel Sympathie für Bolívars Sache gezeigt haben, doch als älterer und überlegenerer Mann, der die ungeheure Komplexität des spanisch-amerikanischen Problems erfaßt hatte, würde er eher zur Vorsicht als zur sofortigen Revolution geraten haben. Auf jeden Fall sah er in Bolívar, wie er viele Jahre später eingestand, einen jugendlichen Träumer, äußerst ungeeignet, einen amerikanischen Kreuzzug anzuführen. Nicht Humboldt, sondern Bonpland war es, der Bolívar die gewünschte Ermutigung gab; und niemand war verblüffter als Humboldt, als er später erfuhr, daß der impulsive junge Mann, den er aus Paris und Rom kannte, der Führer und Held nahezu eines ganzen Kontinents geworden war.

Am 15. Juli brachen Humboldt, Gay-Lussac und ihr exzentrischer und brillanter Freund Leopold von Buch in aller Eile nach Neapel auf, um den kurz vor einem Ausbruch stehenden Vesuv zu sehen. Sie blieben einige Wochen dort und maßen die heftigen vulkanischen Erschütterungen. Dann machten sie sich wieder auf, um rechtzeitig vor Einbruch des Winters die Alpen nach Deutschland zu überqueren.

Am 16. November 1805 kehrte Humboldt in seine Heimatstadt Berlin zurück. Er war beinahe neun Jahre fort gewesen, und den Berichten nach empfing Berlin seinen Helden ebenso begeistert wie vorher Paris. Ihm zu Ehren wurde eine Münze geprägt, und die königliche Akademie der Wissenschaften lud ihn zu einer Vorlesung ein. Er wurde mit Post von Verehrern überschwemmt, oft bis zu 40 Briefen in der Woche, und der König überschüttete ihn mit seiner Gunst. »Seine Aufmerksamkeiten sind fast bedrückend«, sagte Humboldt zu seinem Freund, dem Schweizer Physiker Pictet. »Sie rauben mir zuviel von meiner Zeit.« Er erhielt eine jährliche Pension von 2500 Talern, die an keinerlei Bedingungen geknüpft war – einen Betrag, den er als sehr annehmbar betrachtete. Doch man machte ihn auch zu einem königlichen Kammerherrn, eine ›Ernennung‹, die er als lächerlich empfand. »Bitte, erwähnen Sie nicht, daß ich bei der Rückkehr in mein Heimatland zu einem – Kammerherrn gemacht wurde«, bat er Pictet.

Humboldt haßte Berlin. Die Zustände im sozialen und offiziellen Leben waren während seiner Abwesenheit noch mehr verrottet, und nach Paris wirkte die Stadt langweilig und leblos. »Von Paris nach Berlin zu gehen, bedeutet soviel wie vom Leben in den Tod gehen«, sagte er. Er beklagte sich über das rauhe Klima, und nach den Jahren bester Gesundheit in den gefürchteten Tropen wurde er hier sogar krank. Außer Anfällen von Zahn- und Bauchschmerzen, Rheumatismus und nervösen Depressionen bekam er auch noch die Röteln. Seine Briefe waren voller Klagen. »Ich lebe so isoliert wie ein Fremder in einem Land, das für mich Ausland geworden ist.« Er traf sich mit einigen seiner alten Freunde – mit Henriette Herz, Rahel Levin, Nathan Mendelssohn und Willdenow, doch politisch fühlte er sich der Mehrheit der ihn umgebenden preußischen Konservativen nicht zugehörig. In gewissen Kreisen wurde er wegen seiner mangelnden ›Deutschheit‹ angegriffen, und es gingen Gerüchte, er beabsichtige sogar seine Werke in französischer Sprache zu schreiben, eine Beschuldigung, die er strikt leugnete.

Warum aber dehnte Alexander seinen Aufenthalt so lange über das vom Hof geforderte Maß hinaus aus, wenn das Leben in Berlin so unerträglich war? Ein nördlich-kalter Winter war gekommen und gegangen, Gay-Lussac war nach Paris zurückgekehrt, und er befand sich immer noch in dieser verhaßten Stadt. Warum?

Zum Teil war dies auf seinen eigenen Wunsch zurückzuführen. Nachdem er einmal gekommen war, ergaben sich viele Dinge, die ihn zurückhielten. So hatte er zum Beispiel den jungen Astronomen Jabbo Oltmanns kennengelernt, der sich mit der Zusammenfassung und Publikation seiner südamerikanischen astronomischen Beobachtungen befaßte, eine Aufgabe, die viel Zeit in Anspruch nahm. Außerdem war er auf den begabten jungen Architekten Friedrich Friesen gestoßen, der für seinen ›Atlas‹ die Landkarten von Mexiko bearbeitete. Die Vorbereitungen für seine südamerikanischen Arbeiten, wovon einige bereits in Stuttgart und Paris in Druck waren, verwickelten ihn in einen ausgedehnten Briefwechsel mit Freunden, Verlegern und wissenschaftlichen Institutionen. All dies beanspruchte ihn mehrere Stunden am Tag. Sein besonderes Interesse galt damals seinem Werk über die Geographie und Wirtschaft Mexikos; er versuchte, eine englische Abordnung zu gewinnen, die nach Berlin geschickt werden und eine Allianz gegen Napoleon organisieren sollte – und als Gegenwert dafür sollten englische Geschäftskreise umfangreiche Angaben über die mexikanischen Silberminen erhalten.

Zwischen Lord Harrowly, Mr. Hammond, Lord Gower, Mr. Pierpoint, sowie der gesamten diplomatischen Gesellschaft und mir, entwickelte sich eine gute Freundschaft. Sie hatten erwartet, mich als völligen ›Franzosen‹ zu sehen und konnten kaum glauben, daß ich ein so fließendes Englisch sprach und meine Gabel links hielt. Diese Verbindungen waren für den Verkauf meiner Bücher sehr wertvoll. Die Statistiken (von Mexiko) haben diesen Diplomaten den Kopf verdreht; Mr. Hammond meint, sie seien einige 1000 Pfund wert. Gut, sie sollen die Statistiken haben. Ich hoffe, jede englische Seele fühlt sich über so viel Piaster glücklich.

Neben diesen langwierigen Arbeiten, die fast den ganzen Tag beanspruchten, fand Humboldt auch noch für zahlreiche Vorträge an der Akademie Zeit; außerdem begann er mit einer Reihe nächtlicher Beobachtungen des Erdmagnetismus. Seine Instrumente waren in einem Holzhaus im Garten des wohlhabenden Branntweinherstellers George untergebracht. George beherbergte auch einen Historiker namens Müller und den Philosophen Fichte. Humboldt verbrachte dort von Mai 1806 bis Juni 1807 jede Nacht, um zwischen Mitternacht und dem frühen Morgen die magnetische Deklination und die Kompaßabweichungen vom faktischen Norden aufzuzeichnen. Er brachte es insgesamt auf sechstausend Ablesungen, einmal verbrachte er sogar sieben schlaflose Tage und Nächte bei seinen Instrumenten und las jede halbe Stunde ab, eine Feuerprobe, die ihn »äußerst erschöpfte«. Später hatte er seinen Freund, den Astronomen Oltmanns zur Seite, mit dem er sich die nächtliche Beobachtungszeit teilte, so daß beide zu etwas Schlaf kamen. Sie entdeckten, daß die Magnetnadel, die sich tagsüber nach Osten neigte, um Mitternacht noch geneigter stand, sich im Morgengrauen jedoch wieder nach Westen richtete. Im Dezember hatten sie das große Glück, heftige Schwankungen der Nadel während des Auftretens von Nordlichtern (aurora borealis) beobachten zu können, und später machten sie dieselbe Beobachtung auch, ohne daß das Nordlicht sichtbar war. Humboldt schrieb diesen Effekt einem sogenannten ›Magnetischen Sturm‹ zu – ein technischer Ausdruck, der in die internationale Terminologie eingegangen ist.

Insofern hatte Humboldt seinen ausgedehnten Aufenthalt in Berlin als notwendiges, doch begrenztes freiwilliges Exil betrachtet. Als aber die Zeit der Abreise kam, konnte er Berlin dennoch nicht verlassen. Die Tore der Stadt hatten sich klirrend geschlossen. Und er befand sich darin. Das freiwillige Exil wurde zum unfreiwilligen Gefängnis.

Die Ursache dieser unglücklichen Wendung der Ereignisse war wieder einmal Napoleon. Am 14. Oktober hatte er bei Jena eine große, doch schlecht geführte und veraltet ausgerüstete preußische Armee vernichtend geschlagen, und am 25. Oktober zog er an der Spitze der französischen Besatzungsarmee in Berlin ein. Das im Gedenken an Friedrich II. erzogene Preußen erlebte einen Augenblick tiefster Demütigung. Der König und sein Hof flohen. Armee und Bürokratie, die beiden Pfeiler des Staates, lagen zertrümmert. Politisch gesehen hatte Preußen aufgehört zu existieren.

Es folgte ein grimmiger Winter. Das französische Militärregime war hart. Hohe Kriegsreparationen ließen die Preise hochschnellen, die Lebensmittel wurden knapp. Schloß Tegel und andere Herrschaftshäuser wurden von den Franzosen und Deutschen gleichermaßen geplündert; das Mobiliar wurde zerschlagen, Manuskripte verstreut und der gesamte Wintervorrat an Kartoffeln gestohlen. Nur die im Garten vergrabenen Glas- und Porzellanwaren sowie griechische und römische Antiquitäten, konnten gerettet werden. Humboldt, der Napoleons Staatssekretär in Berlin, M. Maret, und den Kontrolleur des kaiserlichen Staatshaushaltes, Marschall Daru, persönlich kannte, wurde gebeten, mit den französischen Besatzungsbehörden zu verhandeln. Als Napoleon die Auflösung der Universität von Halle anordnete, einer ausgesprochen patriotischen Einrichtung, sollte Humboldt für deren Weiterbestehen eintreten – eine undankbare Aufgabe, an der er schließlich auch scheiterte. Hin- und hergerissen zwischen Siegern und Besiegten, bekümmert von dem Elend, das ihn umgab, wandte Humboldt dem öffentlichen Leben den Rücken und verkroch sich in seine Arbeit, um den Depressionen dieses düsteren Winters zu entfliehen und in Erinnerungen an seine geliebten südamerikanischen Tropen zu leben.

Die ›Ansichten der Natur‹ waren das Ergebnis. In diesem einbändigen Werk – seinem bekanntesten – versuchte Humboldt, den Geist des deutschen Volkes durch die Beschwörung der Freiheit der Natur aufzurütteln. Das mit ungewöhnlicher Sprachkraft abgefaßte Buch enthielt viele Beschreibungen der großartigen Landschaften und Naturwunder, die er auf seinen Reisen gesehen hatte – der Llanos, der Wälder am Orinoko, der Einsamkeit der Gebirge von Mexiko und Peru, der Jagd nach Zitteraalen, der aufsehenerregenden Meteoritenschauer. Es war weder ein Reisebuch noch ein wissenschaftliches Handbuch, sondern eine ›ästhetische Abhandlung über Naturgeschichte‹, mit anderen Worten, es beabsichtigte, sowohl das Gemüt anzusprechen als auch den Geist zu stärken. Humboldt hoffte, mit diesem Buch das Interesse der allgemein, nicht speziell wissenschaftlich gebildeten Öffentlichkeit an den Entdeckungen der Naturwissenschaften zu wecken; und dies gelang ihm wahrscheinlich auch. Als es 1808 erschien, wurde es sehr gut aufgenommen. Es wurde als eines der besten Werke seiner Art in deutscher Sprache gefeiert, in ein halbes Dutzend anderer Sprachen übersetzt und mehrmals neu aufgelegt. Zum ersten Mal hatte Humboldt ein großes Publikum erreicht, und deshalb blieben seine ›Ansichten der Natur‹ immer sein Lieblingsbuch.

Allmählich war er entschlossen, Berlin sobald wie möglich zu verlassen. In einem Brief an seinen Malerfreund Gérard schrieb er: »Die Hoffnung, die Entfernung zwischen uns zu verringern, schafft mir Erleichterung. Ich werde diesen Plan sobald ausführen, als Anstand und Pflichten es mir erlauben. Täglich komme ich mehr zu der Überzeugung, daß ich nur dort gute Arbeit leisten kann, wo andere noch Besseres leisten.«

Noch im selben Jahr kam ganz unerwartet seine Chance. Zu seiner größten Überraschung und Freude wurde er vom König zum Adjudanten des Prinzen Wilhelm, Bruder des Königs, bei einer bedeutenden politischen Mission in Paris berufen. Man sollte Frankreich davon überzeugen, die von Preußen geforderten Reparationskosten zu vermindern. Im Januar 1808 war Humboldt wieder in seiner geliebten Stadt. Während der Prinz mit Napoleon verhandelte, befaßte sich Humboldt nach Herzenslust mit seinen privaten Aufgaben. Als der Prinz im Herbst gezwungen war, mit leeren Händen nach Berlin zurückzukehren, bat Humboldt, in Paris bleiben zu dürfen, damit er sein großes Werk über Südamerika vervollständigen könnte; es wurde ihm die Erlaubnis erteilt. Ein solches Unternehmen – das mußte sogar ein patriotischer Preuße zugeben – war zu jener Zeit in Berlin unmöglich. In den nächsten 15 Jahren gelang es niemandem, weder seinem Bruder noch dem König oder seinen Kritikern, ihn aus dieser Stadt herauszubringen. Er war heimgekehrt.

FÜNFZEHNTES KAPITEL

Berühmt in Paris

Kaiser Napoleon beherrschte nun den größten Teil Europas, und Paris war die strahlend schöne Hauptstadt der zivilisierten Welt geworden. Großartige Gebäude und öffentliche Denkmäler wuchsen empor, und Kunstschätze aller Art, die mit vollendetem Takt und auserlesenem Geschmack in den eroberten Städten des ganzen Kontinents geplündert worden waren, gelangten in die kaiserliche Hauptstadt. Doch während der größte Mann Europas seinen prunkvollen Hof in den Tuilerien aufzog, hatte sich der ›zweitgrößte‹ in einem Wohn-Schlafzimmer einquartiert, das er mit seinem besten Freund Gay-Lussac im Polytechnikum teilte. In diesem bescheidenen Quartier mußte Humboldt versuchen, die Unabhängigkeit zu genießen – für vierzig Sous pro Tag.

Denn, um die Wahrheit zu sagen, er war praktisch mittellos. Seine Ankunft in Paris fiel mit der schlimmsten finanziellen Krise in seinem Leben zusammen, und die Aussichten schienen trübe. Das betraf nicht nur die Veröffentlichungen seiner südamerikanischen Werke, die er im voraus aus eigener Tasche bezahlen mußte, sondern auch seine persönliche Zukunft. Während der letzten drei Jahre, seit der französischen Invasion in Preußen, hatten weder er noch sein Bruder irgendwelche Einnahmen aus ihren polnischen Besitzungen erhalten, die ihre einzige regelmäßige Einkommensquelle darstellten. Den Brüdern gehörten allein im Großherzogtum Warschau 95 000 Taler in Form von Grundstückshypotheken. Aber durch einen französischen Erlaß vom Januar 1809 waren bestimmte private Besitztümer in Polen, die preußischen Untertanen gehörten, beschlagnahmt worden, so daß Wilhelm und Alexander für unbestimmte Zeit daran gehindert waren, das Kapital und die Erträge ihrer Besitzungen zu nutzen. Caroline und Wilhelm, der 1808 als Leiter des Departements für Erziehung nach Berlin zurückgekehrt war – 1810 gründete er die Universität Berlin, heute Humboldt-Universität in Ostberlin – sahen sich gezwungen, in zwei spärlich möblierten, gemieteten Räumen zu leben. ›Der Kapitän‹, jene schattenhafte Figur eines ungeratenen Halbbruders, steckte bis über den Kopf in Schulden: Es handelt sich um Heinrich von Holwede (1763 bis 1817), den Sohn aus Frau von Humboldts erster Ehe, der von der Humboldtfamilie nie anerkannt wurde. Und Alexander schuldete seinem Bankier 16000 Taler zu einem Zins von 12 Prozent: Mit anderen Worten, er war so gut wie bankrott. »Jeder meidet dieses Haus«, schrieb er von Paris aus an Pictet. »Wenn Du nur wüßtest, wie unglücklich ich gewesen bin.« Und Caroline bemerkte: »Ich fürchte, seine sogenannten Freunde in Paris kosten ihn schrecklich viel. Er ißt trockenes Brot, damit sie Braten essen können.«

Dieser augenblickliche finanzielle Engpaß verminderte jedoch Alexanders Schaffensfreude überhaupt nicht. Widerstände schienen seine unglaubliche Arbeitsfähigkeit zu fördern, und seine literarische Tätigkeit, seine Experimente und sein gesellschaftliches Leben blieben davon unberührt. In den ersten Monaten nach seiner Ankunft in Paris teilte er seine Zeit zwischen den Tuilerien, in denen sein Vorgesetzter, Prinz Wilhelm, damals persönlich mit Napoleon über die preußischen Reparationen verhandelte, und dem Polytechnikum, wo er die Nächte und Vormittage verbrachte. Es scheint, als habe er sogar unter diesen Umständen sein Leben mit lobenswerter Heiterkeit geführt. »Ich lebe ständig zwischen Soda und Pottasche«, schrieb er in dieser Zeit mit unakademischer Ausgelassenheit, »zwischen Thenard und Gay-Lussac. ›Ammonium‹, Herr Berthollet, kommt manchmal zu Besuch, und dann fühlen wir uns ›wasserstoffgeformt‹.«

Die tägliche Routine, die er von Anfang an einführte, änderte sich wenig während seines langen Aufenthaltes in der Stadt. Er schlief nachts nur drei oder vier Stunden. Er stand vor 6 Uhr morgens auf und trank eine halbe Tasse schwarzen Kaffee – »konzentrierte Sonnenstrahlen« –, selten mehr. Gegen acht Uhr – »bevor der Feind auf war, um mich zu treffen« – verließ er mit Gay-Lussac sein Zimmer und ging zu seiner Morgenarbeit, im Jahre 1808 nur eine Treppe tiefer ins Laboratorium im Souterrain des Polytechnikums, das so feucht war, daß Gay-Lussac in Holzschuhen herumgehen mußte und Humboldt gezwungen war, seine großen umgeschlagenen Stiefel anzuziehen, die ihm in den Sümpfen des Orinoko so praktische Dienste geleistet hatten. In späteren Jahren wurden diese frühen Morgenstunden seine »Dachkammerstunden«, in denen er in allen Ecken und Winkeln von Paris umherstöberte und in die Mansarden des Quartiers Latin hinaufkletterte, um halbverhungerte Studenten der Naturwissenschaften ausfindig zu machen.

Zwischen elf und zwölf Uhr nahm er gewöhnlich eine leichte Mahlzeit ein; später ging er dazu in das Cafe Procope, nahe dem Odéon und saß dann am linken Ecktisch beim Fenster, von einer bewundernden Menge umgeben. (Das Cafe Procope existiert noch heute, ebenso der Ecktisch am Fenster. Voltaire hat hier einige seiner Satiren geschrieben. Der Innenraum ist seit 1800 unverändert geblieben.) Anschließend fuhr er mit seiner Arbeit fort, bis zu diesem ersten Herbst in den Tuilerien, nachher in der Bibliothek des Institut National, wo er bis sieben Uhr abends studierte und seine Bücher schrieb; manchmal nahm er sich auch nachmittags Zeit, um seine Verleger und Drucker zu besuchen. Um sieben Uhr aß er gewöhnlich in Gesellschaft von Freunden zu Abend, mit dem Maler Gérard, dem Physiker Arago oder dem Schriftsteller Chateaubriand – allerdings selten in einem Restaurant oder Hotel. Er blieb jedoch nach dem Essen niemals länger als eine halbe Stunde sitzen, und den Rest des Abends verbrachte er in Gesellschaften und ging von Salon zu Salon. Er besuchte jeden Abend mindestens fünf Empfänge und berichtete – natürlich mit Variationen –

über dieselben Ereignisse. Meist stand er nach einer halben Stunde wieder auf, verbeugte sich, zog sich mit irgendjemandem zu einem kurzen, flüsternd geführten Gespräch in eine Nische zurück und empfahl sich dann auf französisch. Sein Wagen, wenn er sich einen leisten konnte, pflegte unten zu warten. Mit Ausnahme der seltenen Momente, in denen er sich in einer persönlichen Krise befand, führte er ein sehr geselliges Leben, und seine Besuche in den Häusern der Reichen und Berühmten waren sehr beliebt. Er war ein guter Gesellschafter und ein großartiger Geschichtenerzähler. Er machte gerne Scherze, gewöhnlich auf seine eigenen Kosten – manchmal aber auch auf die anderer Leute. Von den Geheimlehren der Wissenschaft bis zum allerletzten Klatsch schien er alles zu wissen. Neben allem andern besaß er das, was heute im Schaugeschäft als ›Starqualität‹ bezeichnet wird.

Dennoch zeigte Humboldt in Gesellschaft auch negative Seiten. Einmal konnte er sehr sarkastisch sein, zum anderen außerordentlich laut. Eines Abends, bei einem Empfang, auf dem er die Gesellschaft mit seinen sarkastischen Bemerkungen über Gäste, die gerade den Raum verlassen hatten, bei Laune gehalten hatte, sah man eine elegante junge Frau aufstehen und sich zum Gehen anschicken. Doch dann überlegte sie es sich und setzte sich äußerst unwillig wieder hin. Als die Gastgeberin sie fragte, warum sie so erregt sei, erwiderte die junge Dame mit bewundernswerter Grobheit: »Oh, ich werde niemals gehen, solange dieser Herr hier ist«, dabei zeigte sie auf Humboldt, »ich möchte nicht, daß er über mich redet.« Und wie laut Humboldt sein konnte, das wußte Sir Charles Halle, Pianist, Gründer und Leiter des Halle-Orchesters zu berichten. Sein Pech war, Musiker zu sein, und er beschreibt seinen Zusammenstoß mit Humboldt, der einige Jahre später stattfand:

Wenn auf der Einladung stand, »Humboldt wird anwesend sein«, waren die Räume natürlich überfüllt und er der Anziehungspunkt, auf den alle blickten. Wo er auch stand, versammelte sich eine Menge eifriger Zuhörer um ihn, alle stumm und voller Ergebenheit. Er versuchte nie, eine echte Unterhaltung zu führen oder zu lenken, er

sprach immer allein; er hielt Reden über dieses oder jenes und be-
mühte sich niemals, die Meinung eines anderen zu hören. Ich wurde
einmal gebeten, für ihn zu spielen, und ich betrachtete diese Einla-
dung als ein Ereignis in meinem Leben. Vorübergehend herrschte
Ruhe in den Räumen, aber in dem Augenblick, als ich zu spielen be-
gann, fing Humboldt an, über ein neues und augenscheinlich interes-
santes Thema zu sprechen. Seine Stimme hob sich mit jedem meiner
Crescendos, übertönte meine mächtigen Forte und nahm nur bei mei-
nen zartesten Phrasen ihre normale Höhe an. Es war ein Duett, das
ich nicht lange aushielt.

Wenn Humboldt nachts den letzten Salon verlassen hatte,
kehrte er noch einmal für zwei oder mehr Stunden in seine
eigene Wohnung zurück, um zu arbeiten. Seine Unterkünfte in
Paris waren für einen Mann seiner Stellung äußerst bescheiden,
selbst nach 1810, als sein Vermögen in Polen frei wurde und er
wohlhabend genug war, um aus der Schlafkammer im Polytechnikum auszuziehen. Es dauerte einige Zeit, bis er sich
einen Diener hielt und einen eigenen Wagen besaß. Er wech-
selte seine Wohnungen ziemlich häufig, aber vom Institut National zog er nie sehr weit weg, weil er dort eifrig bei allen
Sitzungen anwesend war. Ein oder zwei Jahre lang bewohnte
er mit Gay-Lussac ein Appartement in der Rue de l'Estrapade;
und seine späteren Briefe tragen Adressen, die im oder rund
um das Studentenviertel liegen. Er selbst führte fast das Leben
eines Studenten. Neben einem winzigen Schlafzimmer besaß
er meistens ein Arbeitszimmer, einen sehr einfach eingerichte-
ten Raum, der ein paar Bücher, einige Holzstühle mit Rohr-
geflechtsitzen und einen großen Fichtenholztisch enthielt, der
geradezu als Schreibtafel diente. Es ist wahrscheinlich sein
wichtigster Besitz gewesen, denn hier machte er seine Berechnungen und arbeitete an seinen Büchern. Wenn das Holz mit
Formeln bedeckt und kein Platz mehr war, bestellte er einen
Schreiner und ließ alles weghobeln.

An diesem Tisch erledigte er auch seine ungeheure Korrespondenz. In einer Welt ohne Telephon war das Briefeschrei-
ben ohnehin eine notwendige Alltäglichkeit; aber selbst für

dic damalige Zeit war seine Leistung gewaltig. Er schrieb jährlich zwischen ein- und zweitausend Briefe, oft sehr ausführliche und immer mit eigener Hand. Er weigerte sich, sie einem
Sekretär zu diktieren, weil er fürchtete, den persönlichen Kontakt zu verlieren. Diese Arbeit wurde nicht gerade erleichtert
dadurch, daß sein rechter Arm ständig von Rheumatismus geschwächt war, den er sich bei den Strapazen am Orinoko geholt hatte. Darum mußte er seinen rechten Arm stets mit der
linken Hand hochheben, wenn er jemandem die Hand geben
oder zu schreiben anfangen wollte. Dies trug natürlich wenig
zur Leserlichkeit seines entsetzlichen Gekritzels – »meine Hie-
roglyphen« – bei. Nur jemand, der mit seiner Handschrift sehr
vertraut war, konnte seine Briefe mit den dünnen Buchstaben,
engen Zwischenräumen und krummen Zeilen und Klecksen
entziffern; und um alles noch schwieriger zu machen, pflegte
er die Ränder mit Kommentaren vollzustopfen, so daß ein Le-
ser die entzifferten Teile ausstreichen mußte, wenn er weiterkommen wollte.

Obwohl Humboldt einen großen Bekanntenkreis besaß,
wurde er als Junggeselle ohne normale gefühlsmäßige Bindungen, sogar ohne ein Heim im üblichen Sinn des Wortes,
immer abhängiger von engen Freundschaften mit anderen
Männern. Es ist klar, daß diese Freundschaften mittlerweile
keine ausgesprochen sexuelle Unterströmungen mehr hatten;
trotzdem waren sie mehr oder weniger intensiv, und es gab
Zwistigkeiten und Versöhnungen wie bei jeder Liebesbezie-
hung. Zunächst spielte Gay-Lussac in Paris in Humboldts Leben die Rolle des Menschen, auf den er seine Gefühle einstellte.
Doch nach ein oder zwei Jahren wurde er durch jene Person ersetzt, die vor allen anderen die zentrale Leidenschaft, die
Schlüsselverbindung in Humboldts Leben bleiben sollte und
zwar für das nächste halbe Jahrhundert.

François Arago war ein begabter sechsundzwanzigjähriger
Astronom, 15 Jahre jünger als Humboldt, als sich die beiden
Männer 1809 zum ersten Mal in Paris trafen. Ein französischer
Katalane, in der Nähe von Perpignan geboren, hatte er sich sei-

ne Kenntnisse in der Mathematik selbst erworben und wurde schon als sehr junger Mann Direktor des Pariser Observatoriums und später ständiger Sekretär des Institut National. 1806 hatte er bei der Erweiterung der Meridianmessungen von Frankreich nach Spanien und den Balearen geholfen, und als zwischen Frankreich und Spanien Krieg ausbrach, wurde er in ein spanisches Gefängnis geworfen. Zwei Jahre lang hungerte er in einem Kerker, bevor er für ein weiteres Jahr in ein Konzentrationslager nach Algerien überführt wurde. Während dieser ganzen schlimmen Zeit hatte er sich nur darum gesorgt, seine Notizen und Messungen für die Nachwelt und für Frankreich zu retten. Seine Papiere verließen nie ihr Versteck unter seinem Hemd, bis er sie den französischen Bevollmächtigten übergeben konnte, als er endlich nach Marseille zurückgeschickt wurde. Die Berichte von seinem Mut und seiner Kühnheit veranlaßten Humboldt, ihm einen Glückwunsch ins Quarantäne-Krankenhaus zu schicken. Es war der erste Brief, den Arago in Frankreich erhielt; und als er schließlich in Paris ankam, war seine erste Unternehmung, Humboldt zu besuchen und ihm für seine Freundlichkeit zu danken. So begann ihre lebenslange Freundschaft, die erst mit Aragos Tod endete.

Von nun an sah Humboldt Arago mindestens täglich und arbeitete regelmäßig mit ihm an Experimenten im Observatorium in der Rue St. Jaques. In seinen Augen war Arago ein Genie; er erkannte dessen geistige Überlegenheit ohne Zögern an. Beide Männer hatten viel Gemeinsames. Vor allem verband sie ihre freiheitliche politische Gesinnung, ihre soziale Anteilnahme und ihr starker Unabhängigkeitssinn. Doch in dieser Periode der Reaktion in Europa war Arago der nachdrücklichere und mutigere von beiden, wenn es darum ging, seine zunehmend ketzerischen Ansichten zu verteidigen; er war weniger zu Kompromissen bereit und stellte seine Prinzipien stets über seine persönlichen Beziehungen. Vielleicht war es seine Stärke, vielleicht seine Güte, die Humboldt so lange Zeit anzog. Was es auch immer war, es scheint Humboldt in eine merkwürdig untertänige, fast weibliche Rolle versetzt zu haben, er war immer auf gerührte Art dankbar, wenn er einen kurzen Brief von seinem Freund erhielt oder ihn nach einer Trennung wiedersah. Arago hing sehr an seiner Familie. Infolgedessen konnte er Humboldts Neigung nur in geringem Maße erwidern. Letzten Endes mußte sich Humboldt mit Brosamen abfinden, Brosamen, die – pathetisch ausgedrückt – in späteren Jahren die Hauptnahrung seines Privatlebens wurden.

Humboldts treue Ergebenheit seinem Freund gegenüber schloß jedoch Verbindungen mit anderen nicht aus. Er hatte eine warmherzige, impulsive Art, Freundschaften zu schließen, besonders mit jungen, gutaussehenden und hilfsbedürftigen Männern. So entstand zwischen 1812 und 1814 eine enge Bindung zu einem mittellosen dreiundzwanzigjährigen Künstler namens Karl von Steuben. Er war »ein sanfter, hübscher Mensch«, von »stillem, edlem und tiefem Gemüte«. Er wohnte in Gérards Studio und unterstützte seine alte Mutter, die in St. Petersburg lebte, mit dem, was er durch Malen zusammenkratzen konnte. Obwohl Humboldt es sich kaum leisten konnte, beauftragte er Steuben, von ihm ein lebensgroßes, neun Fuß hohes Porträt vor einer südamerikanischen Szenerie anzufertigen. Es war als Geschenk für Caroline gedacht. In den nächsten anderthalb Jahren traf er ihn fast täglich in dessen Studio und verbrachte so viel Zeit mit ihm beim Malen und Zeichnen, daß sich seine Freunde in der Pariser Gesellschaft schon wunderten, wo er nur bliebe. »Dieser Umgang ist für mich die einzige Freude«, gestand er Caroline. Als Wilhelm 1814 Paris besuchte, meinte er, Steuben sei »wirklich ein sehr hübscher und liebenswürdiger Mensch, spricht aber so gut als gar kein Deutsch«. Was das Porträt betrifft, so äußerte Alexander: »Ich kann nicht behaupten, von der Ähnlichkeit wirklich beeindruckt gewesen zu sein, auch aus aller Nähe betrachtet, ist sie kaum wahrnehmbar.« Um die Wahrheit zu sagen, Steuben war kein großer oder besonders erfolgreicher Künstler. 1818 und sogar 1837 noch warb Humboldt um Aufträge für ihn und bedauerte sehr, daß die anderen Künstler kaum Notiz von ihm nahmen. Danach taucht Steuben in der Dunkelheit unter.

Während seiner Pariser Zeit lernte Humboldt sehr viele Damen kennen, ihre Namen lesen sich wie eine Anrufung der ›grand monde‹ des Kaiserreiches: Marquise de Prie, die Tochter von Madame de Staël, Comtesse de Broglie, Comtesse von Goltz, Comtesse de Duras, Madame Recamier, Comtesse de Mouchy, Marquise de Montcalm, die Schwester von Graf Richelieu, und so weiter. Es ist zweifelhaft, ob er sich bemüht hat, eine von ihnen wirklich näher kennenzulernen. Ein Mann seines Rufes und von so gutem Aussehen wäre sicher ein hervorragender Fang gewesen. Doch es gelang ihm, sich all den Raubkatzen zu entziehen, die sich in den modischen Salons auf der Jagd nach Beute an ihn heranpirschten – wie etwa Lady Randall und die Herzogin von Devonshire, die »Leopardinnen aus Albion«–, und sich seine Unabhängigkeit und wahrscheinlich auch seine Jungfräulichkeit zu bewahren. 1814 fertigte er in Gérards Studio ein in Kreide gezeichnetes Selbstporträt vor einem Spiegel an. Das Porträt zeigt einen feinsinnigen Mann in der Blüte seiner Jahre (er war 45, aber er sah mindestens 10 Jahre jünger aus, wie auf all seinen Porträts), mit zerzaustem Haar, einem Gesicht voller Vitalität, einem sinnlichen Mund und großen, wachsamen Augen. Wie konnte ein so attraktiver, reifer Mann nur so völlig unbeteiligt bleiben, wenn nicht aus reiner Gleichgültigkeit? Trotz allem war er bei den Damen sehr beliebt, sogar Caroline liebte ihn. »Man kann ihn nicht beschreiben«, erzählte sie 1811 nach einer kurzen Begegnung. »Er ist ein solches Composé von Liebenswürdigkeit, Eitelkeit, weichem Sinn, Kälte und Wärme, wie mir noch nie ein zweites vorgekommen ist.« Ende 1812 ging das Gerücht, er habe einen Heiratsantrag eines gewissen Fräulein R. aus Deutschland erhalten, den er mit der Begründung abgelehnt habe, er sei bereits mit der Wissenschaft verheiratet und betrachte es als Sünde, Kinder in die Welt zu setzen. Auch sonst gibt es keinen Anhaltspunkt dafür, daß Humboldt jemals in seinem Leben eine Heirat in Betracht gezogen hat. Und nur ein kleines Anzeichen spricht dafür, daß er je eine engere Beziehung mit einer Frau hatte, die nicht nur aus Pflichtgefühl und Höflichkeit bestand. Diese Frau war eine gewisse Pauline Wiesel (geborene César), und als Beweis liegt ein einziger Brief vor, aus dem man entnehmen kann, was immer einem beliebt.

Paris, 1. 2. 1808

Ich schrieb Ihnen einmal von Frankfurt am Main aus, zweimal von Paris. Ihr Stillschweigen, teure Pauline, macht mich fürchten, daß ein böser Geist Ihnen meine Briefe vorenthält. Meine Freuden wie meine Leiden wissen Sie . . . Ich hätte ahnen können, daß es einem nicht lange so gut sein könnte. Auch wurde bald alles gestört. Ich umarme Sie innigst. Um mich her ist alles wüst und leer. Ich ginge 12 Stunden zu Fuß, um Sie zu sehen. Wir sind uns ewig nahe. Sie kennen mich. Schreiben Sie mir bald.

Wie tief die Gefühle waren, die in diesem Brief zum Ausdruck zu kommen scheinen, werden wir niemals erfahren. Doch Humboldts Angst, es könnte jemand seine Briefe an Pauline abfangen, war absolut begründet. Denn von 1807 an stand er fortgesetzt unter der Beobachtung der französischen Geheimpolizei, aus deren Akten der obenstehende Brief tatsächlich entnommen wurde. Viele Jahre hindurch wurde Humboldts Post regelmäßig geöffnet und kopiert – besonders seine Post nach oder aus feindlichen oder besetzten Städten wie Berlin, Wien und London. Selbst sein Diener wurde dazu bestochen, als Geheimagent zu agieren und alle undurchsichtigen Stellen in der Korrespondenz seines Herrn zu erläutern. Immer wenn sich Humboldt außerhalb der Stadt befand, drang die Geheimpolizei in seine Wohnung ein, durchwühlte seinen Schreibtisch und kopierte seine Schriftstücke; und damals – vor der Erfindung der Kleinbildkamera – benötigten sie dazu einen Angestellten mit einem Federkiel. Es gab zwei Gründe für die Überwachung: Einmal mißtraute man ihm, weil er als Deutscher in Frankreich lebte, und zum anderen spiegelten sich in seinen Briefen mehr oder weniger genau die aktuellen politischen Ansichten der Pariser Salons und deren unterschiedlicher Besucher wider. Humboldt scheint das bald bemerkt zu haben, weil er damit begann, seine Pariser Post zu verschlüsseln. Es muß für ihn eine gewaltsame Mahnung gewesen sein, die ihm zeigte, wie unsicher seine Stellung als Ausländer in dieser fremden Hauptstadt war, vor allem angesichts des unerbittlichen Mißtrauens, das Napoleon ihm gegenüber hegte.

Humboldt hatte alles getan, um die Angelegenheit mit Napoleon zu bereinigen. Sofort nach seiner Rückkehr nach Paris, 1808, hatte er dem Kaiser einen überlegten, diplomatisch abgefaßten Brief übersandt, worin er ihm seine wissenschaftlichen Absichten in der Stadt darlegte; außerdem fügte er eine Abschrift seines ›Essai sur la géographie des plantes‹ und ›Géographie des plantes équinoxiales‹ bei und kündigte weitere literarische Geschenke an. Doch weder seine Höflichkeit noch seine Schmeichelei scheinen Napoleon beeindruckt zu haben. Der Kaiser blieb bei seiner Überzeugung, Humboldt sei ein Spion – immerhin war er auch noch Kammerherr des Königs von Preußen! Im Jahre 1810, vom umstürzlerischen Inhalt der Briefe Humboldts überzeugt, befahl Napoleon seinem Polizeichef Savary, Humboldt 24 Stunden Zeit zum Verlassen der Stadt zu geben. Humboldt erhielt diesen Befehl zugestellt und wandte sich sofort an seinen französischen Freund, den Chemiker und Staatsminister Chaptal, mit der dringenden Bitte zu intervenieren. Noch am selben Abend ging Chaptal in die Tuilerien und überzeugte Napoleon von Humboldts Lauterkeit und wissenschaftlicher Bedeutung. »Aber widmet er denn seine Zeit nicht der Politik?« fragte Napoleon. »Nein«, erwiderte Chaptal, »ich hörte ihn nie über etwas anderes als die Wissenschaften reden.« Diese Antwort war weder unwahr noch wahr – doch für den Augenblick gab sich Napoleon damit zufrieden.

Humboldts Position in Paris blieb immer außerordentlich delikat. Einerseits mißtrauten ihm die französischen Behörden, andererseits feindeten ihn die deutschen Patrioten an. Beide übten Druck auf ihn, Paris zu verlassen: Doch beiden zeigte er mit zunehmendem Nachdruck, daß er bleiben würde. Das verlangte eine ständige Wachsamkeit, und jeder Schritt mußte überlegt werden. Die Zeitungen stellten eine dauernde Gefahr für seine Sicherheit dar. Nun, da er in der Öffentlichkeit eine berühmte Persönlichkeit geworden war, schärften die Schreiber der Klatschspalten ihre Federn, und Gerüchte fanden bei der Presse großen Anklang.

Manchmal handelte es sich dabei um ganz harmlose Unwahrheiten. »Aus Frankfurt wird berichtet«, schrieb ein hartgesottener Journalist, »daß A. von Humboldt, der bekannte Weltreisende, beabsichtigt, Preußen zu verlassen und sich in Bayern anzusiedeln. Er hat 12 Meilen von München entfernt ein Kloster gekauft«. Bei anderen Gelegenheiten jedoch konnten Zeitungsberichte Humboldts Spitzenstellung in Frankreich geradezu bedrohen. So teilte die Presse einmal mit, Humboldt befände sich auf dem Weg nach Weimar zu Madame de Staël und Friedrich Schlegel, die beide Erzfeinde von Napoleon waren. Humboldt ging sofort energisch dagegen vor und veranlaßte das ›Journal de l'Empire‹, sofort einen Widerruf zu drucken.

Bezeichnend war für Humboldts diplomatisches Geschick und seinen Instinkt, politisch zu überleben, daß er sich fast ein Vierteljahrhundert in der französischen Hauptstadt aufhalten konnte und sie schließlich völlig freiwillig verließ. Er blieb lange genug, um den Druck seiner Veröffentlichungen über Südamerika zu überwachen. Und nach Abschluß dieser Arbeit war er beinahe 60 Jahre alt.

SECHZEHNTES KAPITEL

Das Südamerika-Werk

Das Südamerika-Werk Alexander von Humboldts ›Voyage aux régions équinoxiales du Nouveau Continent fait en 1799, 1800, 1801, 1802, 1803 et 1804 par Alexandre de Humboldt et Aimé Bonpland‹ stellt ein Denkmal seiner Energie, seiner Zähigkeit und des Ausmaßes seiner Phantasie dar. Es umfaßt nicht weniger als 30 Foliobände, die er in einem Zeitraum von 30 Jahren herausgab: Der erste Band ›Essai sur la géographie des plantes‹ erschien 1805 in Paris, als Humboldt 36 Jahre alt war. Der letzte Band kam 1834 heraus, als er 65 war und seine Rückkehr aus Südamerika bereits 30 Jahre zurücklag. Es ist das größte Projekt dieser Art gewesen, das je von einer Privatperson unternommen wurde, und da er es zum großen Teil auf eigene Kosten herausgab, verursachte es letztlich seinen finanziellen Ruin.

Bereits 1801, als Humboldt sich noch in Cuba aufhielt, hatte er ein Schema ausgearbeitet, nach dem er die Ergebnisse seiner Expedition publizieren wollte. Und kurz nach seiner Rückkehr nach Europa plante er, 11 verschiedene Werke herauszugeben, die alle unter den gemeinsamen Namen Humboldt und Bonpland erscheinen sollten. Zu Anfang hatte er nicht geahnt, daß dies eine so zeitverschlingende Arbeit werden würde, wie es sich dann herausstellte. 1805 schrieb er an Pictet: »Mit der Aktivität, die Sie ja von mir kennen, glaube ich, das Ganze in ein paar Jahren, oder zumindest in zwei bis zweieinhalb Jahren geschafft zu haben. Denn ich sehne mich danach, entleert zu sein, um danach um so besser zu dinieren.« Doch er sollte viele Enttäuschungen und Rückschläge erleiden. Und jedesmal, wenn seine Pläne für eine zweite, große Expedition in die Brüche gingen, wandte er sich wieder seinem südamerikanischen Werk zu, veränderte und erweiterte es, bis es schließlich seinen endgültigen, kolossalen Umfang erreichte.

Flüchtig betrachtet, zerfällt das Werk in drei Hauptkategorien. Die erste besteht aus den wissenschaftlichen Ergebnissen – den botanischen, zoologischen, geologischen, astronomischen und meteorologischen Angaben – einschließlich zweier Atlanten. Die zweite enthält die geographischen und ökonomischen Abhandlungen über Cuba und Mexiko. Die dritte Kategorie ist dem großen Publikum am besten bekannt; sie besteht aus einer unvollendeten Reisebeschreibung ›Relation historique du Voyage aux régions équinoxiales du Nouveau Continent‹ und den ›Vues des Cordillères‹, einer sonderbaren Mischung aus Beschreibungen und Illustrationen von Bergansichten und aztekischer Kunst sowie einer fünfbändigen Geschichte der Entdeckung Amerikas: ›Examen Critique‹. Die Bücher der letzten Kategorie wurden ausschließlich von Humboldt selbst in französischer Sprache geschrieben. Diejenigen der ersten Kategorie waren das Ergebnis einer Zusammenarbeit mit einer Anzahl von Fachleuten der verschiedenen Gebiete: Oltmanns machte die astronomischen und geographischen Berechnungen, Cuvier, Latreille und Valenciennes arbeiteten zusammen beim zoologischen Teil und der vergleichenden Anatomie, und Carl Sigismund Kunth, ein Neffe von Humboldts früherem Hauslehrer, schrieb den größten Teil der botanischen Bände, anstelle von Aimé Bonpland, dessen Fähigkeiten sich in dieser Richtung bald als höchst unbefriedigend erwiesen.

Die Geschichte des Beitrags von Bonpland zu diesem großen Werk, das seinen Namen trägt, ist ziemlich betrüblich – wie überhaupt die ganze Geschichte seines weiteren, sehr langen Lebens eine bedrückende Lektüre ist. Als er 1804 mit Humboldt nach Europa zurückkehrte, wurde er zunächst mit der Aufgabe betraut, alles Pflanzenmaterial der Expedition zu klassifizieren und zu veröffentlichen – insgesamt ungefähr 60 000 Exemplare von etwa 6000 Arten, von denen mehr als 3000 für die Wissenschaft neu waren.

Doch zu Humboldts Bestürzung stellte sich heraus, daß der Mann, der sich als so gewissenhafter und unermüdlicher Pflanzensammler auf der Expedition erwiesen hatte, untauglich zur Auswertung der wissenschaftlichen Ergebnisse und unfähig zur Zusammenarbeit war. Entweder lag es daran, daß dieser Auftrag seinem Frischluft-Temperament nicht entsprach, oder, weil er fühlte, daß er über seine Fähigkeiten ging, vielleicht auch beides. Bonpland hielt Humboldt ständig hin und erfand Ausflüchte, und im September 1810 mußte Humboldt ihm, da seine Geduld am Ende war, einen eindeutigen Beschwerdebrief schreiben.

Du hast mir kein Wort über die Botanik geschrieben. Ich bitte Dich daher inständig, beharrlich bis zum Schluß weiterzuarbeiten, denn seit der Abreise von Madame Gauvin habe ich nur eine halbe Manuskriptseite erhalten. Ich bin absolut entschlossen, die Ergebnisse unserer Expedition nicht verloren gehen zu lassen. Und wenn es in einem Zeitraum von acht Monaten nicht möglich ist, mehr als zehn Bildtafeln zu produzieren – was jeder europäische Botaniker im Verlauf von 14 Tagen fertigbrächte – besteht kaum Hoffnung, den Abschluß des 2. Bandes der ›Plantes équinoxiales‹ vor Ablauf von drei Jahren zu erwarten . . . Ich bitte Dich daher wieder, mein lieber Bonpland, Dich bis zur Beendigung mit dieser Arbeit zu befassen. Es ist ein außerordentlich wichtiges Objekt, nicht allein im Interesse der Wissenschaft, sondern auch für Dein eigenes moralisches Ansehen und wegen der Erfüllung des Vertrages, den Du mit mir 1798 geschlossen hast. So bitte ich Dich sehr, uns ein Manuskript zu senden . . .

Bei den 17 Bänden über die südamerikanische Pflanzenwelt, die letzten Endes veröffentlicht wurden, zeichnete Bonpland nur für 4 Bände verantwortlich. Und selbst diese wurden ernsthaft kritisiert, weil sie viele große Klassifikationsfehler enthielten. Die restlichen Bände, vor allem auch das umfassende siebenbändige Werk ›Nova genera et species plantarum‹, mit seinen 700 Stichen und den lateinischen Einteilungen, war das Werk von Kunth. Humboldt muß tatsächlich sehr erleichtert gewesen sein, als Bonpland 1816 nach Südamerika zurückkehrte und jedes weitere Interesse an den Veröffentlichungen aufgab. Und hier sollten wir für einen Augenblick abschweifen, um den weiteren, unglaublich bizarren Lebenslauf dieses Mannes zu verfolgen.

Kurz nach seiner Rückkehr aus Südamerika war Bonpland zum Verwalter der Gärten von Kaiserin Josephine ernannt worden, die sich nach Malmaison außerhalb von Paris zurückgezogen hatte. Hier verbrachte er wahrscheinlich die glücklichsten Jahre seines Lebens und schuf einen der schönsten Blumengärten der Welt. Nach Napoleons Scheidung von Josephine wurde Bonpland der Vertraute der Kaiserin; er war ihr sehr ergeben und stand an ihrer Seite, als sie im Mai 1814 starb. Doch nach ihrem Tod verlor er jedes Interesse an seiner Arbeit in Malmaison und geriet zusehends in Unrast. Er schloß eine unglückselige Ehe mit einer vierundzwanzigjährigen Französin von zweifelhaftem Ruf und war glücklich, 1816 Europa den Rücken kehren zu können und zu einer zweiten Pflanzen-Expedition nach Südamerika zu segeln. Argentinien war erst kürzlich eine unabhängige Republik geworden, und man ernannte ihn in Buenos Aires zum Professor der Naturwissenschaften. Vier Jahre später unternahm er eine Forschungsreise, die ihn nach Gran Chaco und Bolivien führen sollte. Er kam jedoch gerade bis zum Paraquay-Fluß, als das Unglück geschah. Das Gebiet, das er betreten hatte, stellte das Objekt eines Grenzstreites zwischen Argentinien und Paraguay dar, in dem damals ein gewalttätiger und wahnwitziger Diktator, Dr. Francia, regierte. In der Nacht des 3. Dezember 1821 überfiel eine Reitergruppe auf Befehl Francias das Lager von Bonpland. Sie töteten alle seine Diener, verwundeten ihn durch einen Säbelhieb auf den Kopf und legten ihn in Ketten. In diesem Zustand wurde er auf eine entlegene Ansiedlung im Inneren Paraguays verschleppt. In der Nähe von Santa Maria hielt man ihn in offenem Gewahrsam und beschäftigte ihn als Garnisonsarzt.

Sobald Humboldt von der Gefangennahme seines Freundes erfuhr, schrieb er direkt an Francia und bat, unterstützt von dem britischen Premierminister Canning und von Chateaubriand, um die Entlassung Bonplands. Doch seine Anstrengungen blieben vergeblich. Es dauerte volle neun Jahre, bis Bonpland 1830 endlich freigelassen wurde. Überhäuft mit Medaillen, Doktor- und Ehrendiplomen aus Europa, ließ er sich in der Nähe der kleinen Stadt Santa Borja, nicht weit von der brasilianischen Grenze, nieder. Dort verbrachte er die restlichen Jahre seines Lebens unter außerordentlich primitiven Bedingungen, im Kreise seiner Mischlingskinder, die aus seiner Verbindung mit einer eingeborenen Indianerin stammten, denn seine Ehefrau hatte ihn sehr bald nach der Gefangennahme verlassen. Er lebte in einer einsamen Lehmhütte in den Pampas, schlief auf der Erde und gewöhnte sich den Gebrauch von Messer und Gabel ab. Jedes Jahr übersandte er Humboldt sein Pensions-Zertifikat, so daß Humboldt ihm die jährlichen 3000 Francs, die ihm 1805 von der französischen Regierung garantiert worden waren, überweisen konnte. Von Zeit zu Zeit, wenn er sich nach einem zivilisierteren Leben sehnte, spielte er mit dem Gedanken, nach Paris zurückzukehren. Doch er bangte davor, seine Freiheit und seine Plantagen mit Orangen, Pfirsichen, Feigen und Rosen aufzugeben – »die Gesellschaft meiner teuren Pflanzen« –, um sie gegen ein Dachstübchen in der Stadt und eine einzelne Rose in einem Blumentopf auf einem Fensterbrett einzutauschen. So blieb er. Im Mai 1858 starb er im Alter von 85 Jahren, unbetrauert und unbesungen, doch bis zum letzten Atemzug das Leben liebend. Selbst als er schon tot war, scheint ihn das Unglück noch verfolgt zu haben. Ein betrunkener Bauer nahm Anstoß daran, daß der einbalsamierte Leichnam seinen Gruß nicht erwiderte und durchbohrte ihn mit einem Dolch.

Obwohl sein Briefwechsel mit Humboldt während seiner letzten Jahre freundschaftlich und loyal wie immer geblieben war, nahm Bonpland doch ein gewisses Neidgefühl über den Erfolg seines Freundes mit ins Grab. Er fand, verständlicherweise, daß dieser Erfolg bis zu einem gewissen Grad auch sein Verdienst war. Das also war das bemerkenswerte Leben des

Mannes, der einen so wenig bemerkenswerten Beitrag zu den von Humboldt und Bonpland veröffentlichten Werken leistete.

Innerhalb der rein wissenschaftlichen Kategorie des Südamerika-Werkes gibt es einen Band über die Geologie und Klimatologie von Südamerika, der von Humboldt persönlich stammt. Es war ein Band im Quartformat, dessen deutsche Ausgabe, ›Ideen zu einer Geographie der Pflanzen‹, Humboldt seinem alten Freund Goethe widmete. Diese bedeutende Monographie enthält eine Fülle damals neuer Ideen, vorab das Konzept einer Pflanzengeographie, das heißt der Veränderung der Pflanzenwelt in Typus und Struktur entsprechend dem Klima, in welchem sie wächst. Humboldt war dies bei seinen Besteigungen des Chimborazo und Pichincha eindrucksvoll und überzeugend vor Augen getreten. Denn die in der Nähe des Äquators aufragenden hohen Vulkane umfaßten innerhalb eines senkrechten Zwischenraumes von wenigen Meilen praktisch alle Klimazonen der Welt. Eine entsprechend breite Skala wies auch ihre Vegetation auf. Sie reichte vom tropischen Typ in der Ebene über den gemäßigten Typ auf halber Höhe bis zum nahezu arktischen Typ am Gipfel. Später stellte Humboldt diese Verteilung graphisch in seinen neuartigen Pflanzenprofilen des Chimborazo dar, die in seinem Südamerika-Atlas reproduziert wurden. Der Vater von Georg Forster war der erste gewesen, der auf seiner Reise mit Kapitän Cook viele Jahre zuvor Ansätze zu derartigen Erkundungen gemacht hatte. Humboldt aber schuf mit seiner systematischen tabellarischen Darstellung botanischer, meteorologischer und geographischer Daten die festen Grundlagen der modernen Ökologie.

Großen Einfluß auf die Wissenschaft übte Humboldt durch seine neuartige Methode der graphischen Darstellung, in der er seine Resultate präsentierte. So hat er zum Beispiel alle Punkte von gleicher, mittlerer Temperatur durch Linien auf einer Karte miteinander verbunden und nannte sie ›Isothermal-Linien‹. Er erfand damit eine Methode, durch die man die verschiedenen klimatischen Bedingungen auf der ganzen Welt vergleichen kann. Auch war er ein sehr einfallsreicher Namenspräger: Eine Anzahl technischer Ausdrücke, die allgemein gebräuchlich wurden, hat er erfunden, darunter: ›Isodyname‹ (Verbindungslinien von Orten gleicher magnetischer Intensität) und ›Isokline‹ (Verbindungslinien von Orten gleicher Inklination), außerdem die Begriffe ›Juraformation‹ und ›Magnetischer Sturm‹. Durch seine Untersuchungen in den Gebirgen des tropischen Amerika und seine systematische Klassifizierung und vergleichende Darstellung von auf der ganzen Welt beobachteten Phänomenen schuf Humboldt die Grundlagen der physikalischen Geographie und der Geophysik. Mit der Zeit wurde es klar, daß er wie ein Koloß aus der Entwicklungsgeschichte des geographischen Denkens herausragte, und zusammen mit seinem deutschen Zeitgenossen, Karl Ritter, sah man allmählich in ihm den Vater der modernen Geographie und den führenden Repräsentanten ihrer klassischen Periode.

Die Bände in der zweiten Kategorie des Werks, die ausführliche Abhandlungen über die Geographie und Ökonomie von Cuba (›Essai politique sur l'île de Cuba‹) und Mexiko (›Essai politique sur le royaume de la Nouvelle-Espagne‹) umfaßt, enthalten minuziös detaillierte statistische Beschreibungen dieser beiden Länder in den letzten Jahren der spanischen Kolonialherrschaft. Obzwar das Buch über Cuba wegen seiner Darstellung der barbarischen Sklaverei auf dieser Insel Aufsehen erregte, war es der Band über Mexiko, die erste moderne regionale Wirtschaftsgeographie, der die größten praktischen Wirkungen zeitigte. Humboldt schrieb es hauptsächlich mit dem Vorsatz, die Aufmerksamkeit der europäischen Kapitalisten auf die ungeheuren Mineralquellen von Mexiko zu lenken, besonders auf die Silberminen, die nach seiner Ansicht bei fachmännischer Auswertung enorme Gewinne abwerfen könnten. Das Buch wurde sofort ins Englische übersetzt und war unmittelbar dafür verantwortlich, daß in den Jahren nach der mexikanischen Unabhängigkeitserklärung die mexikanische Bergwerksindustrie unter englische Kontrolle kam. In London wurden verschiedene Gesellschaften gegründet, um die Bergwerke zu kaufen und zu verbessern – eine dieser Gesellschaften bot Humboldt sogar das Amt des Vorsitzenden an, dazu Aktien im Wert von 20 000 Pfund. Er lehnte dieses Angebot jedoch mit der Begründung ab, »er habe eine Abneigung gegen öffentliche Angelegenheiten«. Humboldts äußerst optimistische Ansicht über das Potential der mexikanischen Bergwerke erweckte in London die Vorstellung, daß man dort leicht Geld verdienen könnte. Spekulanten und skrupellose Unternehmer trieben die Aktienpreise zu unsinnigen Höhen hinauf. Sie übersahen die Tatsache, daß viele Minen inzwischen, während der mexikanischen Revolution, unter Wasser gesetzt worden waren und es größter Kapitalaufwendungen bedurfte, um sie wieder in Gang zu bringen. 1830 wurde der Schwindel aufgedeckt, und viele Aktienbesitzer waren ruiniert. Dem »erfinderischen Humboldt«, der stets in gutem Glauben gehandelt hatte, schob die englische Presse wegen seiner »übertriebenen Beurteilung« der ökonomischen Möglichkeiten in Mexiko die Verantwortung dafür zu – ein Angriff, der ihn begreiflicherweise sehr verärgerte.

Von allen Südamerika-Veröffentlichungen konnte jedoch keine das Interesse des Publikums so anhaltend fesseln wie Humboldts persönliche Erzählung: ›Reise in die Äquinoktialgegenden des neuen Kontinents‹. Das Buch kam zunächst zwischen 1814 und 1819 in Paris in drei Bänden heraus, dann 1825 in London in einer fünfbändigen englischen Übersetzung. Es wird auch noch heute gelegentlich von Enthusiasten der Entdeckungsliteratur gelesen. Vielleicht ist es sein einziges Buch, das heute noch von praktischem Nutzen für den Reisenden ist, weil es eine der wenigen, zuverlässigen Beschreibungen der unveränderten Gebiete am oberen Orinoko enthält. Leider blieb ›Die Reise in die Äquinoktialgegenden‹ unvollendet, trotzdem Humboldt so lange Jahre an seinen Südamerika-Werken gearbeitet hat; sie endet mit seiner Ankunft in Cartagena in Columbien im März 1801. Humboldt hatte immer die Absicht, einen vierten Band mit einem Bericht über die restlichen drei Jahre seiner Expedition zu schreiben, speziell über seinen Jahresmarsch an den Cordilleren entlang. Tatsächlich war das Manuskript fast vollendet, als er plötzlich beschloß, es zu vernichten. Zu seiner und seines Biographen ewiger Enttäuschung sollte die Nachwelt nur mit dem zu tun haben, was vorhanden ist – einem langen und seltsamen Fragment von mehr als 1200 Seiten.

Als erstes sollte über ›Die Reise in die Äquinoktialgegenden‹ gesagt werden, daß der Bericht weder rein persönlich noch rein erzählend ist. Von Anfang an hat Humboldt eine bloße ›conte de voyage‹, eine Reiseerzählung abgelehnt und in dieser Hinsicht seiner zeitgenössischen Leserschaft einen sehr schlechten Dienst erwiesen. Bereits 1805 sagte er zu Pictet, er neige mehr dazu, »die Natur im großen zu malen, als seine eignen Abenteuer zu erzählen«. Und er fügte an: »Ich glaube, daß dadurch die literarische Scharlatanerie mit etwas Nützlichem verbunden wird.« Was schließlich daraus wurde, war größtenteils eine klinisch objektive Beschreibung der Naturgegebenheiten, der Menschen und der Geschichte der Tropenwelt von Venezuela. Durch die Erzählung schlängelte sich als roter Faden der mehr oder weniger chronologisch verlaufende Expeditionsbericht. Das Mittelstück bildete die abenteuerliche Fahrt auf dem oberen Orinoko. Das Buch ist das Produkt eines feinfühligen und beeindruckbaren Mannes, der sein Hauptanliegen darin sah, Tatsachen zu vermitteln. Humboldts größte Schwäche als Schriftsteller war seine Unfähigkeit, etwas auszulassen. Und die englischen Rezensenten, die ihm nicht besonders wohlgesinnt waren, begriffen das sofort. »Man könnte von ihm im Zusammenhang mit der Naturwissenschaft dasselbe sagen, was von Barrow im Zusammenhang mit der Theologie gesagt wurde«, schrieb einer von ihnen. »Er beendet niemals ein Thema, bevor er es nicht ausgepumpt hat.« ›Die Reise in die Äquinoktialgegenden‹ war enzyklopädisch, ungeordnet, faszinierend und langweilig zugleich. Arago hat Humboldts literarische Fähigkeiten so kommentiert: »Humboldt, Du verstehst es wirklich nicht, ein Buch zu schreiben.

30 In Bogotá besuchte Humboldt den spanischen Botaniker José Celestino Mutis (1732–1808), einen hervorragenden Kenner der südamerikanischen Flora. Gemälde von Jaquin Maria Fernández.

MUTISIA grandiflora.

31 Die nach Mutis benannte Mutisia grandiflora – eines der schönsten Blätter
aus dem Werk ›Plantes equinoxiales‹ von Humboldt und Bonpland.

32/33 Im Sommer 1804 war Humboldt mehrere Wochen lang Gast des Präsidenten Thomas Jefferson in Washington sowie auf dessen Landsitz Monticello in Virginia, den Jefferson, der als Architekt dilettierte, nach palladianischem Vorbild gebaut hatte. Die Freundschaft beider Männer hatte nachhaltige Wirkungen für das amerikanische Geistesleben.

34/35 Die Gefährten und Kollegen der Pariser Jahre: Links der Chemiker Claude Louis Berthollet (1748–1822), rechts der Physiker und Chemiker Louis Joseph Gay-Lussac (1778–1850).

36 Mittelpunkt der Forschungs- und Vortragstätigkeit Humboldts in Paris war das ehrwürdige Institut de France.

37 Auch im Pariser Observatorium arbeitete Humboldt regelmäßig. Mit dessen Direktor, François Arago, verband ihn lebenslang enge Freundschaft.

ESSAI
SUR LA
GÉOGRAPHIE DES PLANTES;
ACCOMPAGNÉ
D'UN TABLEAU PHYSIQUE
DES RÉGIONS ÉQUINOXIALES,

Fondé sur des mesures exécutées, depuis le dixième degré de latitude boréale
jusqu'au dixième degré de latitude australe, pendant les années 1799, 1800, 1801,
1802 et 1803.

PAR
AL. DE HUMBOLDT ET A. BONPLAND.

RÉDIGÉ PAR AL. DE HUMBOLDT.

A PARIS,
CHEZ LEVRAULT, SCHOELL ET COMPAGNIE, LIBRAIRES
XIII — 1805.

38 Titelblatt des ersten Bandes von Humboldts Reisewerk

39 Der Astronom und Physiker Dominique François Arago (1786–1853)

40 Durch Humboldt gefördert:
Justus von Liebig (1803–1873), der
Begründer der modernen Chemie.

41 Durch gemeinsame Forschung
mit Humboldt verbunden: Leopold
von Buch (1774–1853), einer der
Begründer der modernen Geologie.

43 Das ›gelehrte Berlin‹ der Humboldt-Zeit: 1. Wilhelm von Humboldt,
Staatsmann und Sprachphilosoph, 2. Christoph Wilhelm Hufeland, Arzt,
3. Alexander von Humboldt, 4. Carl Ritter, Geograph, 5. Johann August
Neander, Professor für Kirchengeschichte, 6. Friedrich Ernst Daniel Schleier-
macher, Theologe und Philosoph, 7. Georg Wilhelm Friedrich Hegel, Philosoph.

←

42 Humboldt in einer Vorlesung des Geographen Carl Ritter (1779–1859) der,
an ihn anknüpfend, der modernen Erdkunde ihr historisches Fundament gab.

44 In Petersburg wurde Humboldt während seiner beiden Aufenthalte
zum Mittelpunkt des gesellschaftlichen und geistigen Lebens.
Der Newski-Prospekt im Winter

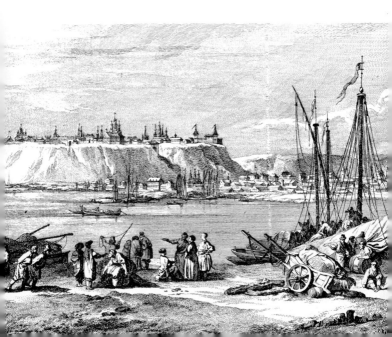

46
Auf Einladung des Zaren
Nikolaus I. unternahm
Humboldt 1829 eine
Reise nach Sibirien,
die hauptsächlich dem
Studium des russischen
Bergbaus galt.

45 Eine Hauptstation auf der Reise zum Altaigebirge war Tobolsk,
»ein Traum meiner Jugend«, wie Humboldt dem Zaren schrieb.

47/48 Als diensttuender Kammerherr war Humboldt von 1827 an Berater, Gesandter und Reisebegleiter der Könige Friedrich Wilhelm III. und Friedrich Wilhelm IV. Der vielseitig interessierte Friedrich Wilhelm IV. (oben von Franz Krüger in seinem Arbeitszimmer in Sanssouci gemalt) ließ ihn der Hofgesellschaft allabendlich Vorlesungen und Vorträge halten (unten).

49 In der Berliner Singakademie hielt Humboldt 1827 und 1828 vor großem Publikum seine berühmt gewordenen ›Kosmos‹-Vorträge.

Kosmos.

Entwurf

einer physischen Weltbeschreibung

von

Alexander von Humboldt.

Erster Band.

Naturae vero rerum vis atque majestas
in omnibus momentis fide caret, si quis
modo partes ejus ac non totam complectatur
animo
Plin. H. N. lib. 7 c 1

Stuttgart und Tübingen.
J. G. Cotta'scher Verlag.
1845.

50/51 Die Arbeit an der Vollendung des ›Kosmos‹ wurde zum Wettlauf mit dem Tod. Links ›Abschied vom Kosmos‹ nach einer Darstellung Kaulbachs. Rechts Titelblatt des ersten ›Kosmos‹-Bandes.

52 Alexander von Humboldt,
zwei Jahre vor seinem Tod.
Lithographie von P. Rohrbach
nach einer Photographie
von S. Friedländer

Du schreibst endlos, doch was dabei herauskommt, ist kein Buch. Es ist ein Porträt ohne Rahmen.«

Trotz allem hat ›Die Reise in die Äquinoktialgegenden‹ auch ihre Vorzüge. Die Persönlichkeit und die ganz besonderen Fähigkeiten ihres Autors sprechen aus vielen Seiten, seine Menschlichkeit, sein Humor, seine unglaubliche Beobachtungskraft und seine Leidenschaft für die Natur in allen Formen. Zu Humboldts Zeit hat es eine Anzahl von begabten, jungen Naturforschern inspiriert, einschließlich Charles Darwin, Louis Agassiz und William James. Alle trugen auf ihren Reisen Humboldts Buch bei sich. Darwin schrieb HMS ›Beagle‹: »Früher habe ich Humboldt bewundert, heute verehre ich ihn fast.« Und als er nach England zurückkehrte, bat er Sir James Hooker, Humboldt wissen zu lassen, »mein ganzer Lebenslauf ist davon beeinflußt, daß ich als junger Mann ›Die Reise in die Äquinoktialgegenden‹ gelesen und wieder gelesen habe.« Hätte man sie nur einer vernünftigen Bearbeitung unterzogen und eine Menge unwesentlicher Passagen daraus entfernt, wäre das Werk vielleicht ein Klassiker seiner Art geworden und ein viel dauerhafteres Denkmal zur Erinnerung an einen bedeutenden Mann, der in Ländern wie England heute schon größtenteils vergessen ist. Was die Lesbarkeit der ›Reise in die Äquinoktialgegenden‹ von Humboldt betrifft, so hält sie kaum einen Vergleich mit den Werken anderer Wissenschaftler aus, die nach ihm Südamerika bereisten – Darwin, Wallace, Bates.

Überblickt man die gesamten Südamerika-Veröffentlichungen, so wird deutlich: Humboldt hat nicht nur die Länge der Zeit unterschätzt, die sie benötigen, sondern auch die Höhe der Summen, die sie kosten würden, denn er war ein recht schlechter Geschäftsmann. Der schwindelerregende Empfang bei seiner Rückkehr nach Europa mag bei ihm übertriebene Vorstellungen vom Ausmaß des öffentlichen Interesses an Werken dieser Art hervorgerufen haben, und er scheint nur einen unklaren Begriff von den enormen Ausgaben gehabt zu haben, die der Druck seiner Bücher erfordern würde. Es gibt keine vollständige Aufstellung über die endgültigen Kosten des ganzen Werkes, doch wir kennen einige Beispiele von den unglaublich hohen Rechnungen, mit denen sich Humboldt abfinden mußte. So kosteten 1200 Seiten in antiken Lettern auf handgeschöpftem Papier 500000 Francs, die Stiche 600000 Francs, die Druck- und Papierkosten für 1300 Folio-Blätter von Kupferstich-Illustrationen beliefen sich auf 240000 Francs – ganz abgesehen von den Honoraren für die Künstler und Graphiker, die seine Geländeskizzen und Pflanzenzeichnungen – insgesamt 1425 schwarze, weiße und farbige Platten – so sorgfältig ausgearbeitet haben. Humboldt verlangte viel von seinen Künstlern und sandte häufig Platten zurück, wenn sie seinen Beifall nicht fanden, auf die Gefahr hin, daß diese mit hohen Unkosten nochmals angefertigt werden mußten.

Den größten Teil dieser erdrückenden Summen mußte Humboldt selbst tragen, denn der Vorschuß der preußischen Regierung belief sich nur auf 24000 Francs. Er mußte sogar auf seine Tantiemen verzichten, damit weitergedruckt werden konnte. Nur wenige öffentliche Institutionen, geschweige denn das allgemeine Publikum, waren imstande, eine komplette Ausgabe zu kaufen. Denn in der gebundenen Ausgabe (es waren 20 Bände in Großfolio und 10 in Großquart) kostete sie 10300 Francs und in der ungebundenen 9574 Francs (2753 preußische Taler), das war der doppelte Preis, den man für die staatlich subventionierte ›Beschreibung von Ägypten‹ bezahlen mußte, die als luxuriöses Nebenprodukt des ägyptischen Feldzuges entstanden war und für die Napoleon 3 Millionen Francs Herstellungskosten garantiert hatte. Nicht einmal Humboldt brachte es fertig, eine Gesamtausgabe seines Werkes zu besitzen. Die Universitäten von Berlin, Breslau, Halle und Bonn erhielten je eine freie Prachtausgabe zum Ausgleich für den preußischen Vorschuß, und die Regierungen von Frankreich, Österreich und Rußland erwarben einige Exemplare für ihre Universitäten und wissenschaftlichen Akademien. Doch im allgemeinen blieb es selbst zu Humboldts Lebzeiten ein seltenes und kostbares Werk, und heute trifft das noch mehr zu.

SIEBZEHNTES KAPITEL

Abschied vom Paradies

Schon vor seiner Rückkehr aus Südamerika war Humboldt entschlossen, eine weitere Forschungsreise zu unternehmen – »die zweite große Aufgabe meines Lebens« – sobald seine laufenden Verpflichtungen erfüllt wären. Seine Gedanken richteten sich auf die große Landmasse Asiens, besonders auf den Himalaja. Um sich für dieses Unternehmen frei zu halten, lehnte er mehrere ihm angebotene bedeutende Ämter ab, unter anderem die Leitung der Sektion für Kultur und Unterricht im Ministerium des Inneren in Berlin sowie der preußischen Botschaft in Paris. Mehr als alles andere im Leben schätzte er wohl seine Unabhängigkeit. »Ich stelle nur geringe Ansprüche«, erklärte er seinem Freund, Baron Rennenkampff, »doch mein starker Wille unterstützt mich dabei, meine geistige Unabhängigkeit zu bewahren. Darum ziehe ich es vor, meine wissenschaftliche Laufbahn zu verfolgen und mich einzig und allein auf meine eignen Mittel zu verlassen.«

Man hätte glauben können, ein Forschungsreisender von seinem Ruf würde ohne Schwierigkeiten eine zweite Expedition ausrüsten können, da ihm jede Tür offenstünde. Aber die Schwierigkeiten, die jetzt auf ihn zukamen, sollten viel größer sein als die, mit denen er sich vor seiner Abreise nach Südamerika auseinanderzusetzen hatte; und diesmal sollten sie ihn fast ganz entmutigen. Zunächst jedoch erschien alles vielversprechend. 1811 lud ihn der russische Finanzminister Romanzov ein, an einer Expedition nach Sibirien, Kaschgar und Tibet teilzunehmen. Humboldt nahm die Einladung begeistert an. Auch wenn er wisse, daß von neun Männern, die die Reise antreten, nur einer zurückkehre, sagte er, würde er trotzdem reisen. »Ich kann kein Wort Russisch, aber ich werde mich zum Russen machen wie ich mich einst zum Spanier gemacht habe. Was immer ich auch tue, ich tue es mit Enthusiasmus...« Er hatte sich bereits von seinem Bruder verabschiedet, Zar Alexander in Preßburg getroffen und diese Expedition, deren Dauer er auf sieben oder acht Jahre schätzte, bereits zur Hälfte vorbereitet, als Napoleon wieder einmal seine Pläne durchkreuzte, indem er in Rußland einfiel. Enttäuscht, aber nicht entmutigt, beschloß Humboldt, eine private Expedition nach Persien und Afghanistan auf eigene Kosten zu unternehmen, und er begann Persisch zu lernen. Er schätzte, daß zwei Drittel seines südamerikanischen Reisewerks schon vollendet wären und er den Rest bis 1814 beenden könnte. Dann würde er endlich frei sein, um die Reise anzutreten. Aber die Niederlage der ›Grande Armée‹ in Rußland, der Ausbruch des organisierten Widerstandes in Deutschland, die Spaltung Europas, mit einem Wort: Die Mischung von Krieg und Politik, hinderten ihn wiederum daran, etwas anderes zu tun, als in Paris auszuharren. Und sogar das setzte ihn unter größeren moralischen Druck als je zuvor – einen Druck, der nicht von den Parisern kam, die ihm nach wie vor mit ausgesuchter Höflichkeit begegneten, sondern der von seinem eigenen Volk und vor allem von seiner eigenen Familie ausging.

Als die russische Armee 1813 durch Polen vorrückte, hatten sich Tausende von Preußen mit Waffen gegen die französischen Besatzungsmächte erhoben, in einer Aufwallung patriotischer Glut, wie sie die Nation seit Generationen nicht mehr gekannt hatte. Wilhelm hatte sich den Vaterlandsfreunden im Hauptquartier der Verbündeten angeschlossen. Sein Sohn Theodor, erst 16 Jahre alt, meldete sich zu den Freischärlern und kämpfte Seite an Seite mit regulären Truppen und russischen Kosaken, mongolischen Bogenschützen und der österreichischen Kaiserlichen Garde in Gefechten von historischer Bedeutung gegen Napoleons zweite Armee östlich der Elbe. Bei Alexanders Freunden in Berlin herrschte allgemeiner Jubel, den er nicht teilen konnte. Seit dem Ausbruch des Befreiungskrieges war sein zurückgezogenes Leben in einer französischen Bibliothek für sie noch unbegreiflicher geworden. Und über seine Abwesenheit von Deutschland in dessen Ruhmesstunde wurde nun immer mehr gesprochen. »Und wo ist Ihr Bruder?« fragte eines Tages der sechzehnjährige Prinz Wilhelm, der spätere Kaiser Wilhelm I., Wilhelm von Humboldt. »In Paris«, antwortete Wilhelm. »Gott!« erwiderte der Prinz scharf. »Da sollte er Napoleon totschlagen!« Wilhelm schrieb noch am selben Tag an Caroline: »Wäre das nicht ein hübscher Auftrag für Alexander in Paris?«

In einem späteren Brief schrieb Wilhelm von seinem Kommandoposten aus:

Ich gestehe Dir frei, was ich sonst nicht sage, daß ich auch an Alexander sein Bleiben in Paris nicht billige. Er konnte allerdings nichts für den Krieg tun, das mit dem, was er dort treibt vergleichbar wäre. Es war auch allerdings ein mit dem, was er tun konnte, ganz unverhältnismäßiger Verlust, wenn er im Krieg verunglückte. Aber das Rechte besteht eben darin, daß man nicht in solchen Fällen den Nutzen abwägt, und auf seine Person Wichtigkeit legen und sich in solcher Art schonen, ist wenigstens außer aller Charakterschönheit . . . Aeschylus würde es sehr sonderbar gefunden haben, wenn man ihn hätte hindern wollen, bei Marathon zu kämpfen, um einige Trimeter mehr zu machen.

Nicht etwa, daß Alexander, friedlich in Paris lebend, ignoriert hätte, was um ihn vorging, und blind gewesen wäre gegenüber dem folgenschweren Kampf, der Europa erschütterte. Krieg war ihm zuwider, und zum ersten Mal in seinem Leben ging er ihn etwas an, und er litt darunter. Er schrieb an Caroline:

Meine teure, innig geliebte Li!

Es sind wundervolle Zeiten, in denen alles rasch der Entwicklung zueilt. Kaum sind acht Tage verflossen, seitdem ich Dir durch Kaufmannsgelegenheit schrieb, und schon hören wir, daß wahrscheinlich der Postenlauf gehemmt ist und daß mein Brief Dir nicht zugekommen sein wird . . . so ist denn alles entschieden, und ich werde hier

abgesondert leben wie am Orinoko. Jammern will ich nicht, sondern
freudig tragen, wenn Gott in seinen hohen Beschlüssen der bedräng-
ten Menschheit aufhilft . . . Nach jeder Schlacht bin ich in banger
Stimmung wegen Theodor. Ich fühle zum ersten Male, was es heißt,
an dem Blutvergießen näheren Anteil zu haben. Das Gefühl mischt
sich in alle Entschlüsse, Wünsche und Hoffnungen. Von Wilhelm
habe ich keine Zeile aus Prag gehabt, ich habe ihm dorthin auf gera-
dem Weg geschrieben. Vielleicht hat er gefürchtet, mich zu kompro-
mittieren. In der Tat geschieht hier viel Unheil, nicht mir, aber ande-
ren, durch Briefe aus Deutschland. Ich lebe gesund (häufiges, Trüb-
sinn erregendes Magenweh abgerechnet), ich arbeite viel und mit
Leichtigkeit . . . Von meinem Arme sage ich nichts, er ist nicht schlim-
mer. . . . Gebe Gott, daß ich nie in die Lage komme, Theodor hier nütz-
lich zu sein, nichts fürchte ich mehr für ihn. Sollte Gott es so fügen,
so verlasse Dich, teure Li, auf meine treue, zärtliche Liebe und An-
hänglichkeit. Alles, alles werde ich dann aufbieten, um ihm seine Lage
zu erleichtern. Grüße ihn innigst von mir und sage ihm, wie sehr es
mich freut, daß er sich so brav, männlich und besonnen aufgeführt
. . . Ich schreibe nicht heute besonders an Bill; er sieht diesen Brief
hoffentlich und kennt meine grenzenlose Liebe und Anhänglichkeit zu
ihm. Umarme die teuren Kinder. Lebe wohl, teure Schwester! Es sind
wundersame Zeiten . . .

> *Mit unwandelbarer Liebe*
> *Dein unwandelbarer*
>
> *Alexander von Humboldt*

Selten hatten Alexander die Ereignisse in seiner nahen Umgebung so berührt. Niemals zuvor hatte er seine Zuflucht zu
den Worten ›Gott‹ und ›Vorsehung‹ genommen – sicherlich
nie mit so offensichtlicher Ergebenheit. Und niemals zuvor hatte er rührendere Zuneigung zu Caroline gezeigt als in diesem
verwirrten und beunruhigten Brief mit seiner seltsamen Mischung aus selbstloser Angst und kleinlicher Klage. Die Zeit,
so schien es, war aus den Fugen, die vertraute Welt verkehrt.
Denn er sah nur zu klar, was zunächst nur wenige erkennen
konnten: »Die Vergeudung von Blut und Gut«, die der Krieg

forderte, während die gekrönten Häupter der Heiligen Allianz in den Kulissen warteten und neue Unterdrückung nach altem Muster planten.

Am 31. März 1814 stürzte das Erste Kaiserreich, und die russische Armee marschierte in Paris ein. Am nächsten Tag folgten die gekrönten Häupter persönlich: Zar Alexander und König Friedrich Wilhelm III. Es war der Beginn der Restauration der alten Ordnung, das erste Sammeln der reaktionären Kräfte, welche die alten revolutionären Ideale in ganz Europa und damit die Freiheit von Denken und Handeln unterdrükken sollten. Wieder einmal fühlte Humboldt sich aufgerufen, Mittlerdienste zwischen den beiden Lagern zu leisten, zu denen er sich in gleichem Maße hingezogen fühlte. Wieder einmal tauchte er aus der Abgeschiedenheit seiner Studierstube auf und begab sich in den Tumult einer besetzten Hauptstadt – mit Straßen voller Soldaten und Gewehren.

Seine erste Tat war, die wissenschaftlichen Einrichtungen vor dem blinden Haß der fremden Truppen zu retten. Als eine Infanterieeinheit im Naturgeschichtlichen Museum einquartiert wurde, gerieten die Professoren in Angst, und Cuvier bat Alexander um sofortige Vermittlung. Am frühen Vormittag schon erhielt er Alexanders Antwort:

Donnerstag, 11.30 Uhr, in Eile

Fünf Minuten nachdem ich Ihren Brief erhalten hatte, mein teurer Kollege, bin ich zum Grafen von Goltz gelaufen, dem Preußischen Stadtkommandanten (Quai Voltaire Nr. 3). Er hat soeben dem Bürgermeister befohlen, Ihr vorzügliches Institut von jeder militärischen Einquartierung auszunehmen. Der General Goltz hat den lebhaftesten Wunsch, allem zu entsprechen, was die Professoren des Jardin des Plantes wünschen . . . Ich umarme Sie, teurer Freund.

Humboldt war sehr geschickt in der Erledigung solcher Dinge. Später gelang es ihm, den General zu überreden, daß er Militärfahrzeuge zum Transport von Tierfutter in den Zoo zur Verfügung stelle.

Am selben Tag, am 1. April, sah er zum ersten Mal nach

sieben Jahren seinen Bruder und seinen König wieder. Alle Bekannten aus seiner Jugendzeit schienen anwesend zu sein, nur in seltsam hohen Positionen: Metternich, ein Erbprinz des österreichischen Kaiserreichs, jetzt Außenminister; Hardenberg, jetzt preußischer Finanzminister; Friedrich von Gentz, jetzt ein einflußreicher Konservativer in der reaktionären Machtpolitik Europas. Der König – ein einfältiger, aber liebenswürdiger Hahnrei, der stotterte und mit Passion Uhren aufzog und neue Uniformen entwarf – saugte sich wie ein Blutegel an Alexander fest. Kein Preuße kannte Paris besser als Alexander, und nur wenige waren imstande, solch unwissende Ohren mit so reizendem Geplauder zu füllen. In den nun folgenden Wochen mußte ihn Alexander Tag für Tag durch Kunstsammlungen und zu Denkmälern führen und ihn Abend für Abend ins Theater begleiten. Fühlte der König sich nicht wohl, mußte Alexander ihm vorlesen. Er war sein unentbehrlicher Gesellschafter geworden, und es gelang ihm auch, Vorteile aus dieser königlichen Fronarbeit zu ziehen. Zuerst überredete er den König und den Premierminister, das Geld für seine Asienexpedition aufzubringen. Als nächstes bekam er einen Vorschuß von 24000 Francs für die Kosten der südamerikanischen Publikationen. Und schließlich erhielt er 5000 Francs zur Bestreitung seines Haushalts. Aber er vergaß auch seine Freunde nicht. Für Gérard beschaffte er Portraitaufträge von König Friedrich Wilhelm, Zar Alexander, verschiedenen Prinzen und später auch vom Herzog von Wellington. Die Kosten beliefen sich damals auf 12000–15000 Francs pro Auftrag. Er war ein Mensch mit sehr viel Überzeugungskraft.

Nur Arago, der teure, kompromißlose Arago, lehnte jede Mitwirkung ab. Eines Tages teilte ihm Humboldt mit, daß sich der König gerne das Observatorium unter seiner, Aragos, Führung ansehen würde. Arago antwortete, er habe nicht den Wunsch, den König zu sehen, der in Frankreich eingefallen sei. Humboldt kleidete diese rauhe Antwort in eine passende Rede und gab sie dem König weiter. Der König erwiderte, daß er trotzdem das Observatorium besichtigen wolle. Humboldt machte einen neuerlichen Vorstoß bei Arago, doch Arago blieb bei seinem Nein. Eines Morgens nun erschien Humboldt mit einem Freund in Reisekleidung im Observatorium, um sich zu verabschieden. Er sagte, er sei mit seinem Freund zusammen auf dem Weg nach London, ihr Wagen warte vor der Tür – ob sie noch einen Blick ins Observatorium werfen könnten? Arago führte sie herum. Als sich das Gespräch unversehens der Politik zuwandte, wurde Arago, wie es seine Art war, sehr geradeheraus. Er sagte, seiner Meinung nach sei es schmachvoll, daß diese ausländischen Könige nach Frankreich kämen, um hier Reparationen für die ehrgeizigen Dummheiten Napoleons zu fordern. Humboldt sah sehr betreten drein. Er zog seinen Freund zur Seite: »Würde es dir etwas ausmachen, deine Sprache zu mäßigen? Du sprichst mit dem König.« Aragos Heiterkeit traf ihn unvorbereitet. »Das dachte ich mir«, sagte er, »darum war ich auch so offen.«

Im Juni 1814, nach dem Frieden von Paris und der Thronbesteigung Ludwigs XVIII, besuchte Humboldt als Begleiter des preußischen Königs London. Es war seine erste Reise nach England seit 1790, auch Metternich und sein Bruder Wilhelm nahmen daran teil. Obwohl Alexander keine offizielle Rolle bei diesem diplomatischen Besuch zugedacht war, erregte er dennoch Aufmerksamkeit, teils, weil er nahezu kein Gepäck mit sich führte, teils wegen seiner außergewöhnlichen, geistigen Gewandtheit. Obwohl er sich nichts aus England machte und ständig über das Land, besonders über das Wetter klagte, verwandelte er auch dieses Opfer zu seinem Vorteil. Denn es gelang ihm, hochgestellte Beamte der Britisch-Ostindischen Kompanie wegen seiner Asienreise auszuhorchen und vom Prinzen von Wales, dem späteren König Georg IV., die Zusicherung für die Unterstützung seiner Pläne zu erhalten. Mit dieser Zusage kehrte Humboldt nach Paris zurück und machte sich während dieser neuen, friedlichen Ära in Europa an die Arbeit, sein nächstes großes Unternehmen auszubrüten.

Er hatte ehrgeizige Pläne. Zuerst beabsichtigte er, nach Persien zu reisen, dann weiter nach dem Pamir und den Gebirgsketten des Kunlun in Tibet, über das Karakorum-Gebirge und den Himalaja in die großen Ebenen des Ganges, quer durch Indien, dann mit dem Schiff von Ceylon nach Malaysia, Java und den Philippinen, und über Amerika zurück nach Europa. Sein wesentliches Ziel war die Erforschung der gewaltigen und nahezu unbekannten Gebirge zwischen dem nördlichen Indien und Innerasien. Er wollte die Höhenlagen und die geologischen Strukturen erkunden und das pflanzliche, tierische und menschliche Leben in extremen Höhen wie in Wüstengebieten untersuchen. Es war ein ehrgeiziges, gefährliches und kostspieliges Projekt. Hier handelte es sich um absolute Pionierarbeit. Denn das ›Dach der Welt‹ stellte einen leeren Flecken auf der Karte dar, und von seinen ungeheuren Bergen wußte man nur aus Gerüchten, denn weder ein Landvermesser noch ein Wissenschaftler hatten sie je betreten.

Humboldts Vorbereitungen für dieses Unternehmen waren sogar noch gründlicher als für seine Südamerika-Expedition. Als Begleiter hatte er sich Spezialisten von höchster fachlicher Qualifikation ausgesucht. Der König zeigte sich bereit, das Unternehmen mit einer Garantie von jährlich 12 000 Goldtalern zu unterstützen sowie die notwendigen Instrumente als Leihgabe zur Verfügung zu stellen. Es fehlte nur eins: die Genehmigung der britischen Regierung oder, genauer gesagt, der allmächtigen Britisch-Ostindischen Company zur Einreise der Expedition nach Indien. Und obwohl Humboldt alle Hebel in Bewegung setzte, wurde ihm die Genehmigung hartnäckig verweigert. Zweimal reiste er mit dem Hut in der Hand nach London. Einmal nach Waterloo, im Oktober 1817, mit Arago – und dann noch einmal im September 1818, nach dem zweiten Frieden von Paris, mit dem Zoologen Valenciennes. Und zweimal kehrte er ohne Einreisegenehmigung zurück. Vergeblich versuchte Canning, der damals führende englische Staatsmann, zu vermitteln. Vergeblich wandte sich Humboldt an den Prinzregenten um Hilfe. Die Britisch-Ostindische Company gab nicht nach. Sie wollten Humboldt ganz einfach nicht in ihr Herrschaftsgebiet hineinlassen.

Es wurde nie ganz klar, warum die Engländer Humboldt als ›persona non grata‹ betrachteten. Aber man kann eine Vermutung riskieren. Die Britisch-Ostindische Company war nicht gerade eine fortschrittliche oder liberal gesinnte Organisation und verhielt sich in ihrer Kontrolle des indischen Handels besitzgierig und mißtrauisch jeder Einmischung gegenüber. Ausländer waren, grob gesagt, innerhalb der Grenzen eines Volkes von solch angeborener Labilität nicht willkommen, besonders wenn das Ziel der umstrittene nördliche Grenzbereich sein sollte, und schon gar nicht, wenn sie berühmt und neugierig waren und auf der Seite der Eingeborenen standen – wie es Humboldt durch seine öffentlichen Erklärungen deutlich in Südamerika bewiesen hatte. Ein Mann, der bereits einmal ein Ärgernis für eine Kolonialmacht gewesen war, konnte es ebenso für eine andere werden. Für die Britisch-Ostindische Company stellte Humboldt – so muß man vermuten – sowohl eine unangenehme Störung als auch eine Bedrohung der Sicherheit dar. Sie mißtrauten seinen Untersuchungen und fürchteten seine Entdeckungen. Mit einem Wort, er war eine heiße Kartoffel. Deshalb ließen sie ihn fallen – wie sich erweisen sollte, für immer.

Die Jahre standen nicht mehr auf Alexanders Seite. Er war fast 50, und die Zeit verrann. Während seines zweiten Londoner Aufenthaltes im Jahre 1817 hatte er seinen Bruder Wilhelm besucht, der bei seiner Regierung in Ungnade gefallen war und jetzt dort als preußischer Gesandter ›im Exil‹ lebte. Wilhelm berichtete Caroline: »Alexander ist . . . stärker geworden und sehr gealtert«. Und er fügte hinzu: »Du kennst seine Leidenschaft, sich immer an eine Person zu klammern, die vorübergehend sein Interesse erweckt. Im Augenblick ist es der Astronom Arago, von dem er nicht zu trennen ist.« Alexander sei ihm fremder denn je, fuhr sein Bruder fort.

Du kennst Alexanders Ansichten. Sie können nie, so sehr ich ihn liebe, die unseren sein. Unser Umgang ist wirklich oft komisch. Ich lasse ihn immer sprechen und gewähren, was hilft das Streiten, wo die ersten Basen aller Grundsätze verschieden sind. Alexander ist

nicht bloß von einzig seltener Gelehrsamkeit und wahrhaft umfassen-
den Ansichten, er ist auch überaus gut von Charakter, weich, hilfreich,
aufopfernd, uneigennützig – aber es fehlt ihm nun einmal das stille
Genügen an sich und dem Gedanken, und daraus entspringt alles
übrige. Darum versteht er nicht die Menschen, obgleich er immer mit
ihnen lebt und sich sogar vorzugsweise mit ihren Empfindungen be-
schäftigt, nicht die Kunst, obgleich er alles Technische daran recht
fertig versteht und ganz leidlich selbst malt . . . Er erzählt mir stun-
denlang von den Menschen in Paris, ihrem persönlichen Treiben,
und ich sitze ruhig dabei und denke nur immer und ewig das, daß
keiner von allen, die er da nennt, und keine mir auch nur das leiseste
Interesse, selbst nicht einmal die Neugierde des Verstandes einflößt.
Das letzte, . . . was ich gewöhnlich denke ist, daß mein Vater und meine
Mutter nur zwei Kinder und gerade zwei gehabt haben, die . . . dann
auf einmal in allem in größerer Verschiedenheit und Gegensätze aus-
gehen als Menschen in verschiedenen Weltkörpern sein könnten. Und
im Grunde ist Alexander nicht so geworden, ist von jeher so gewesen,
das Ausland hat ihn nicht verändert, sondern er hat das Ausland ge-
sucht, weil ihm in Deutschland . . . nicht heimlich sein konnte.

Was die Religion betrifft, stellte Wilhelm fest, so habe
Alexander keine, »und es mangelt ihm auch nicht«. Überdies
waren seine Finanzen wieder in einem schrecklichen Zustand.
Sein Bankkonto war ständig überzogen. Sein Guthaben in
Deutschland betrug 52000 Thaler, aber seine Schulden beliefen
sich auf fast 40000. Wilhelm versuchte ihn zu überreden, den
Rest seines Vermögens in einem Haus oder einem Grundstück
anzulegen, oder auch in einer Bibliothek oder einer Sammlung
von Instrumenten, damit er wenigstens eine geringe Sicherheit habe. Aber Alexander meinte, daß er, da er ja jeden
Augenblick sterben könne, das Geld jetzt genießen möchte.
Im schlimmsten Fall »würde man nachher immer hinreichend
für ihn sorgen«. »Was er aber immer für Geld ausgibt, ist ent-
setzlich«, stellte Wilhelm fest.

Als die Hoffnung, nach Indien zu reisen, zu schwinden begann, spielte Alexander mit anderen Ideen. Er plante, in Mexico City ein Forschungsinstitut einzurichten, wo er sich mit

jungen, begeisterten Wissenschaftlern umgeben könne. »Ich habe die bestimmte Idee, meine Tage auf die angenehmste und nützlichste Art für die Wissenschaft zu beschließen«, schrieb er seinem Bruder. »Du wirst vielleicht lachen, daß ich mich so eifrig mit diesem amerikanischen Projekt beschäftige, aber wenn man keine Familie, keine Kinder hat, muß man denken, sein Alter zu verschönern.« Aber es wurde nichts daraus. Er kehrte zu seinen Büchern zurück und die Zeit verstrich.

Er war jetzt eine verehrte und ehrwürdige Gestalt in der wissenschaftlichen Welt, eine lebende Legende. Junge Männer auf der Schwelle ihrer Laufbahn suchten ihn eifrig auf. Er selbst war bereits über das Alter schöpferischer Forschung hinaus, aber für die junge Generation von Wissenschaftlern war er unermüdlich in seinem Enthusiasmus und seiner Unterstützungsbereitschaft, sowohl moralisch als auch finanziell, wenn es seine Mittel erlaubten. Immer mehr schlüpfte er in die Rolle eines Förderers, einer Vater-Figur, eines »Fixiermittels«. Heute würde er vielleicht der energische Leiter eines hervorragenden Forschungsteams sein, denn zweifellos besaß er alle Fähigkeiten eines großen Lehrers. Er war der erste, der das mathematische Genie von Karl Friedrich Gauß und die großen Talente von jungen Männern wie dem achtzehnjährigen Geographen Heinrich Berghaus, dem zwanzigjährigen Justus Liebig – späterer Begründer der organischen Chemie – und dem fünfundzwanzigjährigen Geologen Charles Lyell erkannte. Der zwanzigjährige Jean-Baptiste Boussingault war ein Chemiker, der den Plan hatte, selbst Südamerika zu erforschen, als er im Jahre 1822 Humboldt kennenlernte. Hier ein Bericht über ihr Zusammentreffen.

Humboldt wollte mich vor allem kennen lernen, um mich zu prüfen. Er sprach viel und sehr gut. Ich lauschte, so wie ein Schüler seinem Lehrer zuhört, und er war entzückt, daß ich »die große Kunst des Zuhörens« besaß. Es dauerte nicht lange und er bot mir seine Freundschaft an, und das blieb so bis zu seinem Todestag. Er gab mir verschiedene Instrumente, die er in Amerika ausprobiert hatte; ein Taschenbarometer, einen künstlichen Horizont, einen Prismen-

Kompaß, eine himmlische Hemisphäre von Flamsteed, alles kostbare Andenken, die für mich äußerst nützlich waren und die ich dann meinem Begleiter, dem unglücklichen Colonel Hall überließ.

Doch Humboldt tat noch mehr. Er bestand fest darauf, mir die Handhabung der Instrumente zu zeigen, und wir verabredeten uns an einem bestimmten Tag. Er wohnte am Quai Napoleon in einer Wohnung im vierten Stock mit Blick auf die Seine, beinahe gegenüber der Münzanstalt.

Damals war Humboldt 53 Jahre alt, mittelgroß, hatte eine gute Figur, weiße Haare, einen unbestimmbaren Augenausdruck, ein geistvolles, bewegliches Gesicht mit einigen Pockennarben von seiner Erkrankung in Cartagena. Seine Kleidung hatte sich seit der Epoche des Direktoriums nicht verändert: blauer Frack, vergoldete Knöpfe, gelbe Weste, Hosen aus gestreiftem Material, umgeschlagene Stiefel – das letzte Paar in Paris, das bis 1822 überlebte – weiße Krawatte und ein schwarzer, abgenützter, müde blickender Hut. Er dinierte bei den Frères Provençaux. Am Morgen verbrachte er gewöhnlich ein oder zwei Stunden in dem Café de Foy, wo er nach seinem Frühstück einschlief.

Unsere Übungen mit dem Sextanten begannen sofort nach meiner Ankunft. Wir maßen den Winkel zwischen dem Turm des Invalides und dem Blitzableiter auf der Kirche von Saint Sulpice. Außerdem errechneten wir die Sonnenhöhe. Er ließ nichts bei meinen praktischen Übungen aus, die Mittel der Nachprüfung, die Bestimmung der Kollimationsfehler, und alle Berechnungen wurden auf dem Holz des berühmten Tisches aufgeschrieben. Sehr bald war ich mit der Handhabung des Sextanten und des künstlichen Horizontes vertraut . . .

Humboldt war unermüdlich. Um mir zu helfen, verfaßte er eine Gebrauchsanweisung, die für mich sehr nützlich wurde. Er bestand darauf, daß ich eine kleine Auswahl von Trachytsteinen aus Ungarn mitnehmen sollte. Er ging zu Beudant, dem Kurator der Sammlung des Grafen Bournon, erhielt einige Exemplare, eilte zu seinem Tischler und ließ sofort einen Kasten zur Verpackung anfertigen. Und am nächsten Morgen um zehn Uhr übergab er mir die Kollektion.

Wir gaben für einige Wissenschaftler ein Abschiedsessen. Es wurde sehr interessant. Wir bemerkten, daß Humboldt nicht in sei-

274

nen Stiefeln kam. Er trug Seidenstrümpfe und hatte einen neuen Hut auf.

Humboldt war später freilich ein wenig verstimmt, als sein Protégé im Jahr 1831 am Chimborazo eine Höhe von mehr als 6000 Metern erreichte und damit Humboldts Höhenrekord übertraf. 1880 bestieg der berühmte englische Alpinist Sir Edward Whymper den Chimborazo bis zum Gipfel.

Die jungen Freunde, die Humboldt um sich versammelte, konnten seine zunehmende Schwermut indessen nicht mehr zerstreuen. Er empfand die Atmosphäre in Paris immer bedrückender, seine eigene Zukunft immer unklarer und ungewisser. Einmal fuhr er zu einem kurzen Urlaub nach England. Er schloß sich jedoch dort den ganzen Tag in seinem Zimmer ein oder wanderte allein durch die Gegend und besichtigte Bergwerke. Er war ruhelos und voll böser Ahnungen. Paris, die Stadt, die er geliebt hatte, war nicht mehr wie früher. Es herrschte Pressezensur, Bücher wurden verboten, der alte Geist der Wahrheitssuche lag im Sterben. Er hielt sich vom gesellschaftlichen Leben fern und gab vor, sich nicht wohl zu fühlen. Seine Lieblingszeitung, das ›Journal des Débats‹, brachte die Meldung, daß er krank sei. Er war nicht krank, aber er war ein einsamer Mann, der sich mit der Aussicht auf ein unsicheres Alter auseinanderzusetzen begann. Die herrlichen Tage von Südamerika lagen jetzt weit zurück. Von den Männern, die den Chimborazo mit ihm bestiegen hatten, war nur er noch in Freiheit: Carlos Montúfar hatte man wegen seiner Beteiligung an der spanisch-amerikanischen Revolution erschossen, und Aimé Bonpland war in Ketten in das Innere Paraguays verschleppt worden. Von seiner eigenen Familie hatte sich Wilhelm, enttäuscht über die reaktionäre Politik Preußens, aus dem öffentlichen Leben in eine philosophische Einsamkeit in Tegel zurückgezogen. Und Caroline, seit einiger Zeit schwer krank, welkte langsam dahin. Alexander, der professionelle Überlebende, schwankte am Rande der Vorhölle. Im Herbst 1822 wurde er überraschend aufgefordert, König Friedrich Wilhelm III. zum Kongreß von Verona zu begleiten.

Nach dem »langweiligen und eintönigen Paris« war er entzückt vom Anblick der Seen, Gletscher und schneebedeckten Berge der Alpen und begeistert, als er unterwegs seinen alten Freund Leopold von Buch einholte. Seit 5 Monaten war dieser zu Fuß und ohne Führer in Tirol unterwegs, mit einem Regenschirm bewaffnet, einem Überzieher und einer ganzen Bibliothek in seinen Taschen. Fünf erfrischende Tage lang wanderte Humboldt mit Buch in der Umgebung Veronas herum und fand ihn genial und verrückt wie eh und je.

Die freiwillige Abgeschiedenheit, in der er stets lebte, hat seinen Sinn für die Unabhängigkeit und seine nervöse Reizbarkeit bis zu einem Punkt anwachsen lassen, an dem allein schon der Gedanke, einen Führer zu nehmen, ihn wild macht. Ich wandere stundenlang geduldig mit ihm, während er die Landkarte zu Rate zieht. Wir finden das Dorf, in dem wir die Nacht verbringen wollen, nicht. Regengüsse stürzen herab. Wir entdecken einen Mann im Weinberg. Doch ich wäre absolut verachtungswürdig, wenn ich es wagte, nach dem Weg zu fragen . . . Er ist 50 Jahre alt – und wandert täglich 14 Stunden. Was ihn am meisten ermüde, so sagte er, sei, daß er ständig mit Leuten reden müsse. Er ist allein und spricht aus voller Kehle. Er streitet mit seinen Gegnern in der Mineralogie (er hat die fixe Idee, zu glauben, daß niemand seine Fähigkeiten anerkennt), und das findet er ermattend. Von Zeit zu Zeit bleibt er stehen, reibt sich mit zunehmender Geschwindigkeit seine Hände, hebt sie mit halb geöffnetem Mund zum Himmel empor, mit dem Zwicker auf der Nase und dem Kopf in den Nacken gelegt, – erfreut er sich so am italienischen Sonnenschein. Doch er hat neben seinem Interesse an Granit und Eupholit noch eine weitere fixe Idee. Er schätzt es außerordentlich, alles nachzuerzählen, was ihm sein Bruder über die Abenteuer der Hofdamen der letzten Königin berichtet.

Die Zusammenkunft der Monarchen Europas auf dem Kongreß von Verona sollte – in einer Zeit liberaler Aufstände in Spanien und Griechenland – den Status quo und die Grundsätze des Absolutismus und reaktionären Konservativismus in Europa bekräftigen. Humboldt, dem überzeugten Liberalen und Republikaner, von dem man wußte, daß er die Sache der

Aufständischen in Griechenland unterstützte (ebenso wie Byron, der dort starb), kam es vor, als hätte er seinen Kopf in ein Wespennest gesteckt. In seinen grundlegenden Anschauungen war er ein heftiger Gegner jedes einzelnen Kongreßmitglieds, nicht zuletzt seines Königs. Er konnte diese prekäre Situation nur durch einen kunstvollen Kompromiß bewältigen, eine Darbietung, die Metternich, der seinen potentiellen Einfluß unterschätzte, veranlaßte, ihn der politischen Schizophrenie zu bezichtigen. Es war, als lebe man den ganzen Tag in einem Käfig, schrieb Alexander an seinen Bruder ›Bill‹. Sogar die Moskitos am Casiquiare hatten ihn mehr in Frieden gelassen. Das einzig Nützliche, das er lernte, war die Zubereitung von Makkaroni.

Er stand jedoch weiterhin in der Gunst des Königs, der immer begierig war zu hören, was Humboldt über die verschiedenen Themen zu sagen hatte und sich stets in seiner Nähe aufhielt. Zum ersten Mal erkannten der reaktionäre Monarch und der liberale Gelehrte ihre gegenseitige Abhängigkeit voneinander. Denn der König benötigte Humboldts Geist ebenso wie Humboldt des Königs Geld. Gemeinsam besuchten sie Venedig und Neapel und bestiegen, begleitet von einem 300 Mann starken Gefolge, den Gipfel des Vesuv – eine ungewöhnliche Prozession. Gemeinsam kehrten sie im Januar 1823 nach Berlin zurück. Zum ersten Mal seit 15 Jahren sah Humboldt seine Geburtsstadt wieder. In gewisser Weise war es der Anfang vom Ende.

Eigenartigerweise scheint es ihm gefallen zu haben. Zum ersten Mal seit seiner Jugend wohnte er in Schloß Tegel, das Wilhelm in der Zwischenzeit beträchtlich verändert und verbessert hatte. Umgeben von der Familie seines Bruders und der vertrauten Landschaft seiner Kindheit scheint er vorübergehend Frieden gefunden zu haben, eine kurze Ruhepause in seinem endlosen Bewegungsdrang. Dieser kurze Aufenthalt machte außerordentlichen Eindruck auf ihn; es war, als habe er auf menschliche Zuneigung jahrelang verzichten müssen. Während die Kutsche auf seiner Reise nach Paris in Straßburg

Halt machte, schrieb er »betäubt von warmem Bier und Glühwein« einen Dankesbrief an Wilhelm: »Die Erinnerung an diese glückliche Zeit wird niemals verblassen ... Nie in meinem Leben bin ich so geliebt worden«. Und noch einmal aus Paris: »Ich bin immer wieder den Tränen nahe, wenn ich Dir schreibe und wenn ich an Dich und die liebe Li denke und an all die zärtliche Verbundenheit, die Ihr mir während meines Aufenthaltes bei Euch gezeigt habt ... Warum bin ich jetzt nicht bei Euch?« Und noch einmal im April: »Ich lebe eher in der Vergangenheit als in der Gegenwart, und ich gewöhne mich nur schwer an ein Leben, in dem es mir an Liebe und Aufmerksamkeiten fehlt ...« In seinem Innern war er ein sehr einsamer Mensch.

Drei weitere Jahre vergingen. Alexander, der unbesonnen großzügig und wie immer arm an Mitteln war, mußte nun seinen Lebensunterhalt praktisch von seinem Gehalt als Kammerherr des Königs von Preußen bestreiten. So betrachtet, schien sein weiterer Aufenthalt in Paris seltsamer denn je. Schließlich soll ihm der König 1826 geschrieben haben:

Mein lieber Herr von Humboldt!

Sie müssen nun mit der Herausgabe der Werke fertig sein, welche Sie nur in Paris bearbeiten zu können glaubten. Ich kann Ihnen daher keine fernere Erlaubnis geben, in einem Lande zu bleiben, das jedem wahren Preußen ein verhaßtes sein sollte. Ich erwarte daher, daß Sie in kürzester Zeit in Ihr Vaterland zurückkehren.

Ihr wohlaffektionierter Friedrich Wilhelm.

Noch im selben Monat, im November, eilte Humboldt nach Berlin zurück. Wenn er beabsichtigt haben sollte, den König umzustimmen, ist ihm dies mißlungen. Sein Gehalt wurde auf 5000 Taler jährlich erhöht, und er erhielt 4 Monate Urlaub im Jahr, die er in Paris verbringen konnte. Im übrigen war der König unerbittlich darauf aus, daß er nach Berlin zurückkehren müßte. Mit bösen Ahnungen vor seiner Zukunft fuhr Humboldt nach Paris zurück, um seine kläglich geringen

Habseligkeiten zu packen und sich von seinen Freunden zu verabschieden.

Im Februar 1827 kehrte Humboldt seiner alten, vertrauten Welt den Rücken, dem Institut National und dem Observatorium, Arago, Gérards Mittwochabend-Salon, den vertrauten Ecken und Winkeln des Quartier Latin, die er so gut kannte, den intellektuellen Hieb- und Stoßgefechten und dem gesellschaftlichen Handgemenge, seinen Freunden, seinen jungen Männern, seinen zwanzig Jahren Erinnerung – und verließ Paris. Es gibt keine Berichte über seinen damaligen Gemütszustand, aber man kann ihn sich leicht vorstellen. »Es ist ein großer Entschluß ... aber ich bereue nicht, was ich getan ...« – machte er Gauß vor, um tapfer zu erscheinen. In Wirklichkeit war es das Ende einer Ära.

Er reiste auf dem Umweg über London nach Berlin. Der Schwiegersohn seines Bruders,Baron von Bülow, war vor kurzem zum Gesandten in London ernannt worden. Im Londoner Vorfrühling scheint Humboldt die nötige Zerstreuung gefunden zu haben. Er jagte überall in der Stadt umher, besichtigte das Parlament, war Gast im Holland House und dinierte mit dem Lordkanzler und Außenminister Canning. Er verbrachte seine Vormittage in Kew oder Greenwich oder unternahm katastrophale Einkaufstouren, bei denen er sein ganzes Geld ausgab. »Ich bin ein Narr«, sagte er, »ich kaufe alles was mir unter die Augen kommt«. Der Höhepunkt seines Aufenthaltes war Ende April ein Abstieg auf den Grund der Themse. Isambard Kingdom Brunel, der englische Ingenieur, der die Great Western Eisenbahn und den Dampfer Great Easten gebaut hat, war damals 21 Jahre alt und gerade dabei, zusammen mit seinem Vater den ersten Tunnel unter der Themse zwischen Wapping und Rotherhithe zu bohren. Um einen Teil der Baustelle beaufsichtigen zu können, hatte er eine spezielle Taucherglocke konstruiert. In dieser Taucherglocke begleitete er seinen berühmten deutschen Gast auf einer Fahrt zum Flußbett.

Bei Flut ließen sie sich auf eine Tiefe von 11 Metern hinunter. Beide waren so warm angezogen, daß sie wie Eskimos aussahen. Beim Abstieg hatte Humboldt durch den Druckanstieg unter starken Ohrenschmerzen zu leiden. Nach ein paar Minuten hatte er sich aber daran gewöhnt, und im ganzen blieben sie 40 Minuten auf dem Grund der Themse. Damals, vor dem Bau der Londoner Kloaken, war der Fluß eine offene Abwasseranlage, unbeschreiblich schwarz und schmutzig. Obwohl sie in der Taucherglocke eine Laterne anzündeten, konnten sie vom Flußbett nicht mehr als ein paar Fuß weit sehen. Als sie wieder aufstiegen, während das Wasser unter ihren Stiefeln brodelte, hatte Humboldt noch stärker unter der Druckschwankung zu leiden und wurde eindringlich an seinen Aufstieg auf den Chimborazo vor vielen Jahren erinnert; kleine Blutäderchen platzten in seiner Nase und in seiner Brust. Er spuckte Blut und seine Nase blutete bis zum nächsten Tag. Dem jungen Brunel hatte das alles nichts ausgemacht. »Es ist ein preußisches Privileg«, erklärte Humboldt.

Die Taucherglocke beschäftigte Humboldt mehr als alles andere in London. Es hatten sich verschiedene Unfälle damit ereignet, aber man zeigte Humboldt eine Notvorrichtung, die er sehr beruhigend fand. Vierzehn Tage später wurde die Anlage von einem Unglück getroffen. Der Fluß brach bei Hochwasser in die Ausschachtungen ein. Es war der erste von vielen Unglücksfällen, die die Vollendung des Tunnels verzögerten. Aber zu diesem Zeitpunkt befand sich Humboldt bereits viele Meilen entfernt in Berlin, das für den Rest seines Lebens seine Heimat wurde.

ACHTZEHNTES KAPITEL

Rückkehr nach Berlin

Zunächst lebte Humboldt in einer Wohnung im Hause des Hofzimmerermeisters im Zentrum von Berlin, ›Hinter dem Neuen Packhofe Nr. 4‹, nicht weit von ›Unter den Linden‹. Doch später wurde der Block niedergerissen, um Platz für neue Museumsgebäude zu schaffen, und er mußte ausziehen. Seine neue Wohnung lag im ersten Stockwerk eines schmalen Hauses in der Oranienburger Straße 67, im uneleganten ›sibirischen‹ Teil von Nord-Berlin – und hier blieb er bis zum Ende seiner Tage. Zum ersten Mal in seinem Leben besaß er nun einen ständigen Wohnsitz und ein Dienerehepaar, das ihn betreute, einen jungen, gutaussehenden, ehemaligen Soldaten namens Johann Seifert und dessen Frau. Diese bescheidene und wenig repräsentative Umgebung war das Buen retiro von den Pflichten, die er am Potsdamer Königshof als Kammerherr zu erfüllen hatte. Er kehrte von ihnen so oft wie möglich nach Hause zu seinen wissenschaftlichen Arbeiten zurück.

Wenn ihm Berlin bei seinem letzten Aufenthalt vor zwanzig Jahren wie eine Wüste vorgekommen war, so mußte es für ihn nun wahrhaft eine Sahara sein. Er beschreibt es als »eine intellektuell verödete, kleine, unliterarische und dazu überhämische Stadt«. Obwohl die Stadt sehr an Ausdehnung zugenommen hatte, blieb sie dennoch ein mittelmäßiger Ort. Häuser wie die der Familien Mendelssohn und Beer standen in fast einmaligem Glanze da. Und wenn eine kleine Spiegelscheibe in einem Fenster des Königlichen Palastes eingesetzt wurde, bildete das wochenlang den Gesprächsstoff. Die Gesellschaft schien sich nur mit Lappalien zu befassen. Philosophie und Künste (außer der Oper, die glanzvoll wie nie zuvor war) standen noch immer auf einem abgrundtiefen Niveau. Nur in den Naturwissenschaften gab es einige echte Leistungen. Doch viele der bedeutendsten Wissenschaftler wie Gauß, Ritter, Buch, Bessel und Berghaus wohnten in weit entfernt liegenden Orten außerhalb Berlins. Jeder arbeitete für sich, und sie trafen sich niemals, um ihre Ansichten zu diskutieren und ihre Ergebnisse zu vergleichen. Diesen Mangel an gegenseitig befruchtenden, persönlichen Kontakten empfand Humboldt als eine der unangenehmsten Erscheinungen seines Berliner Lebens, obwohl dieses angesichts der damaligen politischen Situation im Grunde noch erträglich war.

Preußen war zu jener Zeit ein repressiver, oligarchischer Polizeistaat. Den Empfehlungen Metternichs bei der Unterzeichnung der Karlsbader Beschlüsse, 1819, folgend, fand eine rigorose Zensur der Presse und der öffentlichen Vorträge statt. Viele Schriftsteller und Universitätsprofessoren standen wegen ihrer umstürzlerischen politischen Ansichten unter Arrest. Studentische Verbindungen waren aufgelöst worden, und alle öffentlichen Veranstaltungen, selbst in Gelehrtenkreisen, wurden mit größtem Argwohn betrachtet. Die Geheime Staatspolizei war überall tätig, und ließ sich von ihren Informanten sogar private Unterhaltungen berichten, die einen aufrührerischen Beigeschmack hatten. Selbst Lehrer wurden von ihren Schülern denunziert. Politische Oppositionen und geistiges Leben standen gleichermaßen unter dem Druck der reaktionären Regierung. Die Hoffnungen auf eine demokratische Verfassung und eine parlamentarische Regierung, die nach der Befreiung Preußens, 1813, aufgeblüht waren, welkten dahin. Die Aristokratie forderte eine Restaurierung ihrer ehemaligen Vorrechte, und die wenigen Reformen, die man dem Regime hatte abgewinnen können – die Befreiung der Bauern und die Gleichberechtigung der Juden – blieben ständig von der Revision bedroht.

Es ist daher nicht verwunderlich, daß Alexander von Humboldts Ankunft in Berlin in manchen Kreisen mit Wut oder Hohn begrüßt wurde. Einige aus der jüngeren akademischen Nachfolge waren einfach neidisch auf ihn. Zu ihnen gehörte der pedantische Ancillon, der Privatlehrer des Kronprinzen und spätere preußische Außenminister, der Humboldt als »die encyklopädische Katze« zu bezeichnen pflegte. Andere, speziell die ›Ultras‹ – die ultrakonservativen Mitglieder der Aristokratie und regierenden Klassen – haßten ihn wegen seiner liberalen Ansichten und fürchteten seinen politischen Einfluß als »Revolutionär in Hofgunst«. Die Gräfin Goltz ergoß sich bei einer Gelegenheit in Schimpfreden gegen die gesamte Humboldtfamilie als »hergelaufenes Volk, das Vornehmeren den Platz nimmt ... und sich in die Reihe der gens biennes eindrängt«, und in dieser rachsüchtigen Einstellung war sie nicht allein. Denn einige Monate nach Humboldts Rückkehr nach Berlin trösteten sich die ›Ultras‹ mit Gerüchten, Humboldt sei bei der königlichen Familie in Ungnade gefallen, weil man ihn nie im Königshaus sähe. Ihre Hoffnungen zerschlugen sich jedoch, als sich herausstellte, daß er sich einfach nicht bemüht hatte, dort zu erscheinen.

Tatsächlich hat Humboldt niemals seine enge Verbindung mit König Friedrich Wilhelm III. dazu benutzt, einen direkten Einfluß auf politische Angelegenheiten zu nehmen, obwohl seine Beziehung zum König mehr die eines Freundes als eines Hoflakaien gewesen ist. Und immer hat der König die täglichen Regierungsgeschäfte seinem Kabinett überlassen. Humboldts spezielle Aufgabe als Kammerherr war in Wirklichkeit so beschaffen, daß sie seinen vielseitigen Fähigkeiten als kulturellem Berater entsprach. Man erwartete von ihm Gutachten über künstlerische und wissenschaftliche Angelegenheiten, und er benützte diese Möglichkeiten, eher die Interessen unbekannter Wissenschaftler zu fördern als die politischer Parteien. Jetzt, da er von seinen Einkünften als Kammerherr abhängig war, um seinen Lebensunterhalt zu bestreiten, hütete er sich davor, einen falschen Schritt zu machen. Und obwohl er sich häufig über die geistlose Atmosphäre bei Hof beklagte –

er bezeichnete die Hofgesellschaft als die unwissendste und unerzogenste von ganz Europa – sprach er niemals in dieser Weise zu dem armen König, für den er offenbar stets ein Gefühl der Nachsicht bewahrte.

Humboldt mag bei Hofe eine Anzahl von Feinden gehabt haben, aber außerhalb besaß er eine Menge Freunde. Er war häufig Gast in den unterschiedlichsten Häusern, beim Feldmarschall von Gneisenau ebenso wie bei Rahel Levin oder Dr. Ephraim Beer. Und der Empfang, der ihm bei diesen Gesellschaften bereitet wurde, war ganz erstaunlich.

Humboldts Talent, eine Gesellschaft durch eine Rede zu fesseln und über ein Thema aus dem Stegreif eine Stunde lang zu sprechen, erhielt während dieses ersten Winters eine formelle Ausdrucksmöglichkeit, als er als Mitglied der Akademie von seinem Recht Gebrauch machte, in der Universität zu lesen. Zwischen dem November 1827 und dem April 1828 hielt er vor einem vollen Haus von Studenten und Professoren aller Fakultäten eine Reihe von Vorlesungen über das Thema ›Physikalische Geographie‹. Das allgemeine Interesse war so groß, daß Humboldt sich bereit erklärte, die einleitenden Vorträge noch einmal vor einem großen gemischten Berliner Publikum in der Singakademie zu halten. Sie wurden ein unglaublicher Erfolg – das Stadtgespräch der Saison. Gleichzeitig stellten sie den Anfang eines Werkes dar, mit dem er sich den größten Teil seiner restlichen Lebensjahre beschäftigen sollte – ein Werk, dem er schließlich den Namen ›Kosmos‹ gab.

Im ganzen gab er an der Universität 61 Vorlesungen, zunächst zweimal wöchentlich, später täglich eine. Er hielt sie alle ohne Manuskript, nur anhand kleiner Notizzettel. Sie umfaßten in ausführlichen Einzelheiten ein weites Gebiet, das von den Bewegungen der Planeten bis zur Struktur der Erdkruste und der Verteilung von Flora und Fauna reichte. Seine 17 Wochen dauernden Lesungen vor einem gemischten Publikum mußten notwendigerweise einfacher und allgemeinverständlicher sein, doch auch sie umschlossen einen außerordentlich großen Spielraum von Himmel und Erde. Aus einer kurzen

Notiz, die nach seinem Tod gefunden wurde, geht hervor, daß er über Vulkane auf dem Mond, über Sonnenflecken und Meteoriten, über die Sterne und die südlichen Konstellationen, über optische und Interferenz-Phänomene (zu diesem Zeitpunkt das allerneueste Thema), schließlich auch über die Geschichte der physikalischen Wissenschaft und über die Naturbeobachtung von Dichtern und Malern gelesen hat. Hinter allem stand sein Konzept von der großen Harmonie in der Natur und der Wechselbeziehung der Phänomene, von der Einheit von Vulkan, Meer, Stern, Pflanze und Mineral innerhalb eines kosmischen Ganzen. Eine Berliner Zeitung schrieb damals: »Die ruhige Klarheit, mit welcher er die in allen Fächern der Naturwissenschaften von ihm und anderen entdeckten Wahrheiten umfaßte und zu einer Gesamtanschauung brachte, verbreitete in seinem Vortrag ein so helles Licht über das unermeßliche Gebiet des Naturstudiums, daß seine Methode mit diesem Vortrag eine neue Epoche ihrer Geschichte datiert.«

Zu jedermanns Überraschung sprach Humboldt fließend deutsch, und es strömten Tausende von Berlinern herbei, um seine Vorlesungen zu hören. Die Singakademie war jede Woche bis auf den letzten Platz besetzt. In der Geschichte der Stadt hatte es nie ein Auditorium gegeben, das gesellschaftlich derart gemischt gewesen wäre. Der König, der Kronprinz, die Kronprinzessin und andere Mitglieder der königlichen Familie saßen in den Logen. Hohe Beamte, Armeegeneräle, Damen der Gesellschaft und Männer der Literatur nahmen die Sperrsitze ein. Einfache Bürger, Lehrer und Studenten drängten sich im Parterre. Noch sensationeller empfand man den großen Anteil an Frauen, die man doch bisher für zu dumm und beschränkt gehalten hatte, um ihnen Interesse an derartigen Gebieten zuzutrauen. Nach der Ansicht eines Zeitungsberichterstatters waren sie das trotzdem. »Der Saal konnte die Zuhörerschaft nicht fassen«, schrieb er, »und die Damen in der Zuhörerschaft konnten die Vorlesung nicht fassen«. Und als Humboldt von einem der königlichen Prinzen gefragt wurde, ob er glaube, daß die Damen seinen Vorträgen folgen könnten, erwiderte er: »Das ist aber ja gar nicht nötig: Wenn sie nur kommen, damit tun sie ja schon alles Mögliche«. Und wie um das zu bestätigen, berichtete später eine seiner Zuhörerinnen, sie habe sich ein neues Kleid bestellt und verlangt, »die Oberärmel zwei Siriusweiten geräumig zu machen«.

Humboldts Pionierarbeit in der öffentlichen Erziehung hatte den Erfolg, daß ein wichtiger Wissenszweig einem gebildeten, bürgerlichen Publikum in Berlin zugänglich gemacht wurde. Sie fand allgemein großen Beifall, außer bei der orthodoxen alten Garde. Schulmädchen dichteten ihm zu Ehren Knittelverse, und zur Erinnerung an die Vorlesungen wurde eine Medaille geprägt. »Sie würden überrascht sein«, schrieb Bruder Wilhelm an Goethe, »Alexander ist wirklich eine ›puissance‹«. Und sogar der Musiker Zelter, der gewöhnlich ein Mann der Tatsachen war, fühlte sich so beeindruckt, daß er in seinem Brief an Goethe schrieb: »Ein Mann steht vor mir, meiner Art, der hat was er gibt, ohne zu kargen, wem? Keine Kapitel macht, keine Vorrede, kein Dunst, keine Kunst. Selbst wo er irren sollte, müßte man's gern glauben.«

Humboldts deutscher Verleger, Freiherr von Cotta, plante, aus diesen populären Vorlesungen Gewinn zu ziehen. Er bot Humboldt 5000 Taler und einen geübten Schnellschreiber an, der während der Vorlesungen mitschreiben sollte. Humboldt weigerte sich jedoch. Das gesprochene Wort, sagte er, könne nicht so ohne weiteres gedruckt werden, bevor es nicht »überarbeitet, geläutert und gesichtet« sei. Auf diese Aufgabe hat er seine Aufmerksamkeit dann viele Jahre lang gerichtet: Das Ergebnis war, wie schon erwähnt, sein eindrucksvoller fünfbändiger Bericht über die physikalische Welt, ›Kosmos‹.

Nachdem Humboldt das Vorurteil der Öffentlichkeit der Wissenschaft gegenüber überwunden hatte, besiegte er als nächstes das Vorurteil der Regierung gegen wissenschaftliche Konferenzen. Das erste Treffen der ›Versammlung deutscher Naturforscher und Ärzte‹, das 1822 in einem Bierkeller in Leipzig stattgefunden hatte, war von der politischen Polizei nicht gern gesehen worden. Doch im Sommer nach Humboldts öffentlichen Vorlesungen stimmte der König Humboldts Vorschlag zu, eine Versammlung der ›Wissenschaftlichen Vereinigung‹ in Berlin einzuberufen. Humboldt wurde zum Präsidenten der Tagung ernannt und verbrachte einen großen Teil des Sommers mit den Vorbereitungen. Das größte Kopfzerbrechen bereitete die Unterbringung der großen Zahl von Gelehrten, die man erwartete. Viele von ihnen baten Humboldt, er möge ihnen doch Unterkünfte besorgen, die frei von Wanzen wären, da die Berliner Wanzen-Spezies als besonders gefräßig verschrieen war. Humboldt bemühte sich persönlich darum, daß Gauß, das Mathematikgenie des Jahrhunderts, zugegen sein würde und bot ihm seine eigene Wohnung an. Am 14. August schrieb er aus Schloß Sanssouci:

Die Hotels hier sind schlecht und werden sicherlich überfüllt sein. Ich kann Ihnen nur ein Wohnzimmer anbieten, aber es ist sehr geräumig und mit einem Blick auf einen hübschen Garten. Für Ihre Besucher können Sie gern die nebenliegenden Räume benutzen. Sie können hier frühstücken, zu Mittag und zu Abend essen – mit mir oder ohne mich, wie Sie es wünschen. Falls Sie einen Freund mitbringen sollten, kann ich ihn mühelos in einem Nachbarhaus unterbringen. Sie werden eine Kutsche zur Verfügung haben. All das können Sie mir überlassen . . . Sie werden in meinem Haus viel guten Willen, wenn auch (meiner inneren häuslichen Einsamkeit wegen) wenig Geschick finden.

Schließlich kamen insgesamt 600 Wissenschaftler aus ganz Deutschland (unter ihnen auch Gauß) und Repräsentanten aus dem weit entfernten Dänemark und Schweden (Berzelius und Oersted) und sogar aus England (Babbage). In diesem ungeheuren Auftrieb an »großen Männern und kleinen Doktoren« sah man nicht nur einen Triumph der deutschen Wissenschaft, sondern auch das Anwachsen der Bewegung zur Vereinigung Deutschlands. Bei der Eröffnungsfeier der Versammlung in der Singakademie, der auch der König von Preußen und der Herzog von Cumberland beiwohnten, hielt Humboldt als Präsident eine Begrüßungsrede über die gesellschaftliche Bedeutung der Wissenschaft, »ein Meisterstück ihrer Art«, wie einer der Teilnehmer feststellte. Und am Abend zwischen sechs und neun Uhr empfing er »alle seine 600 Freunde« zum Tee im Schauspielhaus. Die halbe Stadt scheint daran teilgenommen zu haben. Der König betrachtete alles von seiner Königsloge aus, während sich der Kronprinz und die anderen Prinzen unter die Leute im Saal mischten. Es war ein großartiges Fest, die Bewirtung war reichlich, Musik und Gesang lockerten die Unterhaltung. Humboldt schien überall zugegen, er begrüßte die Gäste, machte sie miteinander bekannt, unterhielt sich, scherzte, bot Tee und Kekse an.

Die Berliner Tagung diente als Anregung und Modell für ähnliche Versammlungen, die später in England, Italien, den Vereinigten Staaten und Frankreich stattfanden. Humboldt selbst wurde ihrer bald müde. Es schien ihm, daß letzten Endes solche Zusammenkünfte doch nur eine Gelegenheit für die »wandernden Naturseelen« sei, um »unter Gelagen für die gelehrte Eitelkeit Befriedigung zu finden«. Ein paar Jahre später schrieb er an Gauß: »Einige Stunden mit Ihnen, teurer Freund, sind mir lieber als alle Sektionen der sogenannten Naturforscher, die sich in solchen großen Massen und so gastronomisch bewegen, daß des wissenschaftlichen Verkehrs für mich nie genug gewesen ist. Ich habe mich am Ende immer gefragt, wie der Mathematiker am Schluß der Oper: ›Nun sagen Sie mir freimütig, was beweist das?‹«.

Was der Kongreß von 1828 bei Humboldt persönlich durch seinen Kontakt mit Gauß bewirkt hat, war eine neuerliche Anregung seiner früheren Interessen an magnetischen Beobachtungen. Im Herbst hatte er im Garten seines Freundes Abraham Mendelssohn-Bartholdy, dem ältesten Sohn von Moses Mendelssohn und Vater des berühmten Komponisten, Felix, eine ›magnetische Hütte‹ errichten lassen, die außer Kupfer kein Metall enthielt und vollkommen anziehungsfrei war. Felix war damals 20 Jahre alt und bereits gut bekannt. Humboldts magnetische Hütte lag nicht weit von dem Sommerhaus entfernt, in dem Felix und seine ebenfalls hochtalentierte Schwester Bachs wiederentdeckte Matthäus-Passion für ein künftiges

Konzert übten. Während die Klänge der Musik zu ihm herüberdrangen, beobachteten Humboldt und seine Assistenten durch ein Mikroskop aufmerksam die schwarze Linie einer Elfenbeinskala, die von Kerzenlicht beleuchtet war. Jede Stunde, bei Tag und Nacht, notierten sie die Schwankungen der magnetischen Deklination. Humboldt war speziell daran interessiert, gleichzeitig Beobachtungen an verschiedenen Orten zu machen, um festzustellen, ob die Unterschiede terrestrischen Ursprungs waren oder von der Stellung der Sonne abhingen. Zu diesem Zweck wurden gleichzeitig Ablesungen in Paris sowie in einer Freiberger Grube, 216 Meter unter der Erde, vorgenommen. Später wurden sie auf Humboldts Betreiben rings um die ganze Welt ausgedehnt.

Diese periodischen Messungen fanden in der Hütte im Mendelssohnschen Garten bis zum Tod von Abraham statt, danach wurde das Haus verkauft. Doch zuvor fand ein bedeutendes Ereignis in Humboldts Leben statt. Im Frühjahr 1829, in seinem 60. Lebensjahr, erhielt er unerwartet die Möglichkeit, den zweiten großen Traum seines Lebens zu verwirklichen und zu seiner langersehnten Expedition durch Asien aufzubrechen.

NEUNZEHNTES KAPITEL

Die Expedition nach Sibirien

Die unerwartete Gelegenheit, nach Rußland zu reisen, kam auf Umwegen zustande. Georg Graf Cancrin, der russische Finanzminister, hatte im Herbst 1827 Humboldt um Rat gefragt, was er von platingeprägten Münzen halte – denn dieses Metall war erst kurz vorher in beträchtlichen Mengen im Ural entdeckt worden. In seinem Brief hatte Cancrin so nebenbei angedeutet, daß sich für einen hervorragenden Wissenschaftler ein Besuch des Urals sicherlich lohnen würde. Humboldt ergriff diese Chance sofort. Er antwortete Cancrin, er verspreche sich von der Idee, Münzen aus Platin zu prägen, nicht viel, denn anders als bei Gold und Silber sei der Preis des Platins schwankend, dagegen verspreche er sich sehr viel vom Ural und vom Baikal-See. Cancrin verstand die Andeutung. Im Dezember lud er Humboldt im Namen des Zaren zu einer sechsmonatelangen Sommerexpedition in den Ural ein. Auf Kosten des Zaren sollte er sich dort mit dem Bergbau befassen und geologische Untersuchungen vornehmen.

Humboldt nahm die freundliche Einladung des Zaren an, ebenso dessen freundliches Geld: Er fragte zurück, ob er seine Reise nicht bis nach Westsibirien ausdehnen könne. »Ich bitte Seine Kaiserliche Majestät inständigst, mir zu erlauben, mindestens bis zum Irtysch Fluß vorzustoßen. Tobolsk ist ein Traum meiner Jugend. Ich habe zwar eine kindische Angst vor Kälte, aber ich weiß auch, daß man für ein hohes Ziel Opfer bringen muß.« Er würde lediglich darum bitten, fuhr er fort, seine Abreise bis zur Fertigstellung seiner Schriften über seine 25 Jahre zurückliegende Expedition hinausschieben und seine öffentlichen Vorlesungen in Berlin abschließen zu dürfen.

Über das Thema Geld sprach er später ausführlicher. Er sei durchaus bereit, die Reise von Berlin nach St. Petersburg und zurück aus eigener Tasche zu bestreiten, sagte er, aber alle weiteren Ausgaben sollten zu Lasten des Kaiserlichen Schatzamtes gehen.»Ich habe nicht die Absicht, aus dieser Reise einen finanziellen Gewinn zu erzielen«, teilte er Cancrin mit, »aber ich möchte auch keinen persönlichen Verlust erleiden«. Er würde in seinem eigenen, in Frankreich hergestellten Wagen reisen, mit einem deutschen Diener und mit Gustav Rose, einem anspruchslosen, aber sehr tüchtigen Professor der Chemie und Mineralogie. Humboldt hatte nicht den Wunsch, bevorzugt behandelt zu werden, doch für Freundlichkeit sei er stets sehr empfänglich. Und er fügte hinzu: »Trotz meines Alters und meiner grauen Haare bin ich noch immer sehr gut zu Fuß und kann täglich, ohne eine Rast einschalten zu müssen, neun bis zehn Stunden gehen.«

Die Regierung Rußlands wünschte indessen, daß Humboldt nicht einen einzigen Pfennig für die Expedition aus eigener Tasche bezahlen dürfe. Ihr lag daran, daß die Expedition in erster Linie dem Bergbau im Ural zugute kommen solle, deshalb gab sie Alexander 7000 Taler Vorschuß, um alle seine Auslagen zu decken. Sie genehmigte ihm als Begleitung einen Bergbaubeamten und einen Kurier, und gestattete auch, daß er noch einen jungen Zoologen, Christian Gottfried Ehrenberg, in seine Reisegruppe aufnahm. Humboldt blieb es überlassen, sein eigenes wissenschaftliches Programm zu bestimmen und die Reiseroute festzulegen. Und schließlich beschloß er, die Reise südlich bis an die Grenzen von Chinesisch-Turkestan auszudehnen. Als Gegenleistung für dieses fast unbegrenzte Entgegenkommen verpflichtete sich Humboldt, über die sozialen und politischen Zustände im Zarenreich taktvoll zu schweigen, obzwar er ideologisch natürlich ein Gegner jener Verhältnisse war. Damit war ihm die Möglichkeit genommen, sich über die Unterdrückung der Bauern, die Leibeigenschaft, die Sklaverei und alle Grausamkeiten und Ungerechtigkeiten eines despotischen Regimes auszulassen.

C. Hildebrandt. Petersburg 1856.

IV

Alexander von Humboldt in seinem Bibliothekszimmer
in Berlin in der Oranienburger Straße

Aquarell von Eduard Hildebrandt 1856

The Royal Geographical Society, London

Anfang März 1829 waren alle Vorbereitungen für den langen Weg zu Pferd und zu Wagen von Berlin bis an die Grenze Chinas getroffen, aber ein trauriges Ereignis verzögerte Humboldts Abreise. Seit einem Jahr litt seine Schwägerin Caroline an einem unheilbaren Krebs, am Ende des Winters hatte sich ihr Zustand erheblich verschlechtert, und es war vorauszusehen, daß sie nicht mehr lange leben würde. Den ganzen März über siechte sie dahin und wurde immer schwächer; am 26. verschied sie sanft. Alexander hielt sich gerade in Potsdam beim König auf, als ein Eilbote ihm die Nachricht überbrachte. Er eilte sofort nach Tegel zu seinem Bruder, der sehr gealtert und über den Tod seiner geliebten Frau völlig gebrochen war. Ihrem Wunsche entsprechend wurde sie im Park von Tegel im Schatten einiger schöner Eichen beigesetzt, und die Blumen auf ihrem Grab waren noch frisch, als Humboldt Seifert befahl, die Wagen eiligst zur bevorstehenden Reise zu beladen.

Am 12. April 1829 begann Humboldts Expedition von Berlin nach St. Petersburg. Im ersten, in Humboldts Wagen, saß er mit den beiden Wissenschaftlern Rose und Ehrenberg in warme Winterkleidung und Decken eingehüllt. Hinter ihnen im zweiten Wagen folgte der Diener Seifert, der die Aufgabe hatte, das umfangreiche Gepäck zu hüten: die Koffer und die Kisten mit wissenschaftlichen Instrumenten, die das Abteil und die Gepäcknetze auf dem Dach füllten.

Es war eine ungünstige Jahreszeit für eine Reise nach Osten. Während des ganzen Weges über die graue, nördliche Ebene bis zur Weichsel fuhren sie durch heulende Stürme aus Schnee und Graupel. Es war das dicke Ende des Winters, und das Eis der Flüsse begann, in Bewegung zu geraten. Die Wagen mußten auf Flößen übergesetzt werden, die von Eisschollen und reißender Strömung gestoßen und getrieben wurden. In Königsberg in Ostpreußen hielten sie sich zwei Tage auf, um den berühmten Astronomen Bessel zu besuchen. Und hinter Königsberg wurden die Straßenverhältnisse noch viel schlimmer.

Sie waren von allen Schrecken des Winters umgeben und

sahen nichts als Schnee und Eis, so weit das Auge reichte. Die Flüsse behinderten sie erheblich; sie waren entweder vom Eis blockiert, oder man konnte nur auf völlig aufgeweichten Wegen hingelangen. Die Wagen blieben im Schlamm stecken und konnten nur durch zusätzliche Pferdegespanne und die Hilfe von Bauern wieder flott gemacht werden. »Alles dies sind – Frühlingsereignisse«, bemerkte Humboldt in seinem Tagebuch.

Die Straße, wenn man sie als eine solche bezeichnen durfte, war nur durch eine Doppelreihe von Bäumen gekennzeichnet, die dem Kutscher die Fahrtrichtung angab. Sie verlief der Kurischen Nehrung entlang, einer Landzunge zwischen Haff und Ostsee. Ein heftiger Wind hatte die schmale Öffnung zwischen Meer und Land mit schwimmenden Eisfeldern blockiert, so daß die Überfahrt nach Memel nicht möglich war. Die Reisenden mußten in einer kleinen, ländlichen Herberge abwarten, bis sich die Lage verbessert hatte.

Die Szenerie bestand aus einem Pflugacker, 3 Birken und 2 Kiefern, die sich mit liebenswürdiger Einförmigkeit nun schon 200 Meilen weit nach Nordosten ausdehnte ... Das Charakteristische dieser Unnatur ist die Nehrung, wo wir 4 oder 5 Tage verbrachten und 5 Muscheln und 3 Lichenen fanden.

Bald war zu erkennen, daß Humboldts Rußlandexpedition nur wenig Gemeinsames mit seiner Südamerikareise hatte. Dreißig Jahre lagen zwischen den beiden, Humboldt war nun ehrwürdig, berühmt und eine offizielle Persönlichkeit geworden. Als europäische Zelebrität und Gast des Zaren konnte er nicht incognito und in Ruhe reisen. In Riga in Litauen, wurde seine Reisegesellschaft von einem voranreitenden Postkurier in so alberner Weise angekündigt, daß sie für eine Übernachtung zwischen 15 und 18 Silberrubel zahlen mußten. Und je näher sie der russischen Hauptstadt kamen, um so lärmender wurde die Begrüßung – ein Vorgeschmack, aber eben nur ein Vorgeschmack von dem, was sie erwartete.

Es würde ermüdend sein, ausführlich über Dorpat und die Feierlichkeiten dort zu berichten: eine Universitätsequipage mit vier Pfer-

*den, Professorenbesuche von 8 Uhr morgens bis 9 Uhr abends, ein
ungeheuer labendes Diner, das von der ganzen Universität gegeben
wurde, mit allen obligatorischen Toasts, daneben aber doch wieder
Belehrung, interessante Menschen (vor allem Struve, mit seinen 2000
Doppelsternen und seinem herrlichen Fernrohr). Ein Schneesturm,
der uns drei Tage lang plagte, hat jede Beobachtung des Himmels unmöglich gemacht. Doch nach wiederholten Experimenten habe ich
mich davon überzeugt, daß ich den Mikrometer mit weniger als $^1/_{30}$
Sekunde Abweichung ablesen kann.*

Bevor sie Petersburg erreichten, waren sie nicht weniger als
17 Mal über Flüsse übergesetzt worden, und Humboldt begann, sich Sorgen über die Expeditionskosten zu machen.

*Auf diesen aufgeweichten Straßen benötigten wir 12 Pferde (für
beide Kutschen) statt wie bisher 6 bis 8. Die Reise bis St. Petersburg
wird uns durch diese Erschwernisse leicht 900 Taler kosten (immerhin noch unter den 3927 Talern, die mir gegeben wurden). Der Kurier sagt, eine Reise mit 400 Pferden kostet hier 370 bis 400 Taler.*

Endlich am 1. Mai, nach dreiwöchiger Reise, gelangten sie
nach St. Petersburg. Sie rollten an der Hermitage, dem Winter-
palais und der Admiralität vorbei, bis die dampfenden Pferde
vor der preußischen Botschaft halt machten, wo sie herzlich
willkommen geheißen wurden. Humboldt stellte mit Befriedigung fest, daß seine Gesundheit die Härten des Winters glänzend überstanden habe, er niemals von Ehrenbergs vier Kubik-
fuß großer Apotheke habe Gebrauch machen müssen, auch
sein Wagen heil sei und kein Nagel daran fehle. Lediglich eine
Deichsel war durch den Huftritt eines Pferdes zerbrochen. Was
Ehrenberg und Rose betraf, so fand er ihre Gesellschaft angenehm; auch Seifert war nützlich und energisch. Alles ließ sich
gut an.

Humboldts Empfang in St. Petersburg war überwältigend;
er entsprach eher dem eines Monarchen auf Staatsbesuch als
eines Wissenschaftlers, der sich auf einer Expedition befindet.
»Alles ist in steter Bewegung um mich, man kann nicht mit
mehr Auszeichnung und mit einer edleren Hospitalität behandelt werden.« Zar Nikolaus I. betrachtete ihn als seinen per-

sönlichen Gast. Jeden Tag war er zum Essen im engsten Kreis –
»zu vier Couverts« eingeladen; seine Abende verbrachte er mit
der Zarin, einer Tochter des Königs von Preußen, in völlig un-
gezwungener Weise, die er als »liebenswürdigste Freiheit« bezeichnete. Selbst der Zarewitsch, der Thronfolger, bat ihn zum
Abendessen, »damit er sich einst dessen erinnere«. Der Kriegs-
minister händigte ihm eine Anzahl Generalstabskarten aus
und stellte ihm mehrere Abteilungsleiter zur Verfügung.
Zwei neue wunderschöne russische Kutschen, von denen jede
200 Taler (eine Menge Geld!) gekostet hatte, waren für die
Reise nach Sibirien bereitgestellt; eine dritte wurde für den
Koch und einen Boten mitgeführt. »Wohin ich auch gehe, bie-
tet man mir Geld wie Heu an und kommt jedem meiner Wünsche zuvor.«

Am 20. Mai verließen sie St. Petersburg, um sich für vierzehn Tage nach Moskau zu begeben. Die überschwengliche
russische Gastfreundschaft wurde allmählich geradezu lästig.

*Die Vorsorge der Regierung für unsere Reise ist nicht auszuspre-
chen, ein ewiges Begrüßen, Vorreiten und Vorfahren von Polizei-
leuten, Administraten, Kosakenwachen aufgestellt! Leider aber auch
fast kein Augenblick des Alleinseins, kein Schritt, ohne daß man ganz
wie ein Kranker unter der Achsel geführt wird! Ich möchte Leopold
von Buch in dieser Lage sehen.*

Wie alle berühmten Persönlichkeiten bedrückte auch
Humboldt die Langeweile der öffentlichen Bewunderung, die
endlosen Empfänge mit ihren endlosen Reden und Toasts.
Würde er alle erwidert haben, wäre er während seiner ganzen
Reise nicht nüchtern geworden. Er wünschte nichts sehnlicher,
als bald in die Stille und Einsamkeit, so glaubte er wenigstens,
der sibirischen Wildnis weiterreisen zu können. Als sie die
Stadt endlich verlassen konnten, zeigte sich allerdings deutlich, daß aus der Expedition nun ein Wanderzirkus geworden
war. Hochgestellte Bergbaubeamte begleiteten sie, und die
ehrenwerte Bürokratie der lokalen Verwaltung fuhr ihnen
voraus. Die ganze lästige und erhabene Gesellschaft jagte in
wildem Galopp dahin, und an jeder Zwischenstation mußten

bis zu 40 Pferde ausgewechselt werden. Ihr Weg führte direkt ostwärts über die monotone russische Ebene durch Wladimir und darüber hinaus. Die Landschaft lag eingetaucht in russisches Frühlingswetter. Sie kamen durch kleine, aus Blockhütten bestehende Dörfer und ratterten und polterten über holzgepflasterte Hauptstraßen. Nachts rasteten sie in den Poststationen oder wurden von den Polizeichefs in den Häusern der Wohlhabenden des Ortes einquartiert. Endlich erreichten sie die alte, von Wällen umgebene Stadt Nischnij-Nowgorod (heute: Gorki) und verluden für die Fahrt stromabwärts nach Kasan die Wagen auf eine große Wolga-Segelbarke. Verglichen mit dem Orinoko war die Unterbringung luxuriös. Mittschiffs hatte man ein Segeltuchzelt errichtet, und darunter standen ein Tisch und Bänke. Auf einem Ziegelsteinofen konnte der Expeditionskoch seine einfachen Mahlzeiten zubereiten, während die Vorräte seiner Speisekammer in einem kleinen Boot nachgezogen wurden. Der Wind stand ihnen entgegen, so daß die vier Wolgaschiffer auf der ganzen Strecke rudern mußten. Dabei sangen sie Stunden um Stunden ihre melancholischen russischen Lieder. Durch die Schneeschmelze war der Strom stark angeschwollen; die sattgrünen Ufer mit ihren Pappeln, Eichen und Linden lagen vielfach mehr als eine Meile voneinander entfernt. Drei Tage dauerte die Fahrt auf dem Strom: Am 4. Juni erreichten sie Kasan, eine islamische Stadt von 50 000 Einwohnern, die einst das alte Bollwerk von Tamerlans Goldener Horde und jetzt das rege Zentrum einer regionalen Universität war. Kasan lag an der westlichen Grenze der nur vage bestimmten Scheidelinie zu Asien, und hier verspürte Humboldt erstmals den Hauch des Ostens: überall Tartaren, Turbane und verfallene orientalische Paläste.

Bei schönem, warmem Juniwetter rollten die Wagen auf gutgeschotterten Straßen in Richtung Perm und auf die Berge des Urals zu, stets von säbelschwingenden Wachen begleitet. »Eine Sibirienreise ist nicht so angenehm wie eine Südamerikareise«, schrieb Humboldt nach Hause. »Seit Kasan haben wir keine einzige Herberge gesehen. Man schläft auf Bänken oder im Wagen. Aber das Leben ist ertragbar, und ich muß nicht klagen.«

Trotz seines Alters machten Humboldt die Reisestrapazen nicht zu schaffen. Ein russischer Reiseteilnehmer, Ingenieur Helmersen, der später General wurde, berichtete, wie Humboldt – gekleidet in einen braunen Gehrock, eine weiße Halsbinde und einen runden Hut auf dem Kopf – im Ural jede Gelegenheit wahrnahm, mit leicht vorgebeugtem Kopf zu Fuß zu gehen.

Er ritt auf den Exkursionen nie. Wo man im Fuhrwerk nicht weiter konnte, stieg er aus und ging zu Fuße weiter, ohne sichtbare Ermüdung hohe Berge ersteigend oder über Steinmeere kletternd ... Trank und Speise nahm er stets, selbst nach ermüdenden Streifereien, mit der bekannten Mäßigkeit zu sich, und hatte oft viel Mühe, die copiose Menge abzuweisen, welche die übrigens wohlgemeinte Gastfreundschaft der Russen den Gästen beibringen möchte.

Vom Gipfel des Belaya Gora schauten Humboldt und Rose nach Osten, wo sich die unermeßlichen sibirischen Steppen eintönig bis zum Horizont dehnten. Sie befanden sich nun in Asien und erreichten am 15. Juni Jekaterinburg (heute: Swerdlowsk), ihren Ausgangspunkt für die Exkursionen in den Ural, die ja eigentlich der Zweck ihrer Reise waren. Einen ganzen Monat lang stapften Humboldt und seine Begleiter durch die Berge. Sie besuchten Bergwerke und die sagenhaft reichen Lagerstätten von Eisen, Kupfer, Malachit, Beryll, Topas und besonders von Gold und Platin, die der Ural in verschwenderischem Ausmaß zu besitzen schien. Manchmal ging Humboldt die ganze Zeit zu Fuß und bewegte sich ebenso sicher über Gestein und Geröllhalden wie an den Hängen des Chimborazo. Oft stieg er erst am Abend in die Gruben und bestand darauf, noch spät um 9 Uhr hinuntergefahren zu werden. Er führte seine Untersuchungen methodisch und genau aus. Das eigentlich Aufregende aber war die Entdeckung des ersten Diamanten, der jemals im Ural gefunden wurde. Tatsächlich war es sogar der erste, der jemals außerhalb der Tropen entdeckt wurde – ein Ereignis, bei dem Humboldt eine entscheidende Rolle spielte.

Vor seiner Abreise aus St. Petersburg hatte Humboldt dem Zaren versprochen, er werde Rußland nicht eher verlassen als bis er im Ural Diamanten gefunden habe. Das waren keine leeren Versprechungen. Bei seinen geologischen Arbeiten über die Schichtung der Gesteine hatte er bemerkt, daß Diamanten oft in den gleichen Ablagerungen zu finden waren, die auch Platin und Gold enthielten. Bis dahin hatte man angenommen, Diamanten kämen ausschließlich in den Tropen vor, doch Humboldt hoffte sehr, sie auch in den Gold- und Platinablagerungen des Ural zu finden. Er vertraute Graf Polier, dem Besitzer von Goldfeldern an den östlichen Hängen des Ural, der sich in Nischnij-Nowgorod der Expedition angeschlossen hatte, diese Vermutungen an. In jeder Goldmine, an der sie vorbeikamen, untersuchten Humboldt und Rose den goldhaltigen Sand unter dem Mikroskop, um die verschiedenen Mineralteilchen zu analysieren. Doch obwohl alles darauf hindeutete, daß sie auf der richtigen Fährte waren, konnten sie nicht den winzigsten Diamanten entdecken. Am 2. Juli, nach mehr als zweiwöchiger fruchtloser Suche, trennte sich Graf Polier von der Expedition und kehrte auf seine Besitzungen zurück. Vier Tage später besuchte er in Begleitung seines deutschen Aufsehers Schmidt eine seiner Gold-Fundstellen. Und an demselben Tag brachte ihm ein vierzehnjähriger Junge, Pavel Popow, der dort beschäftigt war, den ersten Diamanten. Die Transparenz des Steines war vollkommen, sein Glanz und seine Struktur ließen keinen Zweifel daran, daß Humboldts Prophezeihung stimmte. Drei Tage später fand ein anderer Junge einen zweiten Diamanten; und nicht viel später wurde dem Grafen Polier noch ein dritter geschickt, der größer war als die beiden anderen zusammen.

Humboldt erfuhr von diesen Funden erst später bei seiner Rückkehr nach St. Petersburg. Dort lag ein Päckchen für ihn, das einen Diamanten enthielt – ein Geschenk des Grafen an den Mann, dem die Entdeckung des ersten Diamanten im Ural zu verdanken war.

Am 18. Juli brach die Expedition in Jekaterinburg auf und

galoppierte Tag und Nacht durch Sibirien nach Tobolsk am Irtysch. Angesichts der riesigen Entfernungen in Rußland zwischen einem Ort und dem anderen und der Eintönigkeit der Landschaft war diese überstürzte Jagd wahrscheinlich die vernünftigste Art, die ganze Strecke hin und zurück noch vor Wintereinbruch zu bewältigen. Ausgerechnet in Tobolsk begegnete Humboldt dem Neffen von Charlotte Buff, die durch den ersten Roman von Goethe zu Unsterblichkeit gelangt war. Der Ortsgouverneur war um die Sicherheit seines hohen Gastes so besorgt, daß er eine besondere Eskorte zusammenstellte, bestehend aus einem Arzt, einigen Kosaken und seinem persönlichen Adjutanten, die täglich 24 Stunden zu Humboldts Verfügung stand. Von hier an reisten sie wie Sardinen in der Büchse durch Zentralasien.

Der lange Weg führte in südöstlicher Richtung über die halbe Breite der Sibirischen Steppen nach Barnaul, das Altaigebirge und die chinesische Dsungarei. Sie fuhren in sibirischen Langwagen, in denen sie auf dem Rücken ausgestreckt liegen mußten. Um sich vor den gierigen sibirischen Moskitos zu schützen, trugen sie auf dem Kopf erstickend heiße Masken aus Leder mit aus Roßhaaren geflochtenem Visier. Typhus wütete in den zerstreuten Dörfern, durch die sie kamen; und um den Kontakt mit den Einwohnern zu verringern, reisten sie wiederum Tag und Nacht.

Sie litten sehr unter der Hitze, dem Staub und den kleinen gelben Insekten. Doch sie fuhren so schnell über das monotone, grasbewachsene Land, daß sie in neun Tagen tausend Meilen zurücklegten. Und am Morgen des 1. August erreichten sie das Ufer des Ob, gegenüber der Bergstadt Barnaul im Altaigebirge. Aus der Kirgisensteppe blies gerade ein südsüdwestlicher Sturm, der siebzehn Stunden anhielt. Die Wellen des Ob glichen Meereswogen; und da es unmöglich war, ans andere Ufer zu gelangen, mußten sie die Nacht über am Ufer kampieren. Die Lagerfeuer, die im Walde hoch aufloderten, erinnerten Humboldt lebhaft an seine Tage am Orinoko. Es regnete und stürmte abwechselnd, doch sie waren wenigstens die

Moskitos los und durften die unbequemen Masken ablegen. Um zwei Uhr morgens flaute schließlich der Sturm ab, und sie konnten über den Ob nach Barnaul gelangen.

Sie waren jetzt 3600 Kilometer nach Asien vorgedrungen. Humboldt stellte fest, daß die Landschaft allmählich sibirischen Charakter angenommen hatte. Sie waren so rasch gefahren, daß sie auf ihrem Wege kaum Wild gesehen hatten; Humboldt war deshalb sehr überrascht, als er erfuhr, daß der große sibirische Tiger in diesen nördlichen Breiten anzutreffen sei. Und tatsächlich wurden ihm auch zwei Felle gezeigt, die er für die zoologische Sammlung in Berlin erwerben wollte.

Die Stadt Barnaul gefiel ihm recht gut; vor allem bewunderte er ihre großartigen Sammlungen alter chinesischer, mongolischer und tibetanischer Manuskripte. Doch das Wohlwollen der Behörden führte leider zu einer täglich wachsenden Anzahl von Reiseteilnehmern. Bevor sie nämlich abfuhren, gesellte sich der Oberkommandierende der Truppen von Tomsk mit seinem Stabe zu ihnen und verkündete seine Absicht, Humboldt die Grenze entlang bis Omsk begleiten zu wollen.

Am 4. August verließ die Expedition Barnaul und reiste mit leichten, einheimischen Wagen über Ust-Kamenogorsk bis an die chinesische Grenze. Am 17. August 1829, um 1 Uhr, kamen sie am Ende der Straße an. Miserabel gekleidete mongolische Soldaten bewachten von zwei armseligen Lagern aus nach Norden hin beide Ufer des Irtysch, d. h. das heute zu Rußland gehörende Kasachstan, damals die chinesische Dsungarei. Sie standen unter dem Befehl eines untadeligen jungen Chinesen in einem blauseidenen Gewand, der auf dem Kopf einen konischen Hut mit einer Pfauenfeder trug. Es war kein bemerkenswerter Ort. Auf dem Gipfel eines kahlen Hügels stand ein kleiner chinesischer Tempel, und in einem Tal grasten einige Kamele. Zur Linken lag die Mongolei, zur Rechten China. Im Süden erstreckten sich die Steppen von chinesisch Turkestan und in weiter Ferne die schneebedeckten Bergketten des asiatischen Schutzwalls. Von einer kleinen Erhöhung aus spähte der 60jährige Forscher in die dunstige Ferne, um einen Schimmer von der Welt zu erhaschen, die mehr als ein Vierteljahrhundert lang das Ziel seiner Wünsche gewesen war. Dann wandte er sich um.

Zu Schiff kehrten sie auf dem Irtysch nach Omsk zurück und durchquerten dann die nördlichen Ausläufer der unfruchtbaren, verlassenen Kasach-Steppen, in denen sie vereinzelt Hirsche am Horizont und gelegentlich Skorpione unter ihren Füßen erblickten, die einzigen Lebewesen. Von Astrachan am Kaspischen Meer aus kreuzten sie einige Tage auf einem mit Brennholz betriebenen Dampfer. Rose und Ehrenberg entnahmen dem Meer Wasserproben für chemische und mikrobiologische Analysen, während Humboldt eine Serie von barometrischen Messungen vornahm.

Ende Oktober 1829 traten sie die Heimreise an und trafen am 3. November wohlbehalten mit einem beachtlichen Reichtum an Daten und Proben wieder in Moskau ein. Keiner der Wagen war zusammengebrochen, niemand war krank geworden. Die tollverwegenen Kutscher waren bei ihren halsbrecherischen Fahrten zwar gelegentlich vom Wagen gestürzt, aber sie hatten es immer wieder fertiggebracht, lachend zwischen den Hinterrädern hervorzurollen. Die statistischen Angaben über ihre Reise waren beeindruckend: In weniger als sechs Monaten hatten sie rund 15500 Kilometer zurückgelegt, davon 750 Kilometer auf Flüssen. Sie waren durch 658 Poststationen gekommen und hatten 12244 Postpferde benutzt. 53 mal waren sie über Flüsse gesetzt, davon 10 mal über die Wolga und 8 mal über den Irtysch. Von den 20000 Rubeln, die Graf Cancrin Humboldt zu Beginn der Reise vorgeschossen hatte, hatte er 12950 Rubel ausgegeben. Und wahrscheinlich war Cancrin verwundert, als ihm Humboldt den Restbetrag zurückerstattete.

In Moskau löste die Rückkehr der Expedition eine neue Runde ermüdender Empfänge aus. Die Akademie der Wissenschaften hielt eine besondere Versammlung ab, zu der sie Humboldt und seine Begleiter einlud, um über die wissenschaftlichen Ergebnisse der Expedition diskutieren zu können. Die Angelegenheit verlief sehr feierlich und entbehrte nicht einer gewissen Komik. Der Generalgouverneur und sämtliche militärischen und zivilen Würdenträger erschienen mit Ordensbändern und Ehrenzeichen, während die Professoren, den Dreispitz unter den Arm geklemmt, ihre Säbel hinter sich her schleiften. Humboldt, der nichts Derartiges erwartet hatte, war nur in einem blauen Frack erschienen und sehr bestürzt. In einem eisigen Korridor mußte er eine Reihe langweiliger Begrüßungsreden erwidern, und als er endlich den Saal betrat, erhoben sich die Anwesenden von ihren Sitzen. Humboldt hatte beabsichtigt, die von ihm im Ural gesammelten geomagnetischen und meteorologischen Daten den Moskauer Akademikern vorzulegen. Statt dessen mußte er sich ein Gedicht anhören, das mit den Worten begann: »Humboldt, der Prometheus unserer Tage!« und mit andächtiger Bewunderung auf ein Geflecht starren, das aus den Haaren Peter des Großen hergestellt war.

Auch in St. Petersburg wurde Humboldt mit überschwenglicher Gastfreundschaft und erdrückender russischer Liebenswürdigkeit empfangen. Der Zar und die Zarin verlangten fast täglich seine Gesellschaft. »Ihre Ankunft in Rußland hat einen riesigen Fortschritt in meinem Land bewirkt«, sagte der Zar, der krank im Bett lag. »Überall, wo Sie hinkommen, üben Sie einen belebenden Einfluß aus.« Als Abschiedsgeschenke übergab er Humboldt einen Zobel-Umhang, der 5000 Rubel wert war, und eine wundervolle, sieben Fuß hohe Malachitvase, deren Wert sich auf 40000 Rubel belief.

So kehrte Humboldt einer Nation den Rücken, deren Gewohnheiten er nicht ertragen mochte, und einem Monarchen, dessen Politik er insgeheim verachtete. Eine eisige Fahrt brachte ihn nach Berlin zurück. Kurz nach Weihnachten war er wieder zu Hause. Er war 18000 Kilometer gereist – fast um die halbe Erde – und nach dieser kurzen Kostprobe von Rußland fühlte er sich fast glücklich, wieder daheim zu sein.

ZWANZIGSTES KAPITEL

Kosmos

Humboldt ging nie wieder auf eine Expeditionsreise. Er hatte nun das zweite große Ziel seines Ehrgeizes erreicht und war diesmal froh, die Veröffentlichungen über die wissenschaftlichen Resultate der russischen Reise seinen beiden fähigen Mitarbeitern, Ehrenberg und Rose, überlassen zu können. Seine eigene Arbeit darüber – ein dreibändiges Werk beschreibender Geographie mit dem Titel ›Asie centrale‹ – erschien erst einige Jahre später in Paris (1843). Verglichen mit seinen südamerikanischen Veröffentlichungen war es ein bescheidenes und wenig ergiebiges Werk. Es hielt sich ganz offensichtlich jenseits aller politischer und sozialer Kontroversen, sondern beschränkte sich einzig auf Sachverhalte und Erscheinungen der Geographie Zentralasiens. Doch entwirft Humboldt hier schon seine Vorstellungen über den relativen Beitrag von Bergen und Hochebenen zur mittleren Höhe eines Kontinents und teilt wichtige Beobachtungen über die klimatischen Gegebenheiten dieser großen, nördlichen Landmasse sowie Daten zur Vervollständigung der Isothermen-Weltkarte mit.

Das praktische Ergebnis der russischen Expedition war, daß sie Humboldt zu seinem ehrgeizigen und bedeutenden Plan anregte, eine Kette von geomagnetischen Beobachtungsstationen rings um die Erdkugel zu schaffen, ein wichtiges Ereignis in der Geschichte des Geomagnetismus und in der Entwicklung der internationalen, wissenschaftlichen Zusammenarbeit, bei dem er nun eine führende Rolle spielte. In St. Petersburg hatte er bereits 1829 die russischen Autoritäten darauf hingewiesen, welche praktischen wissenschaftlichen Vorteile die Einrichtung einer Reihe von magnetischen und meteorologischen Stationen quer durch das ganze europäische und asiatische Rußland – ein Gebiet, größer als der sichtbare Teil des Mondes – mit sich bringen könnten. Innerhalb der nächsten sechs Jahre war bereits eine Anzahl derartiger Stationen zwischen St. Petersburg, Peking und Alaska in Tätigkeit. Humboldts Ratschläge befolgend, beobachteten sie mit gleichartigen Instrumenten regelmäßig die magnetische Inklination und Deklination, den Barometerdruck, die Temperatur und Luftfeuchtigkeit, die Windrichtungen und die Menge der Niederschläge. Die USA besaßen bereits ein Netzwerk ähnlicher Stationen, und Gauß arrangierte eine andere Kette von Observatorien, den ›Göttinger Verband‹, durch Westeuropa von Irland bis Deutschland. Humboldt erkannte, daß er die britische Regierung davon überzeugen müsse, in ihren Überseegebieten weitere Stationen zu errichten, um das Netz rund um die Weltkugel zu spannen. So schrieb er im April 1836 einen Brief an den Duke of Sussex, einen Freund aus seinen Göttinger Studententagen, der nun das Amt des Präsidenten der Royal Society innehatte. Er schlug ihm vor, ständige Stationen in Canada, St. Helena, am Kap der guten Hoffnung, Jamaica, Ceylon und Australien einzurichten.

Die britische Antwort war ebenso schnell und positiv wie es die russische gewesen war. Auf Betreiben der Royal Society und der British Association unter der Leitung von Sir John Herschel, Sir Edward Sabine, Sir Georg Airy und Humphrey Lloyd ordnete die britische Regierung an, Stationen auf den von Humboldt bezeichneten Gebieten zu errichten, und sie überbot seinen Vorschlag sogar, indem sie eine spezielle Schiffsexpedition unter Sir James Ross ausrüstete, die in der Antarktis magnetische Beobachtungen machen sollte. Die Schiffe von Ross führten nicht nur alle notwendigen Instrumente mit sich, die er selbst für seine Arbeit brauchte, sondern auch diejenigen, für die auf seiner Reiseroute gelegenen Stationen in St. Helena, Südafrika, Australien und Neuseeland. Gleichzeitig reisten die Männer mit, die dort arbeiten sollten,

Offiziere und Unteroffiziere der Königlichen Artillerie, ausgestattet mit detaillierten Instruktionen von Humboldt und der Royal Society.

Im ganzen arbeiteten die über den ganzen Erdball zerstreuten Stationen des britischen Weltreiches außerordentlich gut. Ross gelang es, den magnetischen Südpol bei 76° S und 154° E festzustellen. Und Sir Edward Sabine, der Astronom und Geophysiker, der die Gesamtaufsicht über das Netzwerk hatte, entdeckte zuletzt die Ursache für die Magnetstürme – Humboldts besessene Idee – in der periodischen Veränderung der Sonnenflecken. Nur einmal vernachlässigten die Herren der Königlichen Artillerie ihre Pflicht. Die Abordnung in Tasmanien gab – sehr zu Humboldts Verärgerung – ihre Beobachtungen eines magnetischen Sturms an einem Samstag um Mitternacht auf, um sich statt dessen dem Sabbath hinzugeben.

Die internationale geomagnetische Zusammenarbeit, die Humboldt nach seiner Rückkehr aus Rußland zu organisieren half, war eine direkte Vorstufe zu den großen internationalen Polarprojekten von 1882-83 und 1932-33 und zum Internationalen Geophysischen Jahr 1957-58. Aber wie stets verlief sein Leben auch in dieser Zeit in verschiedenen parallelen Bahnen, und die Intensität des magnetischen Erdfeldes war keineswegs das einzige, was ihn in Anspruch nahm.

Im siebenten Jahrzehnt seines Lebens zeigte Humboldt noch immer die gleiche Aktivität wie früher. Er war körperlich in guter Form: Seine leuchtenden, blauen Augen blitzten so feurig wie in jüngeren Jahren und sein Redestrom sprudelte unermüdlich. Obwohl er nun der große alte Mann der Wissenschaft war, der allgemein wegen seiner Erfolge respektiert wurde und den man überall als ›Vater der modernen physikalischen Geographie‹ feierte, gab es keine Anzeichen, daß er auf seinen Lorbeeren ausruhen und sich zur Ruhe setzen wollte. Er interessierte sich für alle wissenschaftlichen Dinge und beschäftigte sich mit seinen Büchern und seiner endlosen Korrespondenz. Seine Zeit war gleichmäßig zwischen seinen privaten Studien und seinen Pflichten als Kammerherr König

Friedrich Wilhelms III. eingeteilt. Und im Dienste des Königs fuhr er fort, ganz Europa zu bereisen, regelmäßig zwischen Potsdam und Berlin hin- und herzufahren und den König bei seinen Besuchen in den böhmischen Heilbädern zu begleiten. Nach der Pariser Julirevolution, 1830, wurde er mit verschiedenen diplomatischen Missionen nach Paris zum Hofe von Louis-Philippe entsandt, dem neuen konstitutionellen Monarchen aus dem Hause Orléans. Einst hatte er die Reise mit der Kutsche und auf dem Pferderücken gemacht, und nun fuhr er in Zügen und auf Dampfbooten. Die Zeiten hatten sich geändert.

Seine häufigen offiziellen Visiten in Paris während der dreißiger und frühen vierziger Jahre waren wichtig für ihn, weil er dadurch wenigstens eine dürftige Verbindung mit seiner geliebten Stadt und seinem geliebten Arago aufrechterhalten konnte. Arago war inzwischen ständiger Direktor des Institut National geworden und ein aktiver, liberaler Politiker in der Abgeordnetenkammer. Die Besuche ließen Humboldt auch seine Rolle als Hoflakai in Berlin leichter ertragen. Um nicht gestört zu werden, machte er es sich zur Gewohnheit, zwei Wohnsitze in Paris zu benutzen. In einem schlief er lediglich und verließ ihn schon frühmorgens vor acht Uhr, um in den anderen zu eilen, einen schwer zugänglichen Schreibraum im Zwischengeschoß des Institut National, der Arago gehörte. Doch er war absolut kein Einsiedler, sondern stets bereit, talentierten, aber unbegüterten jungen Wissenschaftlern zu helfen, wenn sie ihn ausfindig machten. Einer von ihnen war Louis Agassiz, der Sohn eines verarmten Schweizer Geistlichen, später einer der befähigtesten Naturwissenschaftler des 19. Jahrhunderts. Mit 24 Jahren war Agassiz 1832 nach Paris gekommen, um sich wegen seines Buches über fossile Fische die Sammlungen im Naturhistorischen Museum anzusehen. Er besaß kein Geld und keine Hilfsquellen. Und als er Humboldt zum ersten Mal in seinem Laboratorium traf, gestand er ihm, wie schwierig es für ihn sei, mit seinen geringen Mitteln auszukommen, und daß er an dem Punkt angelangt sei, seine wissenschaftliche Arbeit ganz aufzugeben. Humboldt ermunterte ihn weiterzumachen; und um ihn aufzuheitern, lud er ihn in ein teures Restaurant ein. Drei Stunden lang hatte Agassiz Humboldt für sich, und die Zeit verrann wie im Traum.

Wie fragte er mich aus, und wieviel lernte ich in der kurzen Zeit! Wie ich arbeiten, was ich tun, was ich lassen müßte, wie leben, wie meine Zeit einteilen, welche Wege des Studiums einschlagen – das waren die Gegenstände, über die er an diesem herrlichen Abend mit mir plauderte.

Humboldt besaß einen unfehlbaren Instinkt, wissenschaftliche Begabungen zu erkennen. Es gab in der Mitte des 19. Jahrhunderts in Europa nur wenige bedeutende Wissenschaftler, die er zu Anfang ihrer Karriere nicht gefördert hatte. Agassiz' Erzählung steht als Beispiel für viele. Als es Humboldt nicht glückte, seinen eigenen Verleger für Agassiz' Buch zu interessieren, übersandte er ihm »einen kleinen Vorschuß«, um ihm weiterzuhelfen. »Betrachten Sie es als kleinen Kredit, der erst nach Jahren zurückgezahlt werden muß«, schrieb er, »und den ich gerne vergrößern werde, wenn ich weggehe.« Der »kleine Kredit« war ein Wechsel über tausend Francs – zwei Drittel von Humboldts monatlichem Einkommen.

Doch es waren nicht immer Wissenschaftler, denen Humboldt auf diese Weise half, gleichgültig wie wenig Geld er besaß. Eines Tages betrat ein wunderschönes, schwarzhaariges junges Mädchen einen Pariser Friseur-Salon und bot seine Haare zum Preis von sechzig Francs an, um mit dem Geld die kranke Mutter zu unterstützen. Der Friseur erklärte, schwarzes Haar könne er überall kaufen und bot zwanzig Francs dafür. In diesem Augenblick erhob sich der alte weißhaarige Herr, den der Friseur gerade behandelt hatte, nahm die Schere des Friseurs, wählte vorsichtig ein einziges Haar aus, schnitt es ab und gab dem jungen Mädchen zwei Banknoten. Das Mädchen war zu verwirrt, um sie genauer zu betrachten, und der Herr verließ schnell den Salon. Erst später stellte das Mädchen überrascht fest, daß es zwei Hundert-Francs-Scheine in der Hand hielt. Es eilte hinter dem alten Herrn her, folgte ihm bis zu seinem Hotel und fragte den Portier nach seinem Namen. Der Portier antwortete: »Alexander von Humboldt.«

Im Frühjahr 1835 starb Alexanders Bruder Wilhelm. Seit dem Tod Carolines, einige Jahre zuvor, hatte Wilhelm sich gramgebeugt in die Einsamkeit von Schloß Tegel zurückgezogen und an seinen Sprachenstudien gearbeitet, die nun sein einziger Trost geworden waren. Er litt zunehmend unter einem unkontrollierbaren Zittern der Arme und Beine (wahrscheinlich der Parkinsonschen Krankheit), und Ende März wurde Alexander benachrichtigt, daß der Zustand seines Bruders eine bedenkliche Wendung genommen habe. Tagelang kämpfte Wilhelm mit dem Tod. Sein Geisteszustand hatte sich nicht verändert; er kam immer wieder zu vollem Bewußtsein. Nur seine Stimme war sehr schwach, rauh und kindlich hoch, die Ärzte mußten ihm Blutegel auf den Kehlkopf setzen. Die meiste Zeit verbrachte Alexander am Bett seines Bruders. »Mir bleibt keine Spur von Hoffnung«, schrieb er an seinen Freund Varnhagen von Ense. »Ich glaubte nicht, daß meine alten Augen so viel Tränen hätten. Es dauerte acht Tage.« Zuletzt kam noch eine Lungenentzündung hinzu, und am 8. April, um 6 Uhr abends, als der letzte Sonnenstrahl aus dem Raum entschwand, starb Wilhelm von Humboldt – der Dichter, Übersetzer, Philologe und geliebte Bruder. »Ich bin sehr einsam«, schrieb Alexander an Arago. »Ich hoffe sehr, Dich in diesem Jahr noch sehen zu können.«

In Berlin gab es nur noch wenige Menschen, mit denen ihn etwas verband. »Alles ist öde um mich her, so vollständig öde, daß es niemanden mehr gibt, der meine Trauer versteht.« Seine Pflichten am Hofe von Potsdam, wo ihn alle beneideten und außer dem König keiner ihm traute, wurden immer lästiger. Er hatte beim Frühstück der Königskinder teilzunehmen und um zwei Uhr mit der Königsfamilie zu dinieren. Diese Verpflichtung ärgerte ihn, weil sie seinen Arbeitstag zerriß. Für einen Mann seiner Fähigkeiten war es eine ungewöhnlich prosaische Tätigkeit bei ungewöhnlich prosaischen Menschen. Der König war nicht anders als die anderen. Er war scheu und so unfähig, sich zu artikulieren, daß er niemals, wenn er den Mund aufmachte, einen Satz beendete; allerdings hatte er auch meistens nichts Wichtiges zu sagen. Nach der Einweihung der Eisenbahn zwischen Berlin und Potsdam im Jahr 1839 wurde Humboldts Anwesenheit bei Hof noch häufiger erwartet, und er beklagte sich, »daß die Unruhe seines oft sehr unliterarischen, fledermausartigen Lebens noch vermehrt, die Pendelschwingungen zwischen den beiden sogenannten Residenzen häufiger« würden. Er mochte den König zwar, doch er konnte nur mit dem Kronprinzen intelligente Gespräche führen.

Humboldts einzige enge Freunde in Berlin waren die überlebenden Mitglieder der Mendelssohnschen Familie, der Bankier Beer und seine Frau – sie waren die Eltern des Komponisten Meyerbeer – und Varnhagen von Ense, der Mann von Humboldts Jugendfreundin Rahel Levin. Varnhagen war ein literarisch sehr begabter Mann mit liberalen Anschauungen und voll tiefer Abneigung gegen die damalige reaktionäre Regierung. Er arbeitete im Ministerium für auswärtige Angelegenheiten und hatte sich einen Namen als moderner Historiker gemacht. Seit nahezu dreißig Jahren verband ihn eine enge Beziehung mit Humboldt, der ihn seinerseits als Vertrauensperson betrachtete und ihm viele sarkastische Briefe über Tagesereignisse schrieb, in denen er seine wahren Gefühle über den Hof und die Berliner Gesellschaft offenbarte. Sie riefen, als sie bald nach Humboldts Tod veröffentlicht wurden, einen Skandal hervor.

Es war aber auch ein Brief an Varnhagen, Ende 1834 geschrieben, in dem Humboldt zum ersten Mal seine lang bedachten Pläne für das Meisterwerk seines Alters erwähnte:

Ich habe den tollen Einfall, die ganze materielle Welt, alles, was wir heute von den Erscheinungen der Himmelsräume und des Erdenlebens, von den Nebelsternen bis zur Geographie der Moose auf den Granitfelsen, wissen, alles in einem Werke darzustellen, und in einem Werke, das zugleich in lebendiger Sprache anregt und das Gemüt ergötzt. Jede große und wichtige Idee, die irgendwo aufge-

glimmt, muß neben den Tatsachen hier verzeichnet sein. Es muß eine Epoche der geistigen Entwicklung der Menschheit (in ihrem Wissen von der Natur) darstellen . . . das Ganze ist nicht, was man gemeinhin ›physikalische Erdbeschreibung‹ nennt, es begreift Himmel und Erde, alles Geschaffene . . . Ich hatte vor 15 Jahren angefangen, es französisch zu schreiben und nannte es ›Essai sur la physique du monde‹. In Deutschland wollte ich es anfangs ›Das Buch von der Natur‹ nennen, wie man dergleichen im Mittelalter von Albertus Magnus hat. Das ist alles aber unbestimmt. Jetzt ist mein Titel: ›Kosmos‹, Entwurf einer physischen Weltbeschreibung von A. v. H.

Humboldt hatte zum Zeitpunkt dieses Briefes das vergangene halbe Jahrhundert damit verbracht, den ›Kosmos‹ zu planen, und er sollte das kommende Vierteljahrhundert damit verbringen, ihn zu schreiben. Es war wahrhaftig ein Lebenswerk, nur der Tod konnte es beenden. Schon lange Zeit zuvor, 1796, hatte Humboldt geschrieben: »Ich habe die Idee von einer physikalischen Weltbeschreibung. Aber je mehr ich fühle, wie notwendig sie ist, um so mehr erkenne ich, wie wenig Grundlagen für ein solches Gefüge vorhanden sind.« Damals war er 27 Jahre alt und stand unter dem Einfluß seines Freundes Goethe, dem Universalisten, der an die unentbehrliche Einheit aller Naturerscheinungen glaubte. Doch erst 1828 drückte Humboldt in seinen Berliner Vorträgen diese Konzeption aus, und von da an arbeitete er an seiner physikalischen Beschreibung des Universums für die Buchausgabe. Es wurde fast sprichwörtlich ein Wettlauf mit dem Tod. Der erste Band des ›Kosmos‹ kam 1845 heraus, als er 76 Jahre alt war, der zweite Band, als er 78, der dritte als er 81 und der vierte, als er 89 war. Der fünfte Band war erst halb fertig, als er starb; er mußte aus seinen Notizen vollendet werden und bekam ein Register von über tausend Seiten. Im ganzen hielt sich das Werk ziemlich genau an das Schema seiner Berliner Vorlesungen.

Humboldt beabsichtigte, in seinem ›Kosmos‹ ein genaues wissenschaftliches Bild der physikalischen Struktur des Universums zu schaffen, und zwar in einer Form, die das allgemein gebildete Publikum ansprechen und das Interesse der gebildeten Laien an naturwissenschaftlichen Entdeckungen erwecken sollte. Ein Kind der späten Jahre des 18. Jahrhunderts, umriß das Werk alles, was man in der Mitte des 19. Jahrhunderts von der physikalischen Welt wußte. Es fand die Unterstützung der bedeutendsten Professoren und enthielt die aktuellsten Forschungsergebnisse. Es war das Werk eines Universalisten in der beginnenden Epoche der Spezialisierung, und obzwar es nach unseren Begriffen kaum als populärwissenschaftlich bezeichnet werden kann (allein sein Umfang mit fast 2000 Seiten in der zeitgenössischen englischen Ausgabe erscheint bereits einschüchternd genug), wurde es zu seiner Zeit spektakulär aufgenommen: Der erste Band war nach zwei Monaten ausverkauft, und das Werk wurde in die meisten europäischen Sprachen übersetzt. Humboldt stellte mit Befriedigung fest, daß 1851 schon 80000 Exemplare verkauft waren.

Humboldt sah die Natur als ein Ganzes und den Menschen als einen Teil des Ganzen. Er bezog deshalb alle Zweige der Wissenschaften in seine Konzeption ein und verband in seiner Darstellung der Geschichte der wissenschaftlichen Entdeckungen die Naturwissenschaften mit den Schönen Künsten und der klassischen Philologie. Von den entfernten Weiten der Milchstraße bis zum winzigsten tierischen Organismus, der unter dem Mikroskop zu entdecken ist, von den Kräften im Inneren der Erde bis zu den Wanderungen der Menschen auf der Erdoberfläche – so weit und breit holte Humboldts geradezu phänomenale Gelehrsamkeit aus, unterstützt von seinem Talent zu minuziöser Tatsachenbeschreibung. Unmöglich, hier einen näheren Überblick über die in diesen ungewöhnlichen Bänden besprochenen Gegenstände zu geben; auch ist es wohl nicht mehr notwendig, weil die Erkenntnisse des Werkes längst wissenschaftliches Allgemeingut geworden sind. Vieles, vor allem alles, was sich auf die physikalische Beschreibung der Erde bezieht, führt in Humboldts eigene, spezielle Forschungsgebiete ein. Die geographische Verteilung der Pflanzen, das Magnetfeld der Erde, die Isothermenlinien, die Ozeanströmungen, die Morphologie der Vulkane, die Evolution von

Gebirgszügen – all das beruhte auf seinen eignen Forschungsergebnissen in den Wäldern des Orinoko, an den Hängen des Chimborazo und in den Steppen Sibiriens – Ergebnisse, die er während der ganzen Jahre auf den neuesten Stand gebracht hatte. Sein Bericht im ›Kosmos‹ über die Erdbebenwellen wurde die Grundlage der modernen Seismologie.

Humboldt vergaß nie, daß sein Hauptanliegen im ›Kosmos‹ nicht darin bestand, eine Enzyklopädie zusammenzustellen, sondern den geistigen Anreiz und die nützliche Notwendigkeit der wissenschaftlichen Forschungen zu vermitteln, in einem Zeitalter und einem Land, in dem sogar hochgebildete Leute es vorzogen, nichts zu wissen. »Ich kann Burke nicht recht geben«, schrieb er, »wenn er sagt, daß es nur unsere Unkenntnis der Natur ist, die alle unsere Bewunderung hervorruft und unsere Gefühle erregt«.

Wissenschaftliche Kenntnisse, so meinte Humboldt, seien ein Teil des Reichtums eines Landes, eine natürliche Quelle wie irgendeine andere: Wenn man sie nicht richtig entwickle und erfolgreich auswerte, werde das Land stagnieren und darniederliegen. Doch konnte er sich nicht dazu bekennen, daß bei einer rückständigen Nation eine von Geburt her minderwertige Bevölkerung vorausgesetzt werden könne. Im ›Kosmos‹ wie überall sonst unterstrich er seinen lebenslangen Glauben an die Einheit der menschlichen Art; und er verwarf kategorisch den Begriff von höheren und niedrigeren Rassen.

Humboldts Text, schwer beladen mit Fußnoten und Bezugnahmen, wurde vor der Veröffentlichung in Probebogen zu verschiedenen Spezialisten geschickt, um von ihnen kommentiert und korrigiert zu werden. Auf diese Weise wollte er sich versichern, daß seine Darstellungen nicht nur sachlich richtig, sondern auch auf dem neuesten Stand der Forschung waren. Ein Herkules-Unternehmen nie endender Fragen, besonders unter den Umständen, unter denen er schrieb; denn es blieben ihm ja dazu nur gestohlene Augenblicke zwischen seinen trivialen Tagelohnarbeiten am Hof oder die späten Stunden danach. Humboldt war auch außerordentlich darum bemüht, gut zu schreiben. Niemand war sich seiner stilistischen Schwächen besser bewußt als er selbst. Deshalb wandte er sich immer wieder um Ratschläge an seinen Freund Varnhagen, da er dessen literarisches Urteil schätzte:

Nun meine Bitte, teurer Freund! Ich kann es nicht über mich gewinnen, den Anfang meines Manuskriptes wegzusenden, ohne Sie anzuflehen, einen kritischen Blick darauf zu werfen ... Lesen Sie gewogentlichst die Rede, und legen Sie ein Blättchen an, auf welches Sie schreiben, ganz ohne Gründe anzugeben: so ... hätte ich lieber statt so ... dieses. Tadeln Sie aber nicht, ohne mir zu helfen. Auch beruhigen Sie mich über den Titel.

P.S. Die Hauptgebrechen meines Stils sind eine unglückliche Neigung zu allzu dichterischen Formen, eine lange Partizipial-Konstruktion und ein zu großes Konzentrieren vielfacher Ansichten, Gefühle in einen Periodenbau.

Varnhagens Kommentare wurden pünktlich empfangen und dankbar anerkannt. »Ich habe alles, fast alles benutzt«, schrieb Humboldt ihm, »mehr als neunzehn Zwanzigstel – einiger Eigensinn bleibt dem ersten Redakteur immer.«

›Kosmos‹, das letzte große Werk des letzten großen Universalisten, steigerte das Ansehen seines Autors in der Öffentlichkeit noch zu Lebzeiten ungemein. Die enthusiastische Aufnahme in England, wo es in einer Übersetzung von Sir Edward Sabines Frau in der Bohnschen ›Wissenschaftlichen Bibliothek‹ herauskam, überraschte Humboldt besonders. Die Besprechungen waren überschwenglich im Lob des Mannes wie auch des Werkes, obwohl manche geltend machten, er habe den Beitrag britischer Wissenschaftler ungenügend berücksichtigt. Und viele begriffen schnell, daß der Mann, der so ausführlich über die Schöpfung schrieb, nicht einen Augenblick innehielt, um den Schöpfer zu erwähnen. So meinte ›Quarterly Review‹:

Es sagt sich leicht, es sei »das äußerste Ende der experimentellen Wissenschaften, zu der Existenz von Gesetzen emporzusteigen und sie zunehmend zu verallgemeinern«. Doch wo soll der induktive Prozeß enden? Wo ist die letzte Verallgemeinerung der letzten und höchsten Gesetzesgruppe? Die Beweisführung durch eine Kette von

Begründungen muß uns offensichtlich zuletzt zu der ersten Begründung von allen führen – sei es die Notwendigkeit oder sei es Gott.

Es ist einmal Alexander von Humboldt gesagt worden, daß es nur drei Dinge gab, für die er kein Verständnis aufbringen könnte: für orthodoxe Religion, romantische Liebe und Musik. Sicherlich stimmt das, zumindest was Religion und Musik betrifft, für die er keine Zeit hatte. Seine Haltung der Religion gegenüber war ganz eindeutig: »Alle bisher bekannten Religionen vereinigen drei Hauptelemente in sich: Zuerst einen historischen Mythus, dann etwas Geologie, Schöpfungsgeschichte und endlich ein Moralprinzip.«

Das Murren der Pietisten beeinträchtigte jedoch in keiner Weise die Bewunderung des preußischen Monarchen für Humboldts Leistung. Er gab 1847 eine großartige Gedenkmedaille in Auftrag. Die eine Seite zeigte Humboldts Kopf in einem hohen Reliefprofil; auf der Rückseite befand sich, umringt von den Zeichen der Tierkreise und einem Kranz tropischer Pflanzen, ein Genius mit Senkblei und Fernrohr. Eine Sphinx blickte zu ihm nieder und ein elektrischer Fisch schwamm an ihm vorbei. Darüber stand in griechischen Schriftzeichen das Wort, das zum Sinnbild eines Zeitalters geworden ist: Kosmos.

Der Hofdemokrat

In den fünfundzwanzig Jahren, in denen Humboldt sein letztes großes Buch schrieb, ereignete sich viel in seinem Leben und in der Welt um ihn herum. 1840 starb König Friedrich Wilhelm III., und Humboldts Freund, der Kronprinz, folgte ihm als Friedrich Wilhelm IV. auf dem Thron. Er war ein kluger, liebenswerter Mann, aber ein verzweiflungsvoll unentschiedener Herrscher. Humboldt hatte zunächst gehofft, daß die Thronbesteigung des neuen Königs das Ende des monarchischen Despotismus bedeuten und zur Verfassung einer demokratischen Konstitution führen würde. Doch trotz der engen Beziehungen zu seinem liberalen Kammerherrn war der König selbst kein Liberaler. Während er noch unschlüssig wägte, behaupteten sich wieder die reaktionären Kräfte in Preußen. Humboldt war zum Privaten Staatsrat ernannt worden und kämpfte verbissen dafür, die Flammen des Liberalismus am Hofe zu entfachen. Gelegentlich konnte er auch einen Erfolg verzeichnen, vor allem für die Emanzipation der Juden und (viel später) für die Aufhebung der Sklaverei in Preußen. Doch im allgemeinen war seine Stellung schwierig und unerfreulich, denn die Ultras und die Pietisten am Hof bildeten eine geschlossene Front gegen ihn und würden ihn aus dem Land verbannt haben, wenn er nicht so eng mit dem König befreundet gewesen wäre. »Ich lebe«, schrieb er an Varnhagen, »unter dem Schein äußeren Glanzes und dem Genuß phantasiereicher Vorliebe eines edlen Fürsten in einer moralischen, gemütlichen Abgeschiedenheit, wie sie nur der nüchterne Seelenzustand dieses geteilten, eruditen, sich bei gleichnamigen Polen abstoßenden, mürrischen und doch nach Ost sich täglich einengenden Landes (eines wahren Steppenlandes) herbeiführen kann«.

Seine gesellschaftliche Stellung als Hofdemokrat, der den goldenen Schlüssel des Kammerherrn auf dem Rücken und die Ideale von 1789 im Herzen trug, war sehr eigenartig. Friedrich Wilhelm iv. suchte seine Gesellschaft sogar noch mehr als es sein Vater getan hatte. Humboldt mußte nun täglich bei Hof erscheinen, es wurden für ihn gar im Schloß Charlottenhof in Potsdam Räume im Stil eines orientalischen Zeltlagers ausgestattet. Hier konnte er schlafen und arbeiten – während der Nacht. Jedes Mittagessen mußte er mit dem König allein einnehmen, und jeden Abend hatte er sich unter einem Leuchter niederzulassen und dem König laut aus Zeitungen und Büchern vorzulesen, während die Königin strickte. Der König war wütend, wenn eine andere Verpflichtung Humboldt von ihrem gemeinsamen Mittagessen abhielt. Er benutzte seinen Kammerherrn als wandelnde Enzyklopädie und konnte ihn stundenlang mit endlosen Fragen bombardieren, die ihm gerade einfielen. Humboldt mußte halbe Nächte lang aufbleiben und des Königs Privatkorrespondenz überarbeiten. Und sogar dann ließ ihn der König nicht in Ruhe, sondern kam zu später Stunde noch allein in sein Zimmer, um weitere Fragen an ihn zu stellen. Der König liebte seinen Kammerherrn und war stets bereit, ihn gegen seine Kritiker zu verteidigen und ihm aus seinen Geldnöten zu helfen. Wenn Humboldt, der romantische Liberale, einmal krank war, saß der König, der romantische Reaktionär, Stunde um Stunde an seinem Bett und las ihm vor.

Die Frage, weshalb Humboldt in seinem Alter eine solche Lebensform ertrug, mag er sich wohl oft selbst gestellt haben. Sein Freund Varnhagen fand wahrscheinlich die Antwort darauf: »Seine gehäuften Geschäfte drücken Humboldt«, schrieb er, »doch er möchte sie nicht missen; Hof und Gesellschaft sind ihm wie ein altgewohntes Stammhäusel, wo man seinen Abend zuzubringen und seinen Schoppen zu trinken pflegt.«

Humboldt, »am Vorabend eines bewegten, aber unerfüllten Lebens«, begann allmählich Anzeichen von Überdruß an der Welt und Verzweiflung über alle menschlichen Angelegenheiten zu zeigen. Er gab alle Hoffnung auf, des Königs politische Ansichten zu ändern, befürchtete, ein Krieg könne in Europa ausbrechen, und begann erneut, von Emigration zu sprechen. Fast sein einziger Trost wurden seine Besuche in Paris und seine Freundschaft mit Arago. Dieser war ein lässiger Briefschreiber und ließ vielfach ein ganzes Jahr vergehen, bevor er Humboldts Briefe beantwortete. Humboldt beschwor seinen Freund zu schreiben, selbst wenn es nur ein paar Zeilen wären, bat er: nur der Anblick seiner Handschrift. Und täglich untersuchte er seine Post, nervös wie ein junges Mädchen. Im Dezember 1840 schrieb er an Arago:

Ich sehne mich danach, Dich wiederzusehen; wenn ich gesund bleibe, käme ich gerne im Frühjahr nach Paris und möchte einige Monate bleiben . . . Ich wäre glücklich, wenn Du die Freundlichkeit hättest, mir drei Zeilen zu schreiben. Es würde mir genügen, wenn Du sagtest: ›Ich sehe Deiner Ankunft mit ebenso großem Vergnügen entgegen wie früher.‹ Wirst Du mir diese Freundlichkeit verweigern? Es wäre für mich das schönste Geschenk von Dir zum neuen Jahr.

Mit größerer Lebhaftigkeit als üblich antwortete Arago drei Monate später. Es ist einer der wenigen Briefe von Arago an Humboldt, die überlebt haben, denn Humboldt hat die meisten vernichtet: »Außerhalb meiner Familie bist Du ohne jeden Vergleich der einzige Mensch, den ich auf Erden am zärtlichsten liebe. Du bist der einzige meiner Freunde, auf den ich in schwierigen Lagen zählen würde. Du kannst im Observatorium ein Bett haben, und Du wirst gerade rechtzeitig zur Eröffnung meiner Vorlesungsreihe über die Astronomie eintreffen. Mein neues Amphitheater (Vortragssaal) ist Anstoß erregend luxuriös.«

Gelegentlich schweifte Humboldt auch weiter in die Ferne. Einmal wäre er bei einer Schiffsfahrt, die ihn und den König nach Dänemark brachte, fast über Bord gegangen. Doch glücklicherweise fiel er aufs Deck statt ins Meer, und kam mit einer schlimmen Quetschung davon. 1842 begleitete er den König nach England, um der Taufe des Prinzen von Wales, des späteren König Edward VII., beizuwohnen. Der Knittelvers, den Leigh Hunt zu Ehren des Ereignisses dichtete – über den »genialen König mit seinem weisen Kompagnon« – bezog sich wohl auf König Friedrich Wilhelm und seinen wissenschaftlichen Ratgeber. Humboldt fand wenig Geschmack an dieser Visite, weil seine Zeit so sehr von gesellschaftlichen Verpflichtungen ausgefüllt war, daß er nicht einmal Gelegenheit hatte, das Observatorium in Greenwich zu besuchen. Er fand den Hof von Windsor äußerst prächtig, die Lebensart jedoch einfach, natürlich und freundlich. Peel lehnte er ab, weil er eitel und ehrgeizig zu sein schien, während ihm der Außenminister, Lord Aberdeen, verstockt und stumm vorkam. Humboldt fühlte sich nie richtig wohl in England. Er empfand die Engländer als reserviert, formell und verschlossen. »Dieses England ist ein abscheuliches Land«, schrieb er an einen Freund in Berlin nach einem Besuch jenseits des Kanals. »Um neun Uhr mußt Du Deine Halsbinde in dieser Form, um zehn Uhr in jener und um elf Uhr wieder in anderer Weise tragen.« Er hatte auch wenig übrig für das politische Verhalten der englischen Aristokratie. Als Queen Victoria im Sommer 1846 einen Besuch am Rhein machte, bemerkte Prinz Albert zu Humboldt: »Ich weiß, Sie nehmen viel Teil an dem Unglück der russischen Polen; leider! verdienen die Polen so wenig unsere Teilnahme als die Irländer.« Für die englischen Wissenschaftler – Faraday, Herschel, Sabine, Darwin und andere – zeigte er große Bewunderung und diese auch für ihn. Aber von der allzu realistischen, geschäftstüchtigen britischen Bevölkerung, die sich mehr für die praktischen Ergebnisse angewandter Wissenschaft interessierte als für die Lehren und Hypothesen reiner Wissenschaft, erwartete er wenig Sympathie – und tatsächlich empfing er auch wenig.

In seinem Schloß in Potsdam entfernte sich König Friedrich Wilhelm IV. indessen immer weiter von der Realität. Er verbrachte seine Zeit damit, kostspielige gotische Ruinen zu entwerfen und sorgfältige Pläne für eine Pilgerfahrt nach Jerusalem auszuarbeiten, während die Forderungen seiner preußischen Untertanen nach einer konstitutionellen Reform immer eindringlicher und bestimmter wurden. Humboldt, der Schutzengel aller Wissenschaftler und Künstler, beschränkte seinen Einfluß auf naheliegendere Anlässe. Er brachte den König dazu, verdienstvollen Männern und hilfsbedürftigen Frauen Pensionen, Ämter und sonstige Anerkennungen zu bewilligen. Unter den vielen Anspruchsberechtigten befand sich auch seine Jugendfreundin, Henriette Herz, die seit langem verwitwet war. Als der König Humboldt mit einer Verteilung des Ordens ›Pour le mérite‹ betraute, nutzte dieser seine Position dazu, die Namen einiger Wissenschaftler und Künstler zu veröffentlichen, die seiner Ansicht nach diese Ehrung am meisten verdienten. Seine erste Liste enthielt die Namen von Chateaubriand, Ingres, Meyerbeer, Rossini, Faraday, Herschel, Berzelius, Daguerre und Arago.

Im Januar 1848 kehrte Humboldt von seiner letzten Reise nach Paris zurück. Er konnte nicht wissen, daß er weder diese Stadt noch Arago wiedersehen würde. Einen Monat später brach die Revolution in Paris, im März die in Berlin aus.

Am Anfang des Monats hatten in den Straßen Berlins die politischen Demonstrationen begonnen, die die Rückkehr zur konstitutionellen Monarchie forderten. Und am 18. März gab der König den Forderungen des Volkes nach und versprach eine Konstitution. Er hatte aber versäumt, die Truppen, die das königliche Schloß in Berlin bewachten, zurückzuziehen, so rottete sich die zornige Menge am 18. März wiederum in den Straßen und in der Umgebung des Schlosses zusammen. Die Truppen erhielten den Befehl, die Straßen zu räumen. Zwei Schüsse wurden in die Menge abgefeuert. Mit dem Aufschrei »Verräter!« begann die Bevölkerung, Barrikaden zu errichten, und schon setzte die Straßenschlacht ein. Doch bis Mitternacht hatten die Truppen die Barrikadenschlacht gewonnen und alle Zufahrtswege zum Schloß unter Kontrolle.

Am nächsten Tag ließ der König die Truppen abrücken,

und ein paar wahnwitzige Tage lang glaubten die Bewohner von Berlin, einen Sieg errungen zu haben. Wütend beschimpften sie die abrückenden Truppen und richteten ihren ganzen Zorn gegen den Mann, den sie für das Blutbad verantwortlich hielten – des Königs Bruder, den »Kartätschenprinz« Wilhelm, der später Kaiser Wilhelm I. von Deutschland werden sollte. Prinz Wilhelm floh verkleidet nach England, indes der König sich am 21. März gezwungen sah, den gefallenen Barrikadenkämpfern den Salut zu leisten und mit einer schwarz-rot-goldenen Schärpe, den Farben der Bewegung für ein geeintes Deutschland, durch die Straßen zu reiten. Bei einem Volksauflauf im Palasthof verlangte die Menge nach dem König, der daraufhin auf dem Balkon des Palastes erschien; dann rief jemand den Namen Humboldt, und der Schrei pflanzte sich in der Menge fort, er solle sich zeigen. Humboldt trat heraus, verbeugte sich stumm vor der Menge und trat wieder zurück. Was er in diesem Augenblick gedacht hat, werden wir nie erfahren. Er scheint niemals etwas darüber geschrieben oder gesprochen zu haben. Und sollte er es getan haben, ist es aus den Überlieferungen gestrichen worden. Doch dürfte ihn dieser Augenblick kaum unbewegt gelassen haben.

Am folgenden Tag wurden die Helden der Revolution beerdigt. Die 183 Särge standen auf einem mit Blumen bedeckten, riesigen Katafalk. Ein Bischof sprach den Angehörigen Trost zu, und draußen in der Menge hielten ein protestantischer, ein katholischer und ein jüdischer Geistlicher ihre Weihereden. Die Gilden trugen ihre Toten, ebenso die Akademie der Wissenschaften. An ihrer Spitze ging barhäuptig im kalten Märzwind der achtzigjährige Alexander von Humboldt die Straße entlang, die zum Königsschloß führte. Der König, die Königin, ihre Minister und die Kohorten traten auf den Balkon heraus. Und als die Prozession langsam vorüberzog, nahm der König seinen Helm ab und wartete zwei Stunden, bis der Zug vorüber war. Dann wurden die Märtyrer der Freiheit in einem gemeinsamen Grab beerdigt, und jedermann ging nach Hause. Es war ein Sieg. Jedenfalls schien es dem Volk so.

Ganz eindeutig ist nie geklärt worden, wie Humboldts Haltung während dieser drei hektischen Tage in Berlin gewesen ist. Da er zwischen seiner Ergebenheit dem König gegenüber und seiner Treue zu seinen liberalen Anschauungen hin- und hergerissen wurde, ist es zweifelhaft, ob er aktiver wurde, als bisher beschrieben. Doch ein Brief, den er aus Sanssouci im Mai an Arago schrieb, scheint kaum einen Zweifel darüber zu lassen, woran sein Herz hing:

Meine innigsten Hoffnungen auf eine demokratische Verfassung, Hoffnungen, die auf das Jahr 1789 zurückgehen, sind erfüllt worden. Als ich in der blutigen Nacht des 18. März zwischen zwei Barrikaden eingeschlossen war, kamen viermal bewaffnete Männer in meine Wohnung, die nach Waffen suchten. Sie kannten mich nicht und hatten auch den Kosmos nicht gelesen. Einige Gruppen beschädigten leicht die Türen bei ihrem gewaltsamen Eindringen. Ich sprach zu ihnen von meinem weißen Haar und die rührende Szene, über die schon so viel geredet wurde, folgte ... Ich erfreue mich zunehmend der Sympathien der unteren Gesellschaftsklassen. Ich habe an der Urwahl in der Vereinigung der Handwerker teilgenommen. Obwohl ich vor einiger Zeit als ein Kandidat für Frankfurt vorgeschlagen wurde, habe ich abgelehnt, etwas anzunehmen. Ich werde nächstes Jahr 80 und kann in diesem versteinerten Alter keine neue Karriere beginnen.

Am Ende des Jahres war die Revolution jedoch gescheitert. Der König hatte die neue Verfassung widerrufen, die neue Nationalversammlung existierte nicht mehr. Die Großgrundbesitzer, der höhere Klerus und die Mitglieder des rechten Kabinett-Flügels zwangen dem Volk eine konservative Regierungsform auf, durch die es schlechter daran war als vorher.

Aus Potsdam, wo die Ultras nun die oberste Regierungsspitze einnahmen und ein verstörter, gebrochener König langsam in seine geistige Umnachtung schlitterte, schrieb der entmutigte Humboldt sein endgültiges Testament, bevor er der Welt und der Ebbe und Flut der Geschichte den Rücken wandte.

Das Jahr 1849 ist das Jahr der Reaktion. Ich habe das Jahr 1789 begrüßt und bin bei so vielen dramatischen, politischen Ereignissen (Monarchie, Republik mit König) dabei gewesen. Nun, im Alter von 80 Jahren, muß ich betrübt feststellen, daß mir nur mehr die banale Hoffnung bleibt, daß sich das edle und brennende Verlangen nach freien Institutionen im Volk erhalten möge; und daß dieser Wunsch, wenn er auch von Zeit zu Zeit einzuschlafen scheint, so ewig sei, wie der elektromagnetische Sturm, der in der Sonne glitzert.

Die letzten Jahre

Niemand war sich über sein hohes Alter klarer und besser imstande, es objektiv zu betrachten, als Humboldt selbst. Seine Briefe waren voller spöttischer Bemerkungen über seine zunehmende »Versteinerung«, und oft sprach er von sich selbst – nicht ohne einen gewissen Stolz über seine Langlebigkeit – als »Urgreis«. Nach seinem achtzigsten Geburtstag, der in Schloß Tegel gefeiert wurde und an dem der König und die Königin teilnahmen, schrieb er einen Brief an seinen Freund Arago. Darin schilderte er mit völliger Objektivität alle Erscheinungen, die mit seinem zunehmenden Alter in Verbindung standen:

Inmitten von soviel Wirrwarr führe ich ein trauriges und eintöniges Leben. Die Gründe für meinen Widerwillen und meine geistige Unpäßlichkeit muß ich wohl nicht erklären. Meine Gesundheit und Arbeitsfähigkeit sind trotz der Kälte – bis zu Minus 28 Grad C – und den unaufhörlichen Dienstfahrten nach Charlottenburg (dem Schloß des Königs am Rand von Berlin) großartig erhalten. Nur die Nachtstunden sind ungestört. Gewöhnlich arbeite ich von 9 Uhr abends bis 3 Uhr morgens. Selten gehe ich vorher zu Bett, aber ich schlafe länger als gewöhnlich, meist bis 7 oder 8 Uhr. Ich kann nicht feststellen, daß ich mich kräftiger fühle, wenn ich 8 oder 9 Stunden schlafe, was durchaus möglich wäre; denn ich kann noch immer schlafen, wann ich will, sogar während des Tages. Was ich jedoch an mir bemerke, ist, daß ich die Beherrschung meiner Muskelbewegungen verliere. Ich kann drei oder vier Stunden aufrecht stehen ohne zu ermüden, doch ich fühle mich unsicher, wenn ich von einer Leiter aus nach Büchern greife, wenn ich eine steile Treppe hinabsteige oder in eine sehr hohe Kutsche klettere.

Da er sich gezwungen sah, einige alte Schulden zurückzuzahlen, befand er sich wieder in Geldnot. Die Kinder seines Bruders, die weder Geld geerbt noch reich geheiratet hatten, zeigten sich erstaunt, daß er sein offizielles Amt bei Hof nicht aufgab. Doch wahrscheinlich läßt sich das durch seine finanziellen Schwierigkeiten erklären – er brauchte einfach die regelmäßigen Einkünfte, die damit verbunden waren. Andererseits ist es schwer begreiflich, wie er die Feindseligkeit in den Hofkreisen, die sich nun offen gegen ihn richtete, ertragen konnte. Seine Rolle bei den Revolutionsereignissen von 1848 hatte sein Verhältnis zum König zwar nicht verschlechtert, doch sie hatte ihm die unerbittliche Feindschaft der regierenden konservativen Partei und der Kirche eingebracht. Er wurde unter Polizeiaufsicht gestellt. Seine Wohnung wurde bewacht und seine Post geöffnet. »Ich bin in den letzten Jahren selbst eine mißliebige Person geworden«, schrieb er 1852 an einen Freund. »Und ich würde längst als Revolutionär und Autor des gottlosen ›Kosmos‹ ausgewiesen sein, verhinderte dies nicht meine Stellung beim Könige. Den Pietisten und Kreuzzeitungsmännern (das neue konservative Blatt) bin ich ein Greuel; nichts würde ihnen lieber sein, als daß ich schon unter der Erde vermoderte.«

Die Folge war, daß er nun ständig Beleidigungen und Entwürdigungen am Hofe erdulden mußte. Die Politiker des extremen rechten Flügels und die Armeegeneräle der Kamarilla, der Hofclique, taten alles, um Humboldt das Leben schwer zu machen. Sie fanden in Markus Niebuhr, einem intelligenten, einflußreichen und unglaublich häßlichen Kabinettsmitglied, ihren streitlustigen Anführer. Niebuhr machte sich zur Aufgabe, Humboldts Autorität dadurch zu untergraben, daß er ihm ununterbrochen widersprach und alles, was dieser sagte, in Anwesenheit des Königs widerlegte. »Humboldt«, rief er aus, »ist ein ungründlicher Vielwisser.« Worauf Humboldt ihm zurückgab: »Niebuhr ist eine schielende Wanze.« Er stellte fest, daß sich allmählich bei Hof eine geeinte Front gegen ihn bildete. Jedesmal, wenn er in seiner gewohnten geschwätzigen Weise während des Essens Reden hielt, verließen die Militärs einer nach dem anderen den Tisch, bis die Königin eingreifen mußte. »Aber meine Herren, interessiert Sie denn ein großer Mann wie Alexander von Humboldt so wenig? Fängt der alte Herr an, ein Langweiler zu werden?«

In den vergangenen Jahren war es üblich gewesen, daß Humboldt an den Abenden dem König laut vorlas, meist aus Biographien von Wissenschaftlern oder aus etwas liberaleren Artikeln in den Zeitungen. Doch es fiel ihm immer schwerer, seine Zuhörerschaft zu fesseln. Die jungen Leute des Hofkreises lachten und unterhielten sich laut, wodurch sie Humboldts alte, schwache Stimme übertönten. Die Gäste begannen, den Raum zu verlassen. Sogar der König, der alles schon viel zu oft gehört hatte, fing an, Witze zu erzählen oder im Zimmer umherzugehen und geräuschvoll Kupferstiche und Holzschnitzereien zu betrachten. Gerlach, einer der führenden Männer der Clique des rechten Flügels, saß meistens auf einem schmalen, runden Stuhl, über dessen Ränder zu beiden Seiten sein fettes Hinterteil herabhing, und tat, als schliefe er. Manchmal schnarchte er so laut während Humboldts Lesungen, daß der König ihn wecken mußte. »Gerlach«, sagte er, »so schnarchen Sie doch nicht.«

Sehr häufig hatte Humboldt beim Vortrag seiner liberalen und erhebenden Texte eine Zuhörerschaft, die nur aus einem einzigen Mann bestand – keinem geringeren als einem reaktionären Junker namens Bismarck. Der spätere Gründer und Kanzler des Deutschen Reiches war damals in den Vierzigern; offensichtlich hat er Humboldt bei diesen abendlichen Lesungen immer geduldig und höflich zugehört und geglaubt, daß der alte Kammerherr ihn gern mochte. Er berichtet, wie Humboldt gelegentlich von einem jungen Schauspieler ersetzt wurde, der Gedichte oder Auszüge aus seinen letzten Novellen vortrug. Humboldt versuchte meistens, mit ihm zu wetteifern, und sobald sein Rivale verstummte, um zu atmen, ihm ins Wort zu fallen. Eines Tages, als er sich in der für ihn völlig ungewohnten Situation befand, zu absolutem Schweigen verurteilt zu sein, suchte er Trost beim kalten Büfett. Bismarck beobachtete mit Staunen, welch einen gesunden Appetit der alte Herr entwickelte, indem er sich verdrießlich den Teller mit ›foie gras‹, geräuchertem Aal und Hummer vollud.

Außerhalb des Hofes verlief Humboldts Leben allerdings etwas heiterer, denn sein Ansehen bei der breiten Öffentlichkeit und in der wissenschaftlichen Welt schien von Tag zu Tag zu wachsen. Er wurde als »Vater und Schutzherr der Wissenschaft« gerühmt. Obwohl er sich wenig aus Medaillen und Ordensbändern machte – er legte nie etwas an, wenn er für ein Porträt saß –, war ihm dennoch jede Ehrung zuteil geworden, die Europa zu vergeben hatte, darunter der ›Grand Cordon‹ der Ehrenlegion von Frankreich, der ›Stern des Roten Adlerordens‹ in Brillanten und der Orden des ›Schwarzen Adlers‹, Preußens höchste Auszeichnung. Er besaß die Ehrenbürgerrechte der Städte Berlin und Potsdam. Er war Mitglied von mehr als 150 gelehrten Vereinigungen in Europa und Amerika, Ehrengast bei zahlreichen öffentlichen Veranstaltungen aller Art, einschließlich solcher, die zu seiner Verwirrung, seine eigenen Leistungen feierten.

Sein Ruhm war außerhalb der Landesgrenzen ebenso groß wie zu Hause. Sein Porträt hing beispielsweise im Palast des Königs von Siam neben denen von Queen Viktoria, Louis Napoleon und dem Präsidenten der Vereinigten Staaten. 1852 verlieh ihm die Royal Society in London ihre höchste Ehrung, die ›Copley Medal‹, die Bunsen, der preußische Gesandte, an seiner Stelle im Empfang nahm. Das Schreiben des Präsidenten der Royal Society, Lord Rosse, resümierte das Ansehen, das Humboldt in der Abenddämmerung seines langen Lebens bei seinen Kollegen genoß:

Es genügt hier zu sagen, daß jeder, der mit dem gegenwärtigen Stand des Magnetismus, der Zoologie, der Botanik, der Geologie oder der physikalischen Geographie vertraut ist, über die ausgedehnten und wertvollen Forschungsergebnisse von Baron von Humboldt Bescheid weiß. Als naturwissenschaftlicher Reisender von hohem Rang hat er sich eifrig um den Fortschritt der physikalischen Geographie im

weitesten Sinne bemüht, ohne Rücksicht auf Anstrengungen und Aus-
gaben und mit großem persönlichen Risiko. Er hat sich in den entle-
gensten Erdgebieten aufgehalten und mit bemerkenswerter Geduld
und dem ihn auszeichnenden Scharfsinn die Naturgesetze unter je-
der klimatischen Veränderung erforscht. Die Menge der sorgfältig
geordneten und überprüften Tatsachen stellt eine Fundgrube von In-
formationen dar, aus der Kosmologen lange Zeit Vorteile ziehen
können, wobei die ungeheure Größe dieses Werkes mit Staunen als
die Arbeit eines einzelnen Mannes zu betrachten ist.

Humboldt war vor allem in den Vereinigten Staaten ein re-
nommierter Mann. Seit seinem Aufenthalt bei Thomas Jefferson im Jahre 1804, als die Nation noch in den Kinderschuhen
steckte, hatte er stets in seinen öffentlichen und privaten Äuße-
rungen größte Zuneigung für die Amerikaner und stärkstes Interesse an den Angelegenheiten ihres Landes gezeigt. Das Ergebnis des Krieges mit Mexiko, der kalifornische Goldrausch,
das Schicksal der Indianer, die Erweiterung des Staatenbundes,
Fremonts Präsidentschaftskandidatur und die Meinungsver-
schiedenheiten über die Sklaverei der Neger verfolgte er mit
großem Interesse. Dafür liebten ihn die Amerikaner. Obwohl
er nur 42 Tage in ihrem Land verbracht hatte, sahen sie in ihm
eine Art Gründungsmitglied des Neuen Amerikas, einen Pio-
nier und Helden des Westens, dessen Namen untrennbar mit
denen von Washington, Jefferson und Franklin verknüpft war.
Von der atlantischen bis zur pazifischen Küste war der Name
Humboldt ein vertrauter Begriff, denn mehr als zwanzig Flüsse, Seen, Buchten, Berge, Städte und Bezirke trugen seinen
Namen. Nachdem der erste Transatlantik-Dampfschiffahrts-
dienst zwischen New York und Bremen 1839 eingerichtet war,
wurde Humboldt eines der wichtigsten Ziele – manchmal sogar das einzige – des nicht endenden Stromes amerikanischer
Besucher in Deutschland. Ob es sich um Professoren, Journa-
listen, Ingenieure, Porträtmaler, Kongreßmitglieder, Diplomaten, junge Studenten oder schlichte Touristen handelte –
Humboldt empfing jeden von ihnen herzlich. »Ein Amerikaner zu sein«, so berichtete einer der Besucher, »war ein nahezu

sicherer Passagierschein zu ihm, und wenn der Besucher nicht ungebildet war, auch zu seiner Gunst.« Nicht jeder Amerikaner besaß jedoch das geistige Rüstzeug für eine Begegnung mit dem ungewöhnlichen Europäer, wie der allererste der Gäste, Professor Dallas Bache, ein Enkel von Benjamin Franklin, zu seinem Schaden entdeckte:

Ich hatte eine Verabredung mit Baron Humboldt. Während der nahezu zwei Stunden, die ich bei ihm verbrachte, war die Vielfalt der Ideen und Themen so überwältigend, daß ich ihn mit Kopfschmerzen verließ.

Manchmal muß der Besucherstrom für Humboldt sehr ermüdend gewesen sein. Das Leben wurde für ihn mehr und mehr »ein Lauf zum Tode«: ein Wort von Dante, das er gern zitierte. Er wußte genau, wie wenig Zeit ihm noch blieb. Deshalb war er ungeduldig, die Aufgaben zu erfüllen, die er sich selbst gestellt hatte, vor allem die Beendigung des ›Kosmos‹. »Die Toten reiten schnell«, mahnte er seine jüngeren Kollegen, wenn sie zögerten, ihm eine erbetene Auskunft zu geben. Der Tod selbst – »das Ende des Zustands der Langeweile, den wir Leben nennen« – schreckte ihn nicht. Und obwohl er nicht die Lebenslust empfand, die ihn beim unglücklichen Bonpland so merkwürdig berührt hatte, besaß er einen erstaunlichen Arbeitsdurst; jede Minute erschien ihm kostbar. Deshalb wurde ihm schließlich auch sein umfangreicher und endloser Briefwechsel zuviel.

In seinem hohen Alter empfing Humboldt durchschnittlich dreitausend Briefe im Jahr und beantwortete zweitausend davon handschriftlich und auf seine Kosten. Die Postgebühren betrugen im Jahr allein über siebenhundert Taler. Die Briefe, die er empfing, kamen aus der ganzen Welt und behandelten jedes erdenkliche Thema. Viele befaßten sich natürlich mit ernsthaften wissenschaftlichen Dingen. Andere enthielten Expeditionspläne, Projekte für die Kolonien, Entwürfe für Maschinen, Pläne von Erfindungen, Manuskripte, die er bewerten sollte, Fragen über Luftschiffe, Bitten um seine Unterschrift, Angebote von Dienstleistungen, Gedanken zu seiner Erheiterung, Bittschriften für den König, Briefe mit Lob- und Dankreden, Bitten um Berufsberatung und Hotelvermittlung. Er wurde von Witwen und Geistlichen, fremden Königen und Prinzessinen bombardiert. Er war sowohl die Zielscheibe seltsamer Menschen als auch ein allgemeines Anfragebüro. Aus Nebraska wurde er gefragt, wohin die Schwalben im Winter zögen (er wußte es nicht). Von beiden Seiten des Atlantik erhielt er Briefe von religiösen Exzentrikern, die ihn auf gottgefälligere Wege führen wollten. Ein deutscher Autor mit vollendet schlechtem Geschmack sandte ihm eine vollständige Durchschrift seiner Novelle »Ein Sohn Alexanders von Humboldt oder Der Indianer von Maypures«, während ihm ein Amerikaner, der sich mit ›Humboldt‹ unterschrieb, einen Sohnesgruß schickte, der mit dem Satz »Höchst verehrungswürdiger Vater« begann. Das war nun alles zuviel. Schließlich mußte er eine Notiz in die Zeitungen einrücken, in der er bat, ihn weniger zu behelligen, damit ihm »bei ohnedies abnehmenden physischen und geistigen Kräften einige Ruhe und Muße zu eigener Arbeit verbleibe«. Doch es war schon zu spät.

Der dritte Band des ›Kosmos‹ war 1850 herausgekommen. 1858 folgte der vierte – und im Alter von 89 Jahren raffte der große alte Mann der europäischen Wissenschaft alle restlichen Kräfte zusammen, um den fünften Band seiner Weltgeschichte zu beenden. Nachdem er sich nach dem kompletten geistigen Zusammenbruch des Königs im Jahre 1857 vom öffentlichen Leben zurückgezogen hatte, konnte er sich jetzt mehr seiner Aufgabe zuwenden. Doch obwohl er für sein Alter erstaunlich rüstig und lebendig war, Reden hielt und ohne Vergrößerungsglas noch kleine Druckbuchstaben lesen konnte, gab es doch Anzeichen, daß seine Kräfte abnahmen. Eines Tages erlitt er einen leichten Schlaganfall – er nannte es »ein Nervengewitter, vielleicht auch ein bloßes Wetterleuchten«. Er wurde allmählich schwerhörig und beklagte sich oft über seinen Hautausschlag – »eine Milchstraße von juckenden Hirsekörnern« – die er als »senilitis« bezeichnete – und langsam schien er eines seiner kostbarsten Besitztümer zu verlieren, sein Gedächtnis. »Es ist nicht bequem«, schrieb er an Bunsen, »den Phosphor des Gedankens schwinden und das Gewicht des Hirnes abnehmen zu sehen, wie die neue Schule sagt. Ich verliere aber nicht den Mut zu arbeiten.« Er arbeitete unaufhörlich an seinem ›Kosmos‹, doch nach allem Ermessen konnte das Ende nicht mehr fern sein.

Alle seine Freunde und Verwandten lebten nicht mehr. Leopold von Buch, Aimé Bonpland, Gay-Lussac, Gauß, Rauch und Varnhagen von Ense – alle hatte er sterben sehen. Sein schlimmster Verlust war Arago. Nach Louis Napoleons ›Coup d'Etat‹ in Paris im Jahr 1851 war Arago zusammen mit anderen Gegnern des neuen Regimes verhaftet worden. Er blieb nicht lange im Gefängnis, doch er war bereits ein kranker Mann. 1853, im Alter von siebzig Jahren, starb er. Er hatte zuletzt nach seinem Freund Humboldt verlangt, doch dieser bekam keine Erlaubnis, ihn zu besuchen. Auch innerhalb seiner eigenen Familie mußte er nach dem Tod von Caroline und seinem Bruder Wilhelm bei Beerdigungen jüngerer Verwandte in Schloß Tegel teilnehmen. »Ich begrabe mein ganzes Geschlecht«, sagte er. Er war allein.

Oder – fast allein. Denn es kamen noch immer Besucher – ein ständiger Strom von Fremden ging durch seine Tür. An einem Novembertag machte ein amerikanischer Reisender, Bayard Taylor, einen Besuch in Humboldts Wohnung und beschrieb später seine Unterredung in der ›New York Tribune‹. Es ist der beste Bericht, der Humboldts Leben in seinen letzten Tagen beschreibt.

Ich war auf die Minute pünktlich und kam in seiner Wohnung in der Oranienstraße an. Die Glocke schlug. In Berlin wohnt er mit seinem Bedienten, Seifert, dessen Name allein an der Tür steht. Das Haus ist einfach und zwei Stock hoch, von einer fleischfarbigen Außenseite und, wie die meisten Häuser in deutschen Städten, von zwei bis drei Familien bewohnt. Der Glockenzug über Seiferts Namen ging nach dem zweiten Stock. Ich läutete: Die schwere Haustüre öffnete sich von selbst, und ich stieg die Treppen hinauf, bis ich vor einem zweiten Glockenzug stand, über welchem auf einer Tafel die Worte zu lesen waren: Alexander von Humboldt.

Ein untersetzter, vierschrötiger Mann von etwa Fünfzig, den ich

sogleich als Seifert erkannte, öffnete. »Sind Sie Herr Taylor?« redete
er mich an, und fügte auf meine Bejahung hinzu: »Seine Excellenz ist
bereit, Sie zu empfangen.« Er führte mich in ein Zimmer voll ausge-
stopfter Vögel und anderer Gegenstände der Naturgeschichte, von da
in eine große Bibliothek . . . Ich schritt zwischen zwei langen, mit
mächtigen Folianten bedeckten Tischen zu der nächsten Tür, welche
sich in das Studierzimmer öffnete. Diejenigen, welche die herrliche
Lithographie von Hildebrandts Bild gesehen, wissen genau, wie dieses
Zimmer aussieht. Da befanden sich der einfache Tisch, das Schreib-
pult, mit Papieren und Manuskripten bedeckt, das kleine grüne Sofa
und dieselben Karten und Bilder auf den sandfarbenen Wänden. Die
Lithographie hat so lange in meinem eigenen Zimmer zu Hause ge-
hangen, daß ich sofort jeden einzelnen Gegenstand wiedererkannte.

Seifert ging an eine innere Türe, nannte meinen Namen und als-
bald trat Humboldt ein. Er kam mir mit einer Freundlichkeit und
Herzlichkeit entgegen, die mich sofort die Nähe eines Freundes fühlen
ließ, reichte mir seine Hand und fragte, ob wir Englisch oder Deutsch
sprechen sollten . . . Ich mußte auf dem einen Ende des grünen Sofas
Platz nehmen, indem er bemerkte, daß er selten selbst auf demselben
sitze; hierauf stellte er einen einfachen Korbstuhl daneben und setzte
sich darauf, bemerkend, daß ich ein wenig lauter als gewöhnlich
sprechen möge, da sein Gehör nicht mehr so gut wie früher sei . . .

Der erste Eindruck, den Humboldts Gesichtszüge machen, ist der
einer großen und warmen Menschlichkeit. Seine massive Stirn strebt
vorwärts und beschattet, wie eine reife Kornähre, seine Brust. Doch
wenn man darunter blickt, sieht man in ein Paar klare, blaue Augen,
von der Ruhe und Heiterkeit eines Kindes . . . Man faßt bei dem er-
sten Blick Vertrauen . . . Ich hatte mich ihm mit einem natürlichen
Gefühl der Ehrfurcht genähert, aber in fünf Minuten fühlte ich, daß
ich ihn liebte . . .

Taylor war über die jugendliche Gesichtsfarbe von Humboldt überrascht, auch darüber, daß er kaum Falten, sondern
eine glatte Haut hatte. Sein Haar war schneeweiß, doch füllig –
sein Gang langsam, aber sicher, und die Art wie er sich bewegte, aktiv, fast rastlos. Die beiden Männer sprachen über
Sibirien, Zentralasien, über die großen Gebirgszüge von Süd-

amerika, über gemeinsame Bekannte wie den amerikanischen Schriftsteller Washington Irving, und über das gezähmte Chamäleon, das in einem Behälter mit einem Glasdeckel in Humboldts Studio lebte. »Eine Eigentümlichkeit dieses Tieres«, erklärte Humboldt Taylor »ist sein Vermögen, zur gleichen Zeit nach verschiedenen Richtungen sehen zu können. Es kann mit einem Auge gegen den Himmel schauen, während das andere zur Erde niederblickt. Es gibt viele Kirchendiener, die dasselbe können . . .«

Seifert erschien endlich und sagte zu ihm in einem Tone, der ebenso ehrerbietig wie vertraulich war: »Es ist Zeit!« und ich empfahl mich.

»Sie sind viel gereist und haben viele Ruinen gesehen«, sagte Humboldt, indem er mir seine Hand reichte. »Jetzt haben Sie eine mehr gesehen.« »Keine Ruine«, war meine unwillkürliche Antwort, »sondern eine Pyramide«. Ich drückte die Hand, welche die Hände Friedrichs des Großen, Forsters, Klopstocks und Schillers, Napoleons, Josephines, der Marschälle des Kaiserreiches, Jeffersons, Hamiltons, Wielands, Herders, Goethes, Cuviers, Laplaces, Gay-Lussacs – kurz, die Hände aller großen Männer berührt hatte, die Europa in drei Vierteln eines Jahrhunderts hervorbrachte.

Während er Taylor hinausführte, zeigte Seifert auf ein sehr gutes Muster einer Perlenarbeit in einem Goldrahmen. »Das ist«, bemerkte er, »das Werk einer kirgisischen Prinzessin, die es Seiner Excellenz verehrte, als ›wir‹ auf der Reise in Sibirien waren.« Dann läutete die Glocke, und das Mädchen kam herein, um einen Besuch anzumelden. »Ah, Fürst Ypsilanti«, sagte Seifert. »Laß ihn nicht herein, laß keinen Menschen ein, ich muß gehen und Seine Excellenz ankleiden.« Und dann verbeugte sich Seifert zum Abschied vor dem Amerikaner.

Die seltsame Beziehung zwischen Humboldt und Seifert in den letzten Lebensjahren Humboldts ist Gegenstand vieler Vermutungen in Berliner Gesellschaftskreisen gewesen und wurde am Ende ein offener Skandal. Bayard Taylor war nicht der erste Besucher, dem die Familiarität im Umgang des Dieners mit seinem Herren auffiel und das Ausmaß der Kontrolle, das er über das Kommen und Gehen im Hause ausübte. Es gab viele Beschwerden über seine Launen bei der Zulassung von Besuchern. Tatsächlich ist Seifert – alt, treu, aber tyrannisch – in den letzten zehn Jahren der Herr im Hause gewesen. Humboldt beklagte sich gewöhnlich über diese »Sklaverei«, doch um des häuslichen Friedens willen ertrug er, »ein eigentumsloser Arbeiter« in seinen eigenen vier Wänden zu sein.

In der Geschichte der Herr-Diener Beziehungen war Humboldts Situation keineswegs einmalig. Doch es wurden damals (und später) viele Versuche unternommen, eine andere Erklärung zu finden als die, daß die Abhängigkeit der Alten und Schwachen von den Jüngeren und Stärkeren nur natürlich ist. Einmal ging zum Beispiel das Gerücht um, das sogar bis heute noch nicht gänzlich verstummt ist, die jüngste von Seiferts drei Töchtern, Agnes, sei Humboldts leibliches Kind, was Seiferts Macht über Humboldt erkläre. Gewiß mochte Humboldt Agnes sehr gern. Er fand sie am schönsten und liebenswürdigsten von den drei Mädchen, und er zeigte ihre Malereien allen Besuchern. Doch es scheint unwahrscheinlich, daß Humboldt in seinen hohen Jahren noch Nachkommen gezeugt haben soll, zumal er in seinen tatkräftigeren, jüngeren Jahren so wenig Neigung zu solchen Dingen gezeigt hatte. Eine viel wahrscheinlichere Erklärung für Seiferts Macht über seinen Herrn waren Humboldts ständige finanzielle Abhängigkeit von ihm, für die es eine Menge schriftliche Beweise gibt.

Trotz des Erfolges vom ›Kosmos‹ war Humboldt viele Jahre lang im wesentlichen auf seine jährliche Pension von 5000 Talern angewiesen, die ihm der König gab. Diese Summe reichte niemals aus, um seine Ausgaben zu decken. Am 10. jeden Monats war er meistens bereits ohne Geldmittel und hatte sein Bankkonto überzogen. Manchmal mußte er den König um eine kleine Schenkung bitten, um sein Bankkonto wieder auffüllen zu können. Und in den schlimmsten Augenblicken finanzieller Krisen mußte Seifert auf den ihm zustehenden Dienstlohn verzichten; dieser betrug 25 Taler im Monat – eine absolut normale Summe in jener Zeit. Es scheint, daß Humboldt Seifert den Lohn für mehrere Jahre geschuldet hat, und daß sein eifriges Streben, während seines Lebens und noch nach seinem Tode für Seifert und seine Familie zu sorgen, ihn immer mehr in pekuniäre Abhängigkeit von Seifert gebracht hat. 1841 hatte er in einem Testament seinen gesamten persönlichen Besitz an Seifert überschrieben. Und 1855 wiederholte er dieses Vermächtnis – offenbar auf Seiferts Verlangen – in einem Brief, in dem er bestätigte, daß er seinen Orden des Roten Adlers in Brillanten für 2688 Taler an den König zurückverkauft habe, um Seiferts Löhne zu bezahlen. Außerdem sollten alle seine Goldmedaillen, Uhren, Bücher, Mappen, Bilder, Skulpturen, Instrumente, Zobelpelze, Wäsche, Silbergeschirr, Betten und Möbel nach seinem Tode in Seiferts Besitz übergehen.

Nach Humboldts Herzattacke im Jahr 1857 hatte sich der König bereit erklärt, Humboldts kleinen Bankkredit zurückzuzahlen, und im folgenden Jahr vermachte Humboldt seinen ganzen Besitz endgültig durch Schenkungsurkunden an Seifert. Er behielt sich nur die Benützung in Lebzeiten vor. Ein paar Dinge waren aus Pietätsgründen in diesem letzten Vermächtnis ausgenommen – die Kabinettsorden der Könige, das Bild Friedrich Wilhelms IV., eine große Vase mit Darstellungen von Sanssouci und Charlottenburg, die Ehrenbürgerbriefe von Berlin und Potsdam, die Copley-Medaille, die Reisetagebücher und die für den ›Kosmos‹ vorbereiteten Zettelkästen.

Und so, mittellos, ohne jeden Besitz in seinem eigenen Haushalt, der tatsächlich seinem Diener gehörte und von ihm geführt wurde, verbrachte Alexander von Humboldt einen weiteren Winter in Berlin. Seine Räume waren auf nahezu 27 Grad Celsius erwärmt, wie sie es seit seiner Rückkehr aus der Neuen Welt vor mehr als einem halben Jahrhundert gewesen waren. Er fühlte sich allmählich immer schwächer und mußte viel im Bett liegen. Da er spürte, wie seine Kräfte täglich mehr schwanden, arbeitete er unaufhörlich, um den fünften Band des ›Kosmos‹ zu beenden. Er hatte gerade seine Beschreibung von den Granitfelsen beendet, auf die er bei einer Rast während seiner sibirischen Expedition gestoßen war, als er eine

Pause einlegte. Das Datum war der 2. März 1859. Aus irgendeinem Grund beschloß er, nicht weiterzuschreiben, sondern die ersten 85 Seiten des Buches zu korrigieren und seine üblichen Fußnoten und Hinweise einzufügen. Am 19. April übersandte Seifert das Manuskript den Verlegern. Zwei Tage später, nur wenige Monate vor seinem 90. Geburtstag, mußte sich Alexander geschwächt und fiebrig ins Bett legen.

Er besaß nicht mehr die Kraft, es zu verlassen, und wußte, daß er sterben würde. Der Prinzregent, der künftige Kaiser Wilhelm I., besuchte ihn, und Alexander erbat sich von ihm eine letzte Gunst – die Erlaubnis auf Staatskosten beerdigt zu werden. Sie wurde ihm gewährt. Seine Nichte, Gabriele von Bülow, kam, um ihren alten Onkel während seiner letzten Tage zu pflegen. Sie saß viele stille Stunden an seinem Bett. Draußen, vor dem Fenster des Alkovens, in dem er lag, konnte er die Frühlingszeichen und das Herannahen eines neuen Sommers beobachten. Er litt keine Schmerzen. Seine Stimme – dieser alte, reißende Strom von einer Stimme – wurde schwächer; er sprach wenig, und wenn er sprach, immer klar, einfühlsam und liebevoll. Vom 3. Mai an meldete der tägliche Krankheitsbericht seines Arztes ein rasches Schwinden der Kräfte. Bis zum letzten Tag blieb sein Geist klar wie stets, und er blickte gelassen im Zimmer umher. Am 6. Mai 1859, um halbdrei Uhr nachmittags, kam das friedliche Ende. Es war ein ganz natürlicher Tod, ein einfaches Ablaufen der biologischen Uhr. Nur Gabriele und ihr Schwager, General von Hedemann, standen an Alexanders Sterbebett. Nachdem sie ihm die Augen geschlossen hatten, fanden sie auf seinem Nachttisch drei Zettel, auf denen die letzten Notizen standen, die der Autor des ›Kosmos‹ niedergeschrieben hatte, ein Zitat aus der ›Genesis‹, das lautet:

»Also ward vollendet Himmel und Erde mit ihrem ganzen Heer.«

Die Aufbahrung fand in der Bibliothek statt, die mit Blumen und immergrünen Pflanzen geschmückt war. Der Hof und die

Bevölkerung von Berlin kamen in großen Scharen, um ihm die letzte Ehre zu erweisen. Der Prinzregent hatte ein Staatsbegräbnis angeordnet. Am 10. Mai, um 8 Uhr morgens, wurde der Sarg aus der Wohnung in der Oranienburger Straße durch die auf Halbmast beflaggten und von einer trauernden Menschenmenge überfüllten Straßen gefahren. Außer dem öffentlichen Begräbnis der März-Revolutionäre von 1848 war es der imposanteste nicht-militärische Trauerzug in der Geschichte der Stadt. An der Spitze des Leichenzuges gingen vier königliche Kammerherren; einer von ihnen trug auf einem roten Samtkissen die Insignien von Humboldts Auszeichnungen. Der Leichenwagen wurde von sechs Pferden gezogen, die von königlichen Reitknechten geführt wurden. Daneben schritten zwanzig Studenten mit Palmenblättern. Der Sarg war mit Azaleen und Lorbeerkränzen bedeckt, und unmittelbar dahinter ging Alexanders Familie – seine Verwandten und die Nachkommen seines Bruders Wilhelm. Nach ihnen marschierten die Friedrichstraße und Unter den Linden entlang langsam beim weihevollen Klang von Chopins Trauermarsch die Ordensträger des Schwarzen Adlers, die Staatsminister, das Diplomatische Corps, 600 Studenten, flankiert von Standartenträgern, Mitglieder der beiden Parlamente, die Akademie der Wissenschaft, die Akademie der Künste, die Professoren und Lehrer der Universität und der Schulen, die Beamten und die Gemeindedelegationen. Nur der Klerus – mit Ausnahme des offiziellen Geistlichen und sieben Freisinnigen – hielt sich fern. An der Tür des Domes empfing der Prinzregent unbedeckten Hauptes den Zug. Nachdem die Glocken verstummt waren, begannen die Chöre zu singen.

Am nächsten Tag machte Alexander von Humboldt seine letzte kurze Reise durch die Lindenallee und am Ufer des Sees bei Schloß Tegel entlang. In einem stillen, ländlichen Begräbnis wurde er neben seinem Bruder und Caroline in dem Familienfriedhof unter den Fichten bestattet. Hier sollte er endlich Ruhe finden.

DIE FOLGENDEN SEITEN BRINGEN EIN FAKSIMILE von Alexander von Humboldts Aufsatz ›Über einen Versuch den Gipfel des Chimborazo zu ersteigen‹, der 1853 in den ›Kleineren Schriften‹ bei Cotta erschien. Es ist einer der besten Essays Humboldts, gerühmt ob seiner so wissenschaftlich präzisen wie unmittelbar anschaulichen Prosa, in der der »Meteorologe und Geologe, Botaniker und Oreograph und Geograph mit versagendem Atem und blutflüssigen Augen noch stoischer Beobachter und lieblicher Beschreiber des größten und kleinsten, bis zum Augenblick des Nec Ultra ist«, wie Rudolf Borchardt schrieb, der die schönsten Teile daraus in seiner berühmt gewordenen Anthologie ›Der Deutsche in der Landschaft‹ 1927 veröffentlicht hat. Unser Faksimile ist der Cottaschen Originalausgabe gegenüber nur gering verkleinert und gibt den Aufsatz ungekürzt mit den dazugehörigen Anmerkungen wieder.

Das in Humboldts Aufsatz
vielgenannte französische Längenmaß Toise,
damals allgemein gebräuchlich,
entspricht 1,949 Metern.

Kleinere Schriften

von

Alexander von Humboldt.

Erster Band.

Geognostische und physikalische Erinnerungen.

Mit einem Atlas,
enthaltend Umrisse von Vulkanen
aus den Cordilleren von Quito und Mexico.

———

Stuttgart und Tübingen.
J. G. Cotta'scher Verlag.
1853.

Kleinere Schriften

von

Alexander von Humboldt.

Erster Band.

Geognostische und physikalische Erinnerungen.

Mit einem Atlas,
enthaltend Umrisse von Vulkanen
aus den Cordilleren von Quito und Mexico.

Stuttgart und Tübingen.

J. G. Cotta'scher Verlag.

1853.

Buchdruckerei der J. G. Cotta'schen Buchhandlung in Stuttgart.

Dem geistreichen Forscher der Natur,

dem größten Geognosten unseres Zeitalters,

Leopold von Buch,

widmet

dieses kleine Denkmal sechzigjähriger, nie getrübter
Freundschaft

Berlin, im Januar 1853.   Alexander v. Humboldt.

Ueber einen Versuch den Gipfel des Chimborazo zu ersteigen.

Die höchsten Berggipfel beider Continente: im alten der Kintschinjinga, der Dhawalagiri (weiße Berg) und der Dschawahir; im neuen der Aconcagua und der Sahama[1]; sind bisher noch nie von Menschen erreicht worden. Der höchste Punkt, zu dem man in beiden Continenten auf der Erdoberfläche gelangt ist, liegt in Südamerika am südöstlichen Abfall des Chimborazo. Dort sind Reisende fast bis 18500 Pariser Fuß: nämlich einmal im Junius 1802 bis 3016 Toisen, ein andermal im December 1831 bis 3080 Toisen Höhe, über der Meeresfläche gelangt. Barometer-Messungen wurden also in der Andeskette 3720 Fuß höher als der Gipfel des Montblanc angestellt. Die Höhe des Montblanc ist im Verhältniß der Gestaltung der Cordilleren so unbeträchtlich, daß in diesen vielbetretene Wege (Pässe) höher liegen, ja selbst der obere Theil der großen Stadt Potosi dem Gipfel des Montblanc nur um 323 Toisen nachsteht. Ich habe es für nöthig gefunden diese wenigen numerischen Angaben hier voranzuschicken, um der Phantasie bestimmte Anhaltspunkte für die hypsometrische, gleichsam plastische Betrachtung der Erdoberfläche darbieten zu können.

Das Erreichen großer Höhen ist von geringem wissenschaftlichen Interesse, wenn dieselben weit über der Schnee-

grenze liegen und nur auf wenige Stunden besucht werden
können. Unmittelbare Höhenbestimmungen durch das Baro=
meter gewähren zwar den Vortheil schnell zu erhaltender
Resultate; doch sind die Gipfel meist nahe mit Hochebenen
umgeben, die zu einer trigonometrischen Operation geeignet
sind, und in denen alle Elemente der Messung wiederholt
geprüft werden können: während eine einmalige Bestimmung
mittelst des Barometers, wegen auf= und absteigender Luft=
ströme am Abhange des Gebirgsstockes und wegen dadurch
erzeugter Variation in der Temperatur=Abnahme, beträcht=
liche Fehler in den Resultaten erzeugt. Die Natur des Ge=
steins ist wegen der ewigen Schneedecke der geognostischen
Beobachtung fast gänzlich entzogen, da nur einzelne Fels=
rippen (Grate) mit sehr verwitterten Schichten hervortreten.
Das organische Leben ist in diesen hohen Einöden der Erd=
fläche erstorben. Kaum verirren sich in die dünnen Schichten
des Luftkreises der Berggeier (Condor) und geflügelte In=
secten, letztere unwillkührlich von Luftströmen gehoben. Wenn
jetzt ein ernstes, wissenschaftliches Interesse kaum noch der Be=
mühung reisender Physiker, welche die höheren Gipfel der Erde
zu ersteigen streben, geschenkt wird; so hat sich dagegen im
allgemeinen Volkssinne ein reger Antheil an einer solchen
Bemühung erhalten. Das, was unerreichbar scheint, hat
eine geheimnißvolle Ziehkraft; man will, daß alles erspähet,
daß wenigstens versucht werde, was nicht errungen werden
kann. Der Chimborazo ist der ermüdende Gegenstand aller
Fragen gewesen, welche seit meiner ersten Rückkunft nach Eu=
ropa an mich gerichtet wurden. Die Ergründung der wich=
tigsten Naturgesetze, die lebhafteste Schilderung der Pflanzen=
zonen und der, die Objecte des Ackerbaues bestimmenden

Verschiedenheit der Klimate, welche schichtenweise über einander liegen: waren selten fähig die Aufmerksamkeit von
dem schneebedeckten Gipfel abzulenken, welchen man damals
noch (vor Fitz-Roy's Messungen an der südlichen Küste von
Chili und Pentland's Reise nach Bolivia) für den Culminationspunkt der gangartig ausgedehnten Andeskette hielt.

Ich werde hier dem noch ungedruckten Theile meiner
Tagebücher die einfache Erzählung einer Bergreise entlehnen.
Das ganze Detail der trigonometrischen Messung, die ich
bei dem neuen Riobamba in der Ebene von Tapia angestellt habe, ist in der Einleitung zu dem ersten Bande meiner
astronomischen Beobachtungen bald nach meiner
Rückkunft bekannt gemacht worden.[2]   Die Geographie der
Pflanzen an dem Abhange des Chimborazo und dem ihm
nahen Gebirge (von dem Meerufer an bis 14800 Fuß
Höhe) habe ich, nach Kunth's vortrefflichen Bestimmungen der
von Bonpland und mir gesammelten Alpengewächse der Cordilleren, auf einer Tafel meines geographischen und
physikalischen Atlasses von Südamerika bildlich
darzustellen versucht. Beigefügte Scalen bezeichnen als Resultat zahlreicher Beobachtungen das Gesetz der mit der Höhe
abnehmenden Wärme.

Die Geschichte der Ersteigung selbst, die wenig dra-
matisches Interesse darbieten kann, war dem vierten und
letzten Bande meiner Reise nach den Aequinoctial-Gegenden
vorbehalten.   Da aber mein vieljähriger Freund, Herr
Boussingault, jetzt Mitglied der Akademie der Wissenschaften
zu Paris, einer der talentvollsten und gelehrtesten Reisenden neuerer Zeit, vor kurzem auf meine Bitte sein dem
meinen sehr ähnliches Unternehmen in den Annales de

Chimie et de Physique beschrieben hat; so kann, weil unsere Beobachtungen sich gegenseitig ergänzen, dies einfache Fragment eines Tagebuchs, das ich hier bekannt mache, sich wohl einer nachsichtsvollen Aufnahme erfreuen. Aller umständlicheren geognostischen und physikalischen Discussionen werde ich mich vorläufig enthalten.

Den 22 Junius 1799 war ich im Crater des Pic von Teneriffa gewesen; drei Jahre darauf, fast an demselben Tage (den 23 Junius 1802), gelangte ich, 6700 Fuß höher, bis nahe an den Gipfel des Chimborazo. Nach einem langen Aufenthalte in dem Hochlande von Quito, einer der wundervollsten und malerischsten Gegenden der Erde, unternahmen wir die Reise nach den China-Wäldern von Lora, dem oberen Laufe des Amazonenflusses, westlich von der berühmten Strom-Enge (Pongo de Manseriche), und durch die sandige Wüste längs dem peruanischen Ufer der Südsee nach Lima, wo der Durchgang des Merkur durch die Sonnenscheibe (am 9 November 1802) beobachtet werden sollte. Wir genossen mehrere Tage lang, auf der mit Bimsstein bedeckten Ebene, in welcher man (nach dem furchtbaren Erdbeben vom 4 Februar 1797) die neue Stadt Riobamba zu gründen anfing, einer herrlichen Ansicht des glocken- oder domförmigen Gipfels des Chimborazo bei dem heitersten, eine trigonometrische Messung begünstigenden Wetter. Durch ein großes Fernrohr hatten wir den noch 15700 Toisen entfernten Schneemantel des Berges durchforscht, und mehrere ganz vegetationsleere[3] Felsgrate entdeckt, die, wie schmale, schwarze Streifen aus dem ewigen Schnee hervorragend, dem Gipfel zuliefen und uns einige Hoffnung gaben, daß man auf ihnen in der Schneeregion festen Fuß würde fassen können. Riobamba Nuevo

liegt im Angesicht des ungeheuren jetzt zackigen Gebirgs-
stocks Capac-Urcu, von den Spaniern el Altar genannt,
der (laut einer Tradition der Eingebornen) einst höher als
der Chimborazo war und, nachdem er viele Jahre lang gespieen, einstürzte. Dieses schreckenverbreitende Naturereig-
niß fällt in die Zeit kurz vor der Eroberung von Quito
durch den Inca Tupac Yupanqui. Riobamba Nuevo ist nicht
mit dem alten Riobamba der großen Karte von La Condamine und Don Pedro Maldonado zu verwechseln. Letztere
Stadt ist gänzlich zerstört worden durch die große Cata-
strophe vom 4 Februar 1797, die in wenigen Minuten über
30000 Menschen tödtete. Das neue Riobamba liegt, nach
meiner Chronometer-Bestimmung, 42 Zeitsecunden östlicher
als das alte Riobamba, aber fast unter derselben Breite
(1° 41' 46" südlich).

Wir befanden uns in der Ebene von Tapia, aus der
wir am 22 Junius unsere Expedition nach dem Chimborazo
antraten, schon 8898 Pariser Fuß (1483 Toisen) hoch
über dem Spiegel der Südsee. Diese Hochebene, einen Theil
des Thalbodens zwischen der östlichen und westlichen Andeskette (der Kette der thätigen Vulkane Cotopaxi und Tungurahua, und der Kette der ruhenden: Iliniza und Chimborazo),
verfolgten wir sanft ansteigend bis an den Fuß des letztern
Berges, wo wir im indischen Dorfe Calpi übernachten sollten.
Sie ist sparsam mit Cactus-Stämmen und Schinus molle, der
einer Trauerweide gleicht, bedeckt. Heerden buntgefärbter
Lamas suchen hier zu Tausenden eine sparsame Nahrung.
Auf einer so großen Höhe schadet die starke nächtliche Wärmestrahlung des Bodens, bei wolkenlosem Himmel, dem Acker-
bau durch Erkältung der Luft und Erfrieren der reifenden

Saaten. Ehe wir Calpi erreichten, besuchten wir Lican:
jetzt ebenfalls ein kleines Dorf, aber vor der Eroberung des
Landes durch den eilften Inca (denselben Tupac Yupanqui,
deffen woblerhaltenen Körper Garcilaso de la Vega noch 1559
in der Familiengruft zu Cuzco gesehen hatte) eine beträchtliche
Stadt und den Aufenthaltsort des Conchocando oder Fürsten
der Puruay. Die Eingebornen glauben, daß die kleine Zahl
wilder Lamas, die man am westlichen Abfall des Chimbo=
razo findet, nur verwildert sind und von den, nach der Zer=
störung des alten Lican zerstreuten und flüchtig gewordenen
Heerden abstammen.

Ganz nahe bei Calpi, nordwestlich von Lican, erhebt
sich in der dürren Hochebene ein kleiner isolirter Hügel,
der schwarze Berg, Yana=Urcu, deffen Name von
den französischen Akademikern nicht genannt worden ist, der
aber in geognostischer Hinsicht viel Aufmerksamkeit verdient.
Der Hügel liegt süd=süd=östlich vom Chimborazo, in weniger
als drei Meilen (15 auf 1°) Entfernung, und von jenem
Coloffe nur durch die Hochebene von Luisa getrennt. Will
man in ihm auch nicht einen Seitenausbruch jenes Coloffes
erkennen, so ist der Ursprung dieses Eruptions=Kegels doch
gewiß den unterirdischen Mächten zuzuschreiben, welche unter
dem Chimborazo Jahrtausende lang vergeblich einen Ausweg
gesucht haben. Er ist späteren Ursprungs als die Erhebung
des großen, glockenförmigen Berges. Der Yana=Urcu bildet
mit dem nördlichen Hügel Naguangachi eine zusammen=
hangende Anhöhe, in Form eines Hufeisens; der Bogen
(mehr als Halbzirkel) ist gegen Osten geöffnet. Wahrschein=
lich liegt in der Mitte des Hufeisens der Punkt, aus dem
die schwarzen Schlacken ausgestoßen worden, welche jetzt weit

umher verbreitet sind. Wir fanden dort eine trichterförmige
Senkung von etwa 120 Fuß Tiefe, in deren Innerem ein
kleiner, runder Hügel steht, dessen Höhe den umgebenden
Rand nicht erreicht. Yana-Urcu heißt eigentlich der südliche
Culminationspunkt des alten Kraterrandes, welcher höchstens
400 Fuß über der Fläche von Calpi erhaben ist. Raguan=
gachi ist der Name des nördlichen niederen Abfalls. Die ganze
Anhöhe erinnert durch ihre Hufeisenform, aber nicht durch ihr
Gestein, an den etwas höheren Hügel Javirac (el Panecillo
de Quito), der sich isolirt am Fuße des Vulkans Pichincha
in der Ebene von Turubamba erhebt, und der auf La Con=
damine's oder vielmehr Morainville's Karte irrig als ein
vollkommener Kegel abgebildet ist. Nach der Tradition der
Eingebornen und nach vermeintlichen alten Handschriften,
welche der Cazike oder Apu von Lican, ein Abkömmling der
alten Fürsten des Landes (der Conchocandi), sich zu besitzen
rühmte, ist der vulkanische Ausbruch des Yana-Urcu gleich
nach dem Tode des Inca Tupac Yupanqui, also wohl in der
Mitte des funfzehnten Jahrhunderts, erfolgt. Die Tradi=
tion sagt, es sei eine Feuerkugel oder gar ein Stern vom Him=
mel gefallen und habe den Berg entzündet. Solche Mythen,
welche Aërolithenfälle mit Entzündungen in Verbindung
setzen, sind auch unter den mericanischen Völkerstämmen ver=
breitet. [5]

Das Gestein des Yana-Urcu ist eine poröse, dunkel nel=
kenbraune, oft ganz schwarze, schlackige Masse, welche man
leicht mit porösem Basalt verwechseln kann. Olivin fehlt aber
gänzlich darin. Die weißen, sehr sparsam darin liegenden
Krystalle sind überaus klein und wahrscheinlich Labrador.
Hier und da sah ich Schwefelkies eingesprengt. Das Ganze

gehört wohl dem schwarzen Augit=Porphyr an, wie die ganze Formation des Chimborazo: von der wir unten reden werden, und der ich nicht den Namen Trachyt geben möchte, da sie keinen Feldspath (mit etwas Albit), wie unser Trachyt des Siebengebirges bei Bonn, enthält. Die schlackenartigen, durch ein sehr thätiges Feuer veränderten Massen des Yana= Urcu sind zwar überaus leicht, aber eigentlicher Bimsstein ist dort nicht ausgeworfen worden. Der Ausbruch ist durch eine graue, unregelmäßig geschichtete Masse von Dolerit geschehen, welcher hier die Hochebene bildet und dem Gestein von Penipe (am Fuß des Vulkans von Tungurahua) ähnlich ist, wo Syenit und granathaltiger Glimmerschiefer von ihm durchbrochen worden sind. Am östlichen Abhange des Yana=Urcu, oder vielmehr am Fuß des Hügels gegen Lican zu, führten uns die Eingebornen an einen vorspringenden Fels, an dem eine Oeffnung dem Mundloch eines verfallenen Stollens glich. Man hört hier und auch schon in zehn Fuß Entfernung ein heftiges unterirdisches Getöse, das von einem Luftstrome oder unterirdischen Winde begleitet ist. Die Luftströmung ist viel zu schwach, um ihr allein das Getöse zuzuschreiben. Letzteres entsteht gewiß durch einen unterirdischen Bach, der in eine tiefere Höhle herabstürzt und durch seinen Fall die Luftbewegung erregt. Ein Mönch, Pfarrer in Calpi, hatte in derselben Meinung den Stollen auf einer offenen Kluft vor langer Zeit angesetzt, um seinem Dorfe Wasser zu verschaffen. Die Härte des schwarzen Augitgesteins hat wahrscheinlich die Arbeit unterbrochen.

Der Chimborazo sendet, trotz seiner ungeheuren Schnee= masse, so wasserarme Bäche in die Hochebene herab, daß man wohl annehmen kann, der größere Theil seiner Wasser

fließe auf Klüften dem Inneren zu. Auch in dem Dorfe
Calpi selbst hörte man ehemals ein großes Getöse unter
einem Hause, das keine Keller hatte. Vor dem furchtbaren
Erdbeben vom 4 Februar 1797 entsprang im Südwesten
des Dorfes ein Bach an einem tieferen Punkte. Viele Indianer hielten denselben für einen Theil der Wassermasse,
welche unter dem Yana-Urcu fließt. Seit dem großen Erdbeben aber ist dieser Bach wiederum verschwunden.

Nachdem wir die Nacht in Calpi, nach meiner Baro-
meter-Messung 9720 Fuß (1620 Toisen hoch) über dem Meere,
zugebracht hatten, begannen wir am 23ten Morgens unsere
eigentliche Expedition nach dem Chimborazo. Wir versuchten
den Berg von der süd-süd-östlichen Seite zu ersteigen; und
die Indianer, welche uns zu Führern dienen sollten, von denen
aber nur wenige je bis zur Grenze des ewigen Schnees
gelangt waren, gaben dieser Richtung des Weges ebenfalls
den Vorzug. Wir fanden den Chimborazo mit großen Ebenen,
die stufenweise über einander liegen, umgeben. Zuerst durch-
schritten wir die Llanos de Luisa; dann, nach einem nicht
sehr steilen Ansteigen von kaum 5000 Fuß Länge, gelangten
wir in die Hochebene (Llano) von Sisgun. Die erste Stufe
ist 10200, die zweite 11700 Fuß hoch. Diese mit Gras
bewachsenen Ebenen erreichen also, die eine den höchsten
Gipfel der Pyrenäen (den Pic Nethou), die andere den
Gipfel des Vulkans von Teneriffa. Die vollkommene Söh-
ligkeit (Horizontalität) dieser Hochebenen läßt auf einen
langen Aufenthalt stehender Wasser schließen. Man glaubt
einen Seeboden zu sehen. An dem Abhange der schweizer
Alpen bemerkt man bisweilen auch dies Phänomen stufenweise über einander liegender kleiner Ebenen, welche, wie

abgelaufene Becken von Alpenseen, jetzt durch enge, offene
Päſſe verbunden ſind. Die weit ausgedehnten Grasfluren (los
Pajonales) ſind am Chimborazo, wie überall um die hohen
Gipfel der Andeskette, ſo einförmig, daß die Familie der
Gräſer (Arten von Paspalum, Andropogon, Bromus, De-
jeuxia, Stipa) ſelten von Kräutern dicotyledoniſcher Pflanzen
unterbrochen wird. Es iſt faſt die Steppennatur, die ich
in dem dürren Theile des nördlichen Aſiens geſehen habe.
Die Flora des Chimborazo hat uns überhaupt minder reich
geſchienen als die Flora der andern Schneeberge, welche
die Stadt Quito umgeben. Nur wenige Calceolarien, Com-
poſiten (Bidens, Eupatorium, Dumerilia paniculata, Werneria nubigena) und Gentianen, unter denen die ſchöne
Gentiana cernua mit purpurrothen Blüthen hervorleuchtet,
erheben ſich in der Hochebene von Sisgun zwiſchen den
geſellig wachſenden Gräſern. Dieſe gehören, der größten
Zahl nach, nord-europäiſchen Geſchlechtern an. Die Luft-
Temperatur, welche gewöhnlich in dieſer Region der Alpen-
gräſer (in 1600 und 2000 Toiſen Höhe) herrſcht, ſchwankt
bei Tage zwiſchen 4⁰ und 16⁰ C., bei Nacht zwiſchen 0⁰
und 10⁰. Die mittlere Temperatur des ganzen Jahres
ſcheint für die Höhe von 10800 Fuß, nach den von mir
in der Nähe des Aequators geſammelten Beobachtungen,
ohngefähr 9⁰ zu ſein. In dem Flachlande der temperirten
Zone iſt dies die mittlere Temperatur des nördlichen Deutſch-
lands, z. B. von Lüneburg (Breite 53⁰ 15′): wo aber die
Wärme-Vertheilung unter die einzelnen Monate (das wich-
tigſte Element zur Beſtimmung des Vegetations-Charakters
einer Gegend) ſo ungleich iſt, daß der Februar — 1⁰,8,
der Julius + 18⁰ mittlerer Wärme hat.

Mein Plan war, in der schönen, ganz ebenen Grasflur von Sisgun eine trigonometrische Operation anzustellen.
Ich hatte mich vorbereitet dort eine Standlinie zu messen. Die Höhenwinkel wären sehr beträchtlich ausgefallen, da man dem Gipfel des Chimborazo nahe ist. Es
blieb nur noch eine senkrechte Höhe von weniger als 8400 Fuß
(eine Höhe wie der Canigou in den Pyrenäen) zu bestimmen übrig. Bei der ungeheuren Masse der einzelnen Berge
in der Andeskette ist leider! nothwendig jede Bestimmung der
Höhe über der Meeresfläche aus einer barometrischen und
trigonometrischen zusammengesetzt. Ich hatte den Sertanten
und andere Meßinstrumente vergeblich mitgenommen: der
Gipfel des Chimborazo blieb in dichten Nebel gehüllt. Aus der
Hochebene von Sisgun steigt man ziemlich steil bis zu einem
kleinen Alpensee (Laguna de Yana-Cocha) an. Bis dahin
war ich auf dem Maulthiere geblieben, und nur von Zeit
zu Zeit abgestiegen, um mit meinem Reisegefährten, Herrn
Bonpland, Pflanzen zu sammeln. Yana-Cocha verdient nicht
den Namen eines Sees. Es ist ein zirkelrundes Becken
von kaum 130 Fuß Durchmesser. Der Himmel wurde
immer trüber, aber zwischen und über den Nebelschichten
lagen noch einzelne, deutlich erkennbare Wolkengruppen zerstreut. Der Gipfel des Chimborazo erschien auf wenige
Augenblicke. Weil in der letzten Nacht viel Schnee gefallen
war, so verließ ich das Maulthier da, wo wir die untere
Grenze dieses frischgefallenen Schnees fanden: eine Grenze,
die man nicht mit der ewigen Schneegrenze verwechseln muß.
Das Barometer zeigte, daß wir erst 13500 Fuß hoch gelangt waren. Auf anderen Bergen habe ich, ebenfalls dem
Aequator nahe, bis zu 11200 Fuß Höhe schneien sehen, doch

nicht tiefer. Meine Begleiter, Bonpland und Carlos Mon=
tufar, ritten noch bis zur pepetuirlichen Schneegrenze, d. i.
bis zur Höhe des Montblanc, der bekanntlich unter dieser
Breite (1° 27′ südl.) nicht immer mit Schnee bedeckt sein
würde. Dort blieben unsere Pferde und Maulthiere stehen,
um uns bis zur Rückkunft zu erwarten.

Neunhundert Fuß über dem kleinen Wasserbecken
Yana=Cocha sahen wir endlich anstehendes nacktes Gestein.
Bis dahin hatte die Grasflur jeder geognostischen Unter=
suchung den Boden entzogen. Große Felsmauern, von
Nordost nach Südwest streichend, zum Theil in unförmliche
Säulen gespalten, erhoben sich aus der ewigen Schneedecke:
ein bräunlich schwarzes Augitgestein, glänzend wie Pech=
stein=Porphyr. Die Säulen waren sehr dünn, wohl 30 bis
60 Fuß hoch, fast wie die Trachyt=Säulen des Tablahuma
am Vulkan Pichincha. Eine Gruppe stand einzeln, und er=
innerte in der Ferne fast an Masten und Baumstämme.
Die steilen Mauern führten uns, durch die Schneeregion,
zu einem gegen den Gipfel gerichteten schmalen Grat, einem
Felskamm, der es uns allein möglich machte vorzudringen;
denn der Schnee war damals so weich, daß man fast nicht
wagen konnte seine Oberfläche zu betreten. Der Kamm
bestand aus sehr verwittertem, bröckligen Gestein. Es war
oft zellig, wie ein basaltartiger Mandelstein.

Der Pfad wurde immer schmaler und steiler. Die
Eingebornen verließen uns alle bis auf einen in der Höhe
von 15600 Fuß. Alle Bitten und Drohungen waren ver=
geblich. Die Indianer behaupteten von Athemlosigkeit mehr
als wir zu leiden. Wir blieben allein: Bonpland; unser
liebenswürdiger Freund, der jüngere Sohn des Marques

de Selvalegre, Carlos Montufar, der in dem späteren Frei-
heitskampfe (auf General Morillo's Befehl) erschossen wurde;
ein Mestize aus dem nahen Dorfe San Juan und ich.
Wir gelangten mit großer Anstrengung und Geduld höher, als
wir hoffen durften, da wir meist ganz in Nebel gehüllt blieben. Der Felskamm (im Spanischen sehr bedeutsam Cu-
chilla, gleichsam Messerrücken, genannt) hatte oft nur die
Breite von acht bis zehn Zoll. Zur Linken war der Absturz mit Schnee bedeckt, dessen Oberfläche durch Frost wie
verglast erschien. Die dünneisige Spiegelfläche hatte gegen
30° Neigung. Zur Rechten senkte sich unser Blick schaurig
in einen achthundert oder tausend Fuß tiefen Abgrund, aus
dem schneelose Felsmassen senkrecht hervorragten. Wir hielten
den Körper immer mehr nach dieser Seite hin geneigt; denn
der Absturz zur Linken schien noch gefahrdrohender, weil
sich dort keine Gelegenheit darbot sich mit den Händen an
zackig vorstehendem Gesteine festzuhalten, und weil dazu die
dünne Eisrinde nicht vor dem Untersinken im lockeren Schnee
sicherte. Nur ganz leichte, poröse Dolerit-Stücke konnten wir
auf dieser Eisrinde herabrollen lassen. Die geneigte Schnee-
fläche war so ausgedehnt, daß wir die Steine früher aus
dem Gesichte verloren, als sie zur Ruhe kamen.

Der Mangel an Schnee sowohl auf dem Grat, der uns
leitete, als auf den Felsen zu unserer Rechten gegen Osten kann
weniger der Steilheit der Gesteinmassen und dem Wind-
stoße als offenen Klüften zuzuschreiben sein, welche die
warme Luft der tieferen Erdschichten aushauchen. Bald
fanden wir das weitere Steigen dadurch schwieriger, daß
die Bröcklichkeit des Gesteins beträchtlich zunahm. An einzelnen sehr steilen Staffeln mußte man die Hände und Füße

zugleich anwenden, wie dies bei allen Alpenreisen so ge=
wöhnlich ist. Da das Gestein sehr scharfkantig war, so
wurden wir, besonders an den Händen, schmerzhaft verletzt.
In noch höherem Maaße haben wir, Leopold von Buch und
ich, nahe am Krater des obsidianreichen Pics von Teneriffa
von diesen Verletzungen gelitten. Ich hatte dazu (wenn es
anders einem Reisenden erlaubt ist so unwichtige Einzel=
heiten zu erwähnen) seit mehreren Wochen eine Wunde am
Fuße, welche durch die Anhäufung der Niguas [6] (Pulex pene-
trans) veranlaßt und durch feinen Staub von Bimsstein, bei
Messungen im Llano de Tapia, sehr vermehrt worden war.
Der geringe Zusammenhang des Gesteins auf dem Kamm
machte nun größere Vorsicht nöthig, da viele Massen, welche
wir für anstehend hielten, lose in Sand gehüllt lagen.
Wir schritten hinter einander und um so langsamer fort,
als man die Stellen prüfen mußte, die unsicher schienen.
Glücklicherweise war der Versuch den Gipfel des Chimbo=
razo zu erreichen die letzte unserer Bergreisen in Süd=
amerika, daher die früher gesammelten Erfahrungen uns
leiten und mehr Zuversicht auf unsere Kräfte geben konnten.
Es ist ein eigener Charakter aller Excursionen in der Andes=
kette, daß oberhalb der ewigen Schneegrenze weiße Men=
schen sich dort in den bedenklichsten Lagen stets ohne Führer,
ja ohne alle Kenntniß der Oertlichkeit befinden. Man ist
hier überall zuerst.

 Wir konnten den Gipfel auch auf Augenblicke nicht
mehr sehen, und waren daher doppelt neugierig zu wissen,
wie viel uns zu ersteigen übrig bleiben möchte. Wir öff=
neten das Gefäß=Barometer an einem Punkte, wo die Breite
des Kamms es erlaubte, daß zwei Personen bequem neben

einander stehen konnten. Wir waren erst 17300 Fuß hoch;
also kaum 200 Fuß höher, als wir drei Monate zuvor,
einen ähnlichen Kamm erklimmend, auf dem Antisana ge=
wesen waren. Es ist mit Höhenbestimmungen bei dem
Bergsteigen wie mit Wärme=Bestimmungen im heißen Som=
mer: man findet mit Verdruß das Thermometer nicht so
hoch, den Barometerstand nicht so niedrig, als man es er=
wartete. Da die Luft, trotz der Höhe, ganz mit Feuchtig=
keit gesättigt war, so trafen wir nun das lose Gestein und
den Sand, welcher die Zwischenräume desselben ausfüllt, über=
aus naß. Die Luft war noch $2^0,8$ über dem Gefrierpunkt.
Kurz vorher hatten wir an einer trockenen Stelle das Ther=
mometer drei Zoll tief in den Sand eingraben können. Es
hielt sich auf $+ 5^0,8$. Das Resultat dieser Beobachtung,
welche ohngefähr in 17160 Fuß oder 2860 Toisen Höhe an=
gestellt wurde, ist sehr merkwürdig; denn bereits 2400 Fuß
tiefer, an der Grenze des ewigen Schnees, ist nach vielen
und sorgfältig von Bouffingault und mir gesammelten Beob=
achtungen die mittlere Wärme der Atmospäre nur $+ 1^0,6$.
Die Temperatur der Erde zu $+ 5^0,8$ muß daher der unter=
irdischen Wärme des Doleritberges, ich sage nicht der ganzen
Masse, sondern den aus dem Inneren aufsteigenden Luft=
strömen, zugeschrieben werden.

Nach einer Stunde vorsichtigen Klimmens wurde der
Felskamm weniger steil, aber leider! blieb der Nebel gleich
dick. Wir fingen nun nach und nach an alle an großer
Uebelkeit zu leiden. Der Drang zum Erbrechen war mit
etwas Schwindel verbunden, und weit lästiger als die
Schwierigkeit zu athmen. Ein farbiger Mensch (Mestize aus
San Juan) hatte uns bloß aus Gutmüthigkeit, keineswegs

aber in eigennütziger Absicht, nicht verlassen wollen. Es war ein kräftiger, armer Landmann, der mehr litt als wir. Wir bluteten aus dem Zahnfleisch und aus den Lippen. Die Bindehaut (tunica conjunctiva) der Augen war bei allen ebenfalls mit Blut unterlaufen. Diese Symptome der Extravasate in den Augen, des Blutausschwitzens am Zahnfleisch und an den Lippen hatten für uns nichts beunruhigendes, da wir aus mehrmaliger früherer Erfahrung damit bekannt waren. In Europa hat Herr Zumstein schon auf einer weit geringeren Höhe am Monte Rosa zu bluten angefangen. Spanische Krieger kamen bei Eroberung der Aequinoctial-Region von Amerika (während der Conquista) nicht über die untere Grenze des ewigen Schnees, also wenig über die Höhe des Montblanc hinaus; und doch spricht schon Acosta in seiner Historia natural de las Indias, einer Art physischer Erdbeschreibung, die man ein Meisterwerk des sechzehnten Jahrhunderts nennen kann, umständlich von „Ueblichkeiten und Magenkrampf" als schmerzhaften Symptomen der Bergkrankheit, welche darin der Seekrankheit analog ist. Auf dem Vulkan von Pichincha fühlte ich einmal, ohne zu bluten, ein so heftiges Magenübel, von Schwindel begleitet, daß ich besinnungslos auf der Erde gefunden wurde, als ich mich eben auf einer Felsmauer über der Schlucht von Verde-Cuchu von meinen Begleitern getrennt hatte, um electrometrische Versuche an einem recht freien Punkte anzustellen. Die Höhe war gering, unter 13800 Fuß. Am Antisana aber, auf der beträchtlichen Erhebung von 17022 Fuß, blutete unser junger Reisegefährte Don Carlos Montufar sehr stark aus den Lippen.

Alle diese Erscheinungen sind nach Beschaffenheit des

Alters, der Constitution, der Zartheit der Haut, der vorhergegangenen Anstrengung der Muskelkraft sehr verschieden;
doch für einzelne Individuen sind sie eine Art Maaß der
Luftverdünnung und absoluten Höhe, zu welcher man gelangt ist. Nach meinen Beobachtungen in den Cordilleren
zeigen sie sich an weißen Menschen bei einem Barometerstande zwischen 14 Zoll und 15 Zoll 10 Linien. Es ist bekannt, daß die Angaben der Höhen, zu denen die Luftschiffer behaupten sich erhoben zu haben, gewöhnlich wenig
Glauben verdienen; und wenn ein sicherer und überaus
genauer Beobachter, Herr Gay-Lussac, der am 16 September 1804 die ungeheure Höhe von 21600 Fuß erreichte (also zwischen den Höhen des Chimborazo und des
chilenischen Aconcagua), kein Bluten erlitt, so ist dies
vielleicht dem Mangel an Muskelbewegung zuzuschreiben.
Nach dem jetzigen Stande der Eudiometrie erscheint die Luft
in jenen hohen Regionen eben so sauerstoffreich als in den
unteren; aber da in dieser dünnen Luft, bei der Hälfte des
Barometerdrucks, dem wir gewöhnlich in den Ebenen ausgesetzt sind, bei jedem Athemzuge eine geringere Menge
Sauerstoff von dem Blute aufgenommen wird, so ist allerdings begreiflich, wie ein allgemeines Gefühl der Schwäche
eintreten kann. Warum diese Asthenie, wie im Schwindel,
vorzugsweise Ueblichkeit und Lust zum Erbrechen erregt, ist
hier nicht zu erörtern: so wenig als zu beweisen, daß das
Ausschwitzen des Blutes (das Bluten aus Lippen, Zahnfleisch und Augen), was auch nicht alle Individuen auf so
großen Höhen erfahren, keineswegs durch Aufhebung eines
„mechanischen Gegendrucks" auf das Gefäßsystem befriedigend
erklärt werden kann. Es wäre vielmehr die Wahrscheinlichkeit

des Einflusses zu untersuchen, welchen ein sehr vermin=
derter Luftdruck auf Ermüdung bei Bewegung der Beine in
sehr luftdünnen Regionen hervorbringt: da, nach der denk=
würdigen Entdeckung zweier geistreichen Forscher, Wilhelm
und Eduard Weber[7], das schwebende Bein, am Rumpfe
hangend, bloß durch den Druck der atmosphärischen Luft ge=
halten und getragen wird.

Die Nebelschichten, welche uns hinderten entfernte Gegen=
stände zu sehen, schienen plötzlich, trotz der totalen Wind=
stille, vielleicht durch electrische Processe, zu zerreißen. Wir
erkannten einmal wieder, und zwar ganz nahe, den dom=
förmigen Gipfel des Chimborazo. Es war ein ernster, groß=
artiger Anblick. Die Hoffnung diesen ersehnten Gipfel zu
erreichen belebte unsere Kräfte auf's neue. Der Felskamm,
welcher nur hier und da mit dünnen Schneeflocken bedeckt war,
wurde etwas breiter; wir eilten sicheren Schrittes vorwärts,
als auf einmal eine Art Thalschlucht von etwa 400 Fuß
Tiefe und 60 Fuß Durchmesser unserem Unternehmen eine
unübersteigliche Grenze setzte. Wir sahen deutlich jenseits
des Abgrundes unsern Felskamm in derselben Richtung fort=
setzen; doch zweifle ich, daß er bis zum Gipfel selbst führt.
Die Kluft war nicht zu umgehen. Am Antisana konnte
freilich Herr Bonpland nach einer sehr kalten Nacht eine
beträchtliche Strecke des ihn tragenden Schnees durchlaufen.
Hier war der Versuch nicht zu wagen, wegen Lockerheit der
Masse; auch machte die Form des Absturzes das Herab=
klimmen unmöglich. Es war 1 Uhr Mittags. Wir stellten
mit vieler Sorgfalt das Barometer auf, es zeigte 13 Zoll
$11^{2}/_{10}$ Linien. Die Temperatur der Luft war nun $1^{0},6$ unter
dem Gefrierpunkt, aber nach einem mehrjährigen Aufenthalt

in den heißesten Gegenden der Tropenwelt schien uns diese
geringe Kälte erstarrend. Dazu waren unsere Stiefel ganz
von Schneewasser durchzogen; denn der Sand, der bisweilen
len den Grat bedeckte, war mit altem Schnee vermengt.
Wir hatten nach der La Place'schen Barometer-Formel eine
Höhe von 3016 Toisen, genauer von 18096 Pariser Fuß,
erreicht. Wäre La Condamine's Angabe der Höhe des
Chimborazo, wie sie auf der noch in Quito, im Jesuiter-
Collegio, aufbewahrten Steintafel aufgezeichnet ist, die richtige; so fehlten uns noch bis zum Gipfel senkrecht 1224 Fuß
oder die dreimalige Höhe der Peterskirche zu Rom.

La Condamine und Bouguer sagen ausdrücklich, daß
sie am Chimborazo nur bis 14400 Fuß Höhe gelangt
waren; aber am Corazon, einem der malerischsten Schneeberge (Nevados) in der nahen Umgebung von Quito, rühmen sie sich das Barometer auf 15 Zoll 10 Linien gesehen
zu haben. Sie sagen, dies sei „ein tieferer Stand, als je
ein Mensch bisher habe beobachten können". An dem oben
beschriebenen Punkte des Chimborazo war der Luftdruck um
fast zwei Zoll geringer; geringer auch als da, wo sechzehn
Jahre später, 1818, sich Capitän Gerard am höchsten im
Himalaya-Gebirge, auf dem Tarhigang, erhoben hat. In
einer Taucherglocke bin ich in England einem Luftdruck von
45 Zoll fast eine Stunde lang ausgesetzt gewesen. Die
Flexibilität der menschlichen Organisation erträgt demnach
Veränderungen im Barometerstande, die 31 Zoll betragen.
Doch sonderbar möchte die physische Constitution des Men-
schengeschlechts allmälig umgewandelt werden, wenn große
kosmische Ursachen solche Extreme der Luftverdünnung oder
Luftverdichtung permanent machten.

Wir blieben kurze Zeit in dieser traurigen Einöde, bald wieder ganz in Nebel gehüllt. Die feuchte Luft war dabei unbewegt. Keine bestimmte Richtung war in den einzelnen Gruppen dichterer Dunstbläschen zu bemerken; daher ich nicht sagen kann, ob auf dieser Höhe, wie so oft auf dem Pic von Teneriffa, der dem tropischen Passat entgegenge= setzte Westwind wehet. Wir sahen nicht mehr den Gipfel des Chimborazo, keinen der benachbarten Schneeberge, noch weniger die Hochebene von Quito. Wir waren wie in einem Luftballon isolirt. Nur einige Steinflechten waren uns bis über die Grenze des ewigen Schnees gefolgt. Die letzten cryptogamischen Pflänzchen, welche ich sammelte, waren Lecidea atrovirens (Lichen geographicus. Web.) und eine Gyrophora des Acharius, eine neue Species (Gyrophora rugosa) ohngefähr in 16920 Fuß Höhe. Das letzte Moos, Grimmia longirostris, grünte 2500 Fuß tiefer. Ein Schmetterling (Sphinx) war von Herrn Bonpland in 15000 Fuß Höhe gefangen worden, eine Fliege sahen wir noch um 1600 Fuß höher. Den auffallendsten Beweis, daß diese Thiere unwillkührlich vom Luftstrome, der sich über den erwärmten Ebenen erhebt, in diese obere Region der Atmo= sphäre gebracht werden, giebt folgende Thatsache. Als Bous= singault die Silla de Caracas bestieg, um meine Messung des Berges zu wiederholen, sah er in 8000 Fuß Höhe um Mittag, als dort Westwind wehte, von Zeit zu Zeit weiß= liche Körper die Luft durchstreichen, die er anfangs für auf= steigende Vögel mit weißem, das Sonnenlicht reflectirendem Gefieder hielt. Diese Körper erhoben sich aus dem Thale von Caracas mit großer Schnelligkeit, und überstiegen die Gipfel der Silla, indem sie sich gegen Nordosten richteten, wo sie wahrscheinlich das Meer erreichten. Einige fielen früher nieder auf den südlichen Abhang der Silla; es waren von der Sonne erleuchtete Grashalme. Boussingault schickte mir solche, die noch Aehren hatten, in einem Briefe nach Paris, wo mein Freund und Mitarbeiter Kunth sie augenblicklich für die Wilſa tenacissima erkannte, welche im Thal von Caracas wächst und welche er eben in unserem Werke: Nova Genera et Species plantarum Americae aequinoctialis, beschrieben hatte. Ich muß noch bemerken, daß wir keinem Condor auf dem Chimborazo begegneten: diesem kräftigen Geier, der auf Antiſana und Pichincha so häufig ist und, mit dem Menschen unbekannt, große Dreiſtigkeit zeigt. Der Condor liebt heitere Luft, um seinen Raub oder seine Nahrung (denn er giebt todten Thieren den Vorzug) aus der Höhe leichter zu erkennen.

Da das Wetter immer trüber und trüber wurde, so eilten wir auf demselben Felsgrate herab, der unser Aufsteigen begünstigt hatte. Vorsicht war indeß wegen Unsicherheit des Trittes noch mehr nöthig als im Heraufklimmen. Wir hielten uns nur so lange auf, als wir brauchten, Fragmente der Gebirgsart zu sammeln. Wir sahen voraus, daß man uns in Europa oft um „ein kleines Stück vom Chimborazo" ansprechen würde. Damals war noch keine Gebirgsart in irgend einem Theile von Südamerika benannt worden; man nannte Granit das Gestein aller hohen Gipfel der Andes. Als wir ungefähr in 17400 Fuß Höhe waren, fing es an heftig zu hageln. Es waren undurchsichtige, milchweiße Hagelkörner mit concentrischen Lagen. Einige schienen durch Rotation beträchtlich abgeplattet. Zwanzig Minuten, ehe wir die untere Grenze des ewigen Schnees

erreichten, wurde der Hagel durch Schnee ersetzt. Die
Flocken waren so dicht, daß der Schnee bald viele Zoll tief
den Felskamm bedeckte. Wir wären gewiß in große Gefahr
gekommen, hätte uns der Schnee auf 18000 Fuß Höhe
überrascht. Um zwei Uhr und einige Minuten erreichten
wir den Punkt, wo unsere Maulthiere standen. Die zurück=
gebliebenen Eingebornen waren mehr als nöthig um uns
besorgt gewesen.

Der Theil unserer Expedition oberhalb des ewigen
Schnees hatte nur 3½ Stunden gedauert, während welcher
wir, troß der Luftverdünnung, nie durch Niedersißen uns aus=
zuruhen brauchten. Die Dicke des domförmigen Gipfels hat
in dieser Höhe der ewigen Schneegrenze, also in 2460 Toi=
sen Höhe, noch einen Durchmesser von 3437 Toisen, und
nahe am höchsten Gipfel, fast 150 Toisen unterhalb des=
selben, einen Durchmesser von 672 Toisen. Die leßtere Zahl
ist also der Durchmesser des oberen Theiles des Doms oder
der Glocke; die erstere drückt die Breite aus, in welcher die
ganze Schneemasse des Chimborazo, in Riobamba Nuevo
gesehen, dem Auge erscheint: eine Schneemasse, die sich mit
ihren nördlich anliegenden zwei Kuppen auf der 16ten und
der 25ten Tafel meines Kupferwerkes: Vues des Cordillères, abgebildet findet. Ich habe sorgfältig mit dem
Sertanten die einzelnen Theile des Umrisses gemessen, wie
derselbe sich in der Hochebene von Tapia gegen das tiefe
Blau des Tropenhimmels an einem heitern Tage prachtvoll
abhebt. Solche Bestimmungen dienen dazu das Volum des
Colosses zu ergründen, so weit es eine Fläche übersteigt, in
welcher Bouguer seine Versuche über die Anziehung des Berges
gegen das Pendel anstellte. Ein ausgezeichneter Geognost,

Herr Pentland, dem wir die geognostische Kenntniß des Hochlandes von Titicaca verdanken und der, mit vielen trefflichen astronomischen und physikalischen Instrumenten ausgerüstet, zweimal das obere Peru (Bolivia) besuchte, hat mich versichert, daß mein Bild des Chimborazo gleichsam wiederholt ist in dem Nevado de Chuquibamba: einem Trachytberge, welcher in der westlichen Cordillere, nördlich von Arequipa, 19680 Fuß (3280 Toisen) Höhe erreicht. Nächst dem Himalaya ist dort, durch die Frequenz hoher Gipfel und durch die Masse derselben, zwischen dem 15ten und 18ten Grade südlicher Breite, die größte Anschwellung der uns bekannten Erdoberfläche: so weit nämlich diese Anschwellung nicht von der primitiven Form des rotirenden Planeten, sondern von Erhebung der Bergketten und einzelnen Glocken von Dolerit-, Trachyt- und Albit-Gestein auf diesen Bergketten herrührt.

Wegen des frisch gefallenen Schnees fanden wir beim Herabsteigen vom Chimborazo die untere Grenze des ewigen Schnees mit den tieferen sporadischen Schneeflecken auf dem nackten, mit Lichenen bedeckten Gestein und auf der Grasebene (Pajonal) in zufälliger momentaner Verbindung; doch immer war es leicht, die eigentliche perpetuirliche Grenze (damals in 14820 Fuß oder 2470 Toisen Höhe) an der Dicke der Schicht und ihrer eigenthümlichen Beschaffenheit zu erkennen. Ich habe an einem anderen Orte (in einer dem 3ten Theile meiner Asie centrale einverleibten Abhandlung über die Ursachen, welche die Krümmung der isothermen Linien bedingen) gezeigt, daß in der Provinz Quito die Höhen-Unterschiede der ewigen Schneegrenze an den verschiedenen Nevados, nach der Gesammtheit

meiner Messungen, nur um 38 Toisen oder 228 Fuß schwan-
ken[8]; daß die mittlere Höhe selbst zu 14850 Fuß oder 2475
Toisen anzurechnen ist; und daß diese Grenze, 16 bis 18°
südlicher vom Aequator, in Bolivia, wegen des Verhältnisses
der mittleren Jahres-Temperatur zur mittleren Temperatur
der heißesten Monate, wegen der Masse, Ausdehnung und
größeren Höhe der umliegenden wärmestrahlenden Pla-
teaus, wegen der Trockenheit der Atmosphäre und wegen
des völligen Mangels alles Schneefalles von März bis
November, volle 2670 Toisen hoch liegt.[9] Die untere
Grenze des perpetuirlichen Schnees, welche keineswegs
mit der isothermen Curve von 0° zusammenfällt, steigt
demnach hier ausnahmsweise, statt zu sinken, indem man
sich vom Aequator entfernt. Aus ganz analogen Ursachen
der Wärmestrahlung in nahen Hochebenen liegt die Schneegrenze zwischen 30°3/4 und 31° nördlicher Breite, am nördlichen tübetischen Abhange des Himalaya, in 2600 Toisen
Höhe: wenn am südlichen, indischen Abhange sie nur
1950 Toisen Höhe erreicht. Durch diesen merkwürdigen
Einfluß der Gestaltung der Erdoberfläche ist außerhalb der
Wendekreise ein beträchtlicher Theil von Inner-Asien von
ackerbauenden, mönchisch regierten, aber doch in Gesittung
fortgeschrittenen Völkern bewohnt, wo unter dem Aequator
in Südamerika der Boden mit ewigem Eise bedeckt ist.[10]

Wir nahmen unseren Rückweg nach dem Dorfe Calpi
etwas nördlicher als die Llanos de Sisgun, durch den
pflanzenreichen Paramo de Pungupala. Schon um fünf Uhr
Abends waren wir wieder bei dem freundlichen Pfarrer von
Calpi. Wie gewöhnlich, folgte auf den nebelverhüllten Tag
der Expedition die heiterste Witterung. Am 25 Junius

erschien uns in Riobamba Nuevo der Chimborazo in seiner
ganzen Pracht, ich möchte sagen in der stillen Größe und
Hoheit, die der Naturcharakter der tropischen Landschaft ist.
Ein zweiter Versuch auf dem durch eine Kluft unterbrochenen
Kamm wäre gewiß so fruchtlos als der erste ausgefallen,
und schon war ich mit der trigonometrischen Messung des
Vulkans von Tungurahua beschäftigt.

Boussingault hat mit seinem Freunde, dem englischen
Obrist Hall, der bald darauf in Quito ermordet wurde,
am 16 December 1831 einen neuen Versuch gemacht den
Gipfel des Chimborazo zu erreichen: erst von Mocha und
Chillapullu, dann von Arenal aus; also auf einem anderen
Wege, als den ich mit Bonpland und Don Carlos Mon=
tufar betrat. Er mußte das Weitersteigen aufgeben, als
sein Barometer 13 Zoll 8½ Linie, bei der warmen Luft=
Temperatur von + 7⁰,8, zeigte. Er sah also die uncorrigirte
Quecksilbersäule fast 3 Linien niedriger und war um 64 Toi=
sen höher als ich gelangt, bis zu 3080 Toisen. Hören wir
selbst diesen der Andeskette so kundigen Reisenden, der mit
großer Kühnheit zuerst chemische Apparate an und in die
Krater der Vulkane getragen hat! „Der Weg", sagt Bous=
singault, „welchen wir uns in dem letzten Theile unserer Ex=
pedition durch den Schnee bahnten, erlaubte uns nur sehr
langsam vorzuschreiten; rechts konnten wir uns an einem
Felsen festhalten, links war der Abgrund furchtbar. Wir
spürten schon die Wirkung der Luftverdünnung, und waren
gezwungen uns alle zwei bis drei Schritte niederzusetzen.
So wie wir uns aber eben gesetzt hatten, standen wir wie=
der auf; denn unser Leiden dauerte nur so lange, als wir
uns bewegten. Der Schnee, den wir betreten mußten, war

weich, und lag kaum drei bis vier Zoll hoch auf einer sehr
glatten und harten Eisdecke. Wir waren genöthigt Stufen
einzuhauen. Ein Neger ging voran, um diese Arbeit, die
seine Kräfte bald erschöpfte, zu vollziehen. Indem ich bei
ihm vorbeigehen wollte, um ihn abzulösen, glitt ich aus,
und wurde glücklicherweise von Obrist Hall und meinem
Neger zurückgehalten. Wir befanden uns (setzt Herr
Bouffingault hinzu) für einen Augenblick alle drei in der
größten Gefahr. Weiterhin ward der Schnee günstiger; und
um 3¾ Uhr Nachmittags standen wir auf dem lang ersehn=
ten Felskamme, der wenige Fuß breit, aber mit Abgründen
umgeben war. Hier überzeugten wir uns, daß das Weiter=
kommen unmöglich sei. Wir befanden uns an dem Fuße
eines Fels=Prisma's, dessen obere Fläche, bedeckt mit einer
Kuppe von Schnee, den eigentlichen Gipfel des Chimborazo
bildet. Um sich von der Topographie des ganzen Berges
ein richtiges Bild zu machen, denke man sich eine ungeheure,
schneebedeckte Felsmasse, die von allen Seiten wie durch
Strebepfeiler unterstützt erscheint. Die Strebepfeiler sind die
Kämme, welche sich anlegen und (aus dem ewigen Schnee)
hervortreten." Der Verlust eines Physikers, wie Bouffin=
gault, wäre unbeschreiblich theuer durch den wenigen Ge=
winn erkauft worden, welchen Unternehmungen dieser Art
den Wissenschaften darbieten können.

So lebhaft ich auch vor bereits dreißig Jahren den
Wunsch ausgesprochen habe, daß die Höhe des Chimborazo
möchte von neuem sorgsam trigonometrisch gemessen werden,
so schwebt doch noch immer einige Ungewißheit über dem
absoluten Resultat. Don Jorge Juan und die französischen
Akademiker geben, nach verschiedenen Combinationen derselben

Elemente, oder wenigstens nach Operationen, die allen gemeinschaftlich waren, Höhen von 3380 und 3217 Toisen an: Höhen, welche 978 Fuß, d. i. um $\frac{1}{20}$, differiren. Das Ergebniß meiner trigonometrischen Operation (3350 Toisen) fällt zwischen beide, nähert sich aber bis auf $\frac{1}{112}$ der spanischen Bestimmung. Bouguer's kleineres Resultat gründet sich, theilweise wenigstens, auf die Höhe der Stadt Quito, welche er um 30 bis 40 Toisen zu gering angiebt. Er findet, nach alten Barometer-Formeln ohne Correction für die Wärme, 1462 Toisen: statt 1507 und 1492 Toisen, die Boussingault und ich sehr übereinstimmend gefunden haben. Die Höhe, welche ich der Ebene von Tapia gebe, wo ich eine Basis von 873 Toisen Länge [11] maß, scheint auch ziemlich fehlerfrei zu sein. Ich fand für dieselbe 1482; und Boussingault, in einer sehr verschiedenen Jahreszeit, also bei anderer Wärme-Abnahme in den auf einander gelagerten Luftschichten, 1471 Toisen. Bouguer's Operation war dagegen sehr verwickelt, da er die Höhe der Thalebene zwischen der östlichen und westlichen Andeskette durch sehr kleine Höhenwinkel der Trachyt-Pyramide von Jliniffa, in der unteren Küsten-Region bei Niguas gemessen, zu ergründen gezwungen war. Der einzige ansehnliche Berg der Erde, für den die Messungen jetzt bis $\frac{1}{246}$ übereinstimmen, ist der Montblanc; denn der Monte Rosa wurde durch vier verschiedene Reihen von Dreiecken eines vortrefflichen Beobachters, des Astronomen Carlini, zu 2319, 2343, 2357 und 2374 Toisen, von Oriani ebenfalls durch eine Triangulation zu 2390 Toisen gefunden: Unterschiede von $\frac{1}{34}$. Die älteste ausführliche Erwähnung des Chimborazo finde ich bei dem geistreichen, etwas satirischen, italiänischen Reisenden

Girolamo Benzoni, dessen Werk 1565 gedruckt ward. Er sagt, daß ihm die Montagna di Chimbo, welche 40 Miglia hoch sei, abenteuerlich come una visione erschien. Die Eingebornen von Quito wußten lange vor der Ankunft der französischen Gradmesser, daß der Chimborazo der höchste aller Schneeberge in der ihnen nahen Gegend sei. Sie sahen, daß er am weitesten über die ewige Schneegrenze hinausreiche. Eben diese Betrachtung hatte sie veranlaßt den jetzt eingestürzten Capac-Urcu [12] für höher als den Chimborazo zu halten.

Ueber die geognostische Beschaffenheit des Chimborazo [13] füge ich hier nur die allgemeine Bemerkung hinzu, daß, wenn nach den wichtigen Resultaten, die Leopold von Buch in seiner letzten classischen Abhandlung über Erhebungs-Krater und Vulkane (Poggendorff's Annalen Bd. 37. S. 188 bis 190) niedergelegt hat, Trachyt nur feldspathhaltige, Andesit nur albithaltende Massen genannt werden sollen, das Gestein vom Chimborazo beide Namen keineswegs verdient. Daß am Chimborazo Augit die Hornblende ersetze, hat schon derselbe geistreiche Geognost vor mehr als zwanzig Jahren bemerkt, als ich ihn aufforderte die von mir heimgebrachten Gesteine der Andeskette genau oryctognostisch zu untersuchen. Dieser Thatsache ist in mehreren Stellen meines im Jahr 1823 erschienenen Essai géognostique sur le Gisement des Roches dans les deux Hémisphères erwähnt worden. Dazu findet mein sibirischer Reisegefährte, Gustav Rose, welcher durch seine treffliche Arbeit über die dem Feldspath verwandten Fossilien und ihre Association mit Augit und Hornblende den geognostischen Untersuchungen neue Wege geöffnet hat, in allen von mir gesammelten Gebirgsfragmenten des Chimborazo weder Albit, noch Feldspath. Die ganze Formation dieses berühmten Gipfels der Andeskette besteht aus Labrador und Augit: beide Fossilien in deutlichen Krystallen erkennbar. Der Chimborazo ist, nach der Nomenclatur von Gustav Rose, ein Augit-Porphyr, eine Art Dolerit. Auch fehlen ihm Obsidian und Bimsstein. Hornblende ist nur ausnahms= weise und sehr sparsam (in zwei Stücken) erkannt worden. Demnach ist der Chimborazo, zufolge Leopold von Buch's und Elie de Beaumont's Bestimmungen, der Gebirgs= art des Aetna analog. Neben den Trümmern der alten Stadt Riobamba, drei geographische Meilen östlich vom Chimborazo, ist schon wahrer Diorit-Porphyr, ein Ge= menge von schwarzer Hornblende (ohne Augit) und weißem glasigen Albit anstehend: ein Gestein, das an die schöne, in Säulen getheilte Masse von Pisoje bei Popayan und an den mericanischen Vulkan von Toluca, welchen ich eben= falls bestiegen, erinnert.

Ein Theil der Stücke von Augit-Porphyr, welche ich am Chimborazo in 18000 Fuß Höhe auf dem zum Gipfel füh= renden Felskamm, meist in losen Stücken von zwölf bis vierzehn Zoll Durchmesser, gefunden habe, ist kleinzellig porös und von rother Farbe. Diese Stücke haben glänzende Zellen. Die schwärzesten sind bisweilen bimssteinartig leicht und wie frisch durch Feuer verändert. Sie sind indeß nicht in Strömen lavaartig geflossen, sondern wahrscheinlich auf Spalten, an dem Abhange des früher emporgehobenen glocken= förmigen Berges, herausgeschoben. Die ganze Hochebene der Provinz Quito habe ich stets als einen einzigen großen vulka= nischen Heerd betrachtet. Tungurahua, Cotopari, Pichincha

mit ihren Kratern sind nur verschiedene Auswege dieses
Heerdes. Wenn Vulkanismus im weitesten Sinn des Wor=
tes alle Erscheinungen bezeichnet, welche von der Reaction des
Inneren eines Planeten gegen seine oxydirte Oberfläche ab=
hangen; so ist dieser Theil des Hochlandes mehr als irgend
ein anderer in der Tropengegend von Südamerika der per=
manenten Wirkung des Vulkanismus ausgesetzt. Auch unter
den glockenförmigen Augit=Porphyren, welche wie die des
Chimborazo keinen Krater haben, toben die vulkanischen
Mächte. Drei Tage nach unserer Expedition hörten wir
in dem Neuen Riobamba, um ein Uhr Nachts, ein wüthiges
unterirdisches Krachen (bramido), das von keiner Erschütte=
rung begleitet war. Erst drei Stunden später erfolgte ein
heftiges Erdbeben ohne vorhergehendes Geräusch. Aehnliche
bramidos, — alle, wie man glaubt, vom Chimborazo kom=
mend —, wurden wenige Tage vorher in Calpi vernommen.
Dem Bergcoloß noch näher, im Dorfe San Juan, sind sie
am häufigsten. Solch ein unterirdisches Krachen erregt die
Aufmerksamkeit der Eingebornen nicht mehr, als es ein
ferner Donner thut aus tiefbewölktem Himmel in unserer
nordischen Zone.

Dies ist ein Theil der Beobachtungen, welche ich bei
der Besteigung des Chimborazo gesammelt und aus einem
ungedruckten Reisejournale einfach mitgetheilt habe. Wo
die Natur so mächtig und groß, und unser Bestreben rein
wissenschaftlich ist, kann die Darstellung jedes Schmuckes
der Rede entbehren.

Anmerkungen.

[1] (S. 133.) Es ist hier der Ort die Zahlen zusammenzustellen, welche nach dem gegenwärtigen Zustande unserer hypsometrischen Kenntnisse (Frühjahr 1850) die culminirenden Punkte der Gebirgsketten in beiden Continenten ausdrücken. Da neben den Schwankungen in den Meinungen auch die unsorgfältigen Reductionen der Maaße Ursach von den so verschiedenen Angaben in Büchern und Karten geworden sind, so gebe ich die wichtigsten Höhen hier zugleich in englischen Fußen, Toisen und Metern an.

Die höchsten Gebirgsgipfel von Indien sind 70 bis 80 Jahre später bestimmt worden als die der amerikanischen Cordilleren. Erst in den Jahren 1819 bis 1825 wurde durch die vereinten rühmlichen Arbeiten englischer Reisenden (Hodgson, Webb, Herbert, William Lloyd, der Gebrüder Gerard) ergründet, daß in dem Theil der Himalaya=Kette, welcher von Osten gegen Westen streicht, als die beiden Culminations= punkte der Dhawalagiri (weiße Berg) und der Jawahir (Djawahir) gelten mußten. Dem Dhawalagiri (Br. 28° 40', Länge 80° 59' östl. von Paris) wurden 26345 Pariser Fuß = 4391 Toisen = 8558 Meter = 28077 engl. Fuß; dem Jawahir (Br. 30° 22', Länge 77° 37') 24160 Pariser Fuß = 4027 Toisen = 7848 Meter = 25749 engl. Fuß zugeschrieben. Die Messung des Dhawalagiri, den der tyroler Jesuit Tiefenthaler schon 1766 unter dem Namen Montes Albi qui Indis Dolaghir, nive obsiti, in seine Karte des Himalaya eintrug, ist ungewisser und in Briefen von Colebrooke an mich für irrig erklärt (vergl. meine Asie centrale T. III. p. 281 — 290 und Kosmos Bd. I. S. 41). Durch Briefe, welche ich von meinem Freund, dem kenntnißvollen Botanifer der letzten Südpolar=Expedition Dr. Joseph Hoofer, aus Darjiling in Sikkim=Himalaya (Sommer 1848) erhielt, kam mir die Nachricht, daß im Meridian von Sikhim zwischen dem Dhawalagiri und Schamalari, zwischen Butan und Nepal ein Berg, der Kinchinjinga oder Kintschin=Dschunga, vom Oberst Waugh, Director of the trigonometrical Survey of India, mit vieler Genauigkeit gemessen worden ist, dessen westlicher Schneegipfel 26439 Pariser Fuß = 4406 Toisen = 8588 Meter = 28178 engl. Fuß über dem

Meere erreicht. Der öſtliche Schneegipfel iſt 25356 Par. Fuß = 4226 Toiſen = 8236 Meter = 27826 engl. Fuß hoch. (Vergl. **Journal of the Asiatic Soc. of Bengal** Nov. 1848, Vol. XVII. Part 2. p. 577.) Der merkwürdige Coloß Kinchinjinga iſt abgebildet auf dem Titelkupfer des Prachtwerks von Joſeph Hooker: **The Rhododendrons of Sikkim - Himalaya 1849**. Er iſt 379 Toiſen (2274 Par. Fuß) höher als der Jawahir, und mit ſolcher Sicherheit gemeſſen, daß 7 Reſultate der trigonometriſchen Operation von Mr. Waugh aus verſchiedenen Stationen nur zwiſchen 28125,7 und 28212,8 engl. Fußen ſchwankten. Die in der Ebene gemeſſene Standlinie hatte 36685 engl. Fuß Länge. Nach einer neueren Meſſung des Dhawalagiri wird in der Monographie der Rhododendra der Kinchinjinga jetzt auch für höher als dieſer Berg erklärt. Es ſcheint aber, als wäre zwiſchen beiden und einem dritten rieſenartigen Gipfel, dem Deodangha, ein ſo geringer Unterſchied, daß man ungewiß iſt, ob derſelbe nicht dem Fehler der Meſſung zuzuſchreiben ſei. Alle drei ſind gewiß etwas über 28000 feet (über 26272 Par. Fuß) hoch. »Mr. Waugh concludes (ſchreibt mir Dr. Joſeph Hooker aus Darjiling unter dem 26 April 1849) that there can be but little difference between *Dhawalagiri*, *Kinchinjinga* and *Deodangha*, that no other Peaks approach these.«

Für die zwei culminirenden höchſten Punkte der Cordilleren des Neuen Continents ſind achtzehn Jahre lang, von 1830 bis 1848, gehalten worden: der Nevado de Sorata, der ſüdlichſte Pic dieſes Schneeberges, etwas ſüdlich von dem Dorfe Sorata oder Esquibel, in der öſtlichen Kette von Bolivia; und der Nevado de Illimani, weſtlich von der Miſſion Oyuoana, ebenfalls in der öſtlichen, von der Meeresküſte entfernteſten Kette von Bolivia. Es wurden damals beiden Bergen folgende Höhen zugeſchrieben: dem Sorata (ſübl. Br. 15° 51' und Länge weſtlich von Paris 70° 54') 23692 Pariſer Fuß = 3949 Toiſen = 7696 Meter = 25250 engliſche Fuß; dem Illimani (Br. 16° 39', Länge 70° 9') 22519 Par. Fuß = 3753 Toiſen = 7315 Meter = 23999 engl. Fuß. Dieſe hypſometriſchen Beſtimmungen hat Pentland, welcher lange politiſcher Agent des engliſchen Gouvernements in dem Freiſtaat Bolivia war, im Jahr 1827 gemacht und ſie Hrn. Arago mitgetheilt, um ſie in dem **Annuaire du Bureau des Longitudes pour 1830 (p. 323)** zu veröffentlichen. Sie ſind ſeitdem leider in allen Sprachen, durch alle Schriften, die von Berghöhen handeln, wie in vielen hypſometriſchen Gebirgsprofilen verbreitet worden. Seit dem Erſcheinen der großen und ſchönen Karte von dem Becken der Laguna de Titicaca, die Hr. Pentland im Junius 1848 zu London herausgegeben (Titel: **La Laguna de Titicaca and the valleys**

of Yucay, Collao and Desaguadero in Peru and Bolivia), haben wir aber gelernt, daß die obigen Angaben der Höhen
des Sorata und Illimani um 3716 und 2675 Parifer Fuß zu groß
find. Die Karte giebt dem Sorata 21286, dem Illimani 21149 englische Fuß, d. i. nur 19972 und 19843 Parifer Fuß (3328 und 3307
Toifen). Eine genaue Berechnung der trigonometrifchen Operationen
von 1838, bei einem zweiten Aufenthalte in Bolivia, hat Hrn. Pentland
diefe neuen Refultate gewährt. Es war alfo 18 Jahre lang, von 1829
bis 1848, irrigerweife behauptet worden, daß der Chimborazo, den
ich 20100 Par. Fuß = 3350 Toifen = 6530 Meter = 21422 engl.
Fuß gefunden, um volle 3592 Par. Fuß (oder 3827 engl. Fuß) niedriger fei als der Sorata; ja daß der letztere nur um 2653 Par. Fuß
(oder 2828 engl. Fuß) dem höchften Gipfel des Himalaya, dem Dhawalagiri, nachftehe. Ich habe felbft viel zu der Verbreitung diefer
Anfichten beigetragen. Wir wiffen jetzt, daß der Sorata um 126 Fuß
niedriger ift als der Chimborazo, um 6371 Par. Fuß (oder 6791 engl.
Fuß) niedriger als der Dhawalagiri. Von den beiden trigonometrifchen
Meffungen des Pic von Teneriffa, welche Borda auf den zwei Expe-
ditionen von 1771 und 1776 (der erfteren mit Pingré, der zweiten mit
Chaftenet de Puyfégur) machte, war die erfte auch um 1224 Par. Fuß
irrig. Ein Winkel war aus Verfehen zu 33' ftatt zu 53' in das
Regifter eingetragen worden. Borda und Pingré gaben dem Pic von
Teneriffa nach der Operation auf der Infel 1742, unter Segel aus
Höhenwinkeln in fupponirter Entfernung gefchloffen, gar nur 1701 Toifen
Höhe über dem Meeresfpiegel. Aus der vortrefflichen trigonometrifchen
Operation von 1776 wurden 1905 Toifen gefchloffen, während die
Barometer-Meffung, die ich nach der Formel von Laplace aufs neue
berechnet habe, 1976 Toifen gab. Borda's früherer Irrthum betrug
alfo 1200 Fuß und ⅑ des Ganzen, während am Sorata der Irrthum
von 3700 Fuß ⅕ der Höhe ift. (Vergl. mein Voyage aux Régions équinoxiales T. I. p. 277—283, wo ich Fragmente aus
einem bisher nicht veröffentlichten Manufcripte Borda's, das in dem
Dépôt de la Marine zu Paris aufbewahrt wird, bekannt gemacht habe.)

Wenn aber auch der Sorata und Illimani dem Chimborazo an
Höhe nachftehen, fo kann diefer wahrfcheinlich doch nicht mehr als der
Culminationspunkt des ganzen Neuen Continents betrachtet werden.
Die Officiere von der Expedition der Adventure und des Beagle unter
der Anführung des Capitäns Fitz-Roy haben im Auguft 1835 den
Nevado de Aconcagua (Br. 32° 39') im Nordoften von Valparaifo
durch Höhenwinkel gemeffen und ihn zwifchen 23000 und 23400 engl.
Fuß gefunden. Schätzt man ihn zu 23200 feet (oder 21767 Par. Fuß),

fo ift er 1667 Par. Fuß höher als der Chimborazo. (**Narrative of the Voyages of the Adventure and Beagle** Vol. II. 1839; **Proceedings of the second expedition, under the command of Capt. Fitz-Roy**, p. 481; Darwin, **Journal of Researches** 1845 p. 253 und 291.) Nach neueren Berechnungen derselben Winkel von Pentland soll der Aconcagua 23910 engl. Fuß = 22434 Par. Fuß = 3739 Toisen haben (Mary Somerville, **Phys. Geography** 1849 Vol. II. p. 425). Der Berg wäre also 2334 Par. Fuß höher als der Chimborazo. In derselben weftlichen vulkanifchen Cordillere von Bolivia giebt die fchöne Karte von Pentland 4 andere Pics öftlich von Arica zwifchen Br. 18° 7' und 18° 25' an, welche alle die Höhe des Chimborazo überfteigen. Es find der Sahama, Parinacota, Gualateiri und Pomarape. Der höchfte derfelben (der Sahama) foll 20971, der niedrigfte (der Pomarape) 20360 Par. Fuß hoch fein. Der erfte wäre 1463 Par. Fuß niedriger als der Nevado de Aconcagua, aber 871 Fuß höher als der Chimborazo. Ich halte es für nicht unwichtig periodenweise numerifch zu regiftriren, was wir von der Geftaltung der Oberfläche unferes Planeten wiffen oder glauben. Leider gehören aber nach meiner Anficht die Culminationspunkte der Maffen-Erhebungen zu den ifolirteren Phänomenen, wenn fie gleich, wie die unfruchtbaren Befteigungen hoher Schneeberge, die Aufmerkfamkeit der Menge übermäßig feffeln.

² (S. 135). Meine trigonometrifche Meffung der Höhe des Chimborazo über dem Spiegel der Südfee gefchah im Junius 1803 in der mit Bimsftein bedeckten Hochebene von Tapia unfern der neuen Stadt Riobamba, zwifchen der Kirche La Merced und dem Klofter des heil. Auguftinus. Die Grundlinie hatte eine Länge von 1702 ^{m},49 = 874 Toifen. Der dritte Theil derfelben wurde zweimal gemeffen. Die Entfernung des Endpunkts A der Bafis von dem Gipfel des Berges ergab fich zu 30662 ^{m},73; die horizontale Entfernung zu 30437 ^{m},40; in Bogentheilen 16' 27'',65. Der von der Refraction befreite, mit dem Sertanten im fünftlichen Horizont gemeffene Höhenwinkel war in A 6° 48' 58'',20; woraus fich die Höhe des Gipfels des Chimborazo über der Ebene der Grundlinie zu 3639 ^{m},35 = 1867 ^{t},25 ergab. Nun liegt nach meiner barometrifchen Beftimmung die Hochebene Tapia 2891 ^{m},2 = 1482 ^{t},8 über dem Meeresfpiegel (Bouffingault fand in einer anderen Jahreszeit, bei anderer Wärme-Abnahme der auf einander liegenden Luftfchichten, 11 Toifen weniger); die ganze Höhe des Chimborazo ift demnach 6530 ^{m},5 = 3350 Toifen oder 20100 Parifer Fuß.

Nach der Refractions-Formel von Laplace, gegeben in der Mé-

canique céleste, würde sich der Chimborazo mit Wirkung der
Strahlenbrechung zu 3637 ᵐ,75; ohne Refraction zu 3645 ᵐ,32 ergeben.
Damit das Resultat der ganzen Höhe um 21 ᵐ,4 verschieden ausfalle,
müßte der Irrthum der Grundlinie 10 Meter betragen. Wäre der
Höhenwinkel um 10'' falsch, so würde der Einfluß auf die ganze Höhe
nur 1 ᵐ,5 sein. (Vergl. über die einzelnen Theile der ganzen Messung
Oltmanns in meinem Recueil d'Observations astronomiques: Introd. Vol. I. p. LXXII — LXXIV.) Mein Resultat
der Höhe des Chimborazo fällt zwischen die Bestimmungen von La
Condamine und Don Jorge Juan, nähert sich aber um 30 Toisen dem
letzteren. Wenn man die Complicationen bedenkt, welche den Höhen-
Resultaten in den Cordilleren entgegen standen zu einer Zeit, wo man
die Temperatur-Correction entweder gar nicht oder nach sehr unrich-
tigen Methoden bei Barometer-Messungen anwandte, und doch in der
Nothwendigkeit war geodätische Operationen, wie bei der gemessenen
Grundlinie (base) zwischen Caraburu und Oyambaro oder bei Quito,
von 1350 und 1500 Toisen Höhe auf den Meeresspiegel zu reduciren;
so werden die großen Unterschiede erklärlich, welche Resultate darbieten,
denen bei den französischen und spanischen Astronomen dieselben Beobachtungen zum Grunde lagen. Andere Combinationen führten zu
anderen hypsometrischen Bestimmungen. Bouguer und La Condamine
geben dem Chimborazo 3220, Don Jorge Juan und seine Mitarbeiter
3380 Toisen. Die Höhe von Quito, welche allerdings La Condamine
und Bouguer schon 32, ja nach Bouffingault selbst 36 Toisen (216 Fuß)
zu niedrig glaubten, wirkt nicht unmittelbar auf diese Unterschiede, weil
die Höhe der Schneeberge nicht von ihr abhängt, sondern vielmehr von
der Reduction der zwischen Caraburu und Oyambaro in der Ebene von
Yaruqui gemessenen Grundlinie auf den Meeresspiegel mittelst einer
Reihe von Dreiecken, deren Stationspunkte meist zwischen 1800 und
2200 Toisen hoch liegen. Einen auffallenden Beweis von der Unsicherheit so complicirter Combinationen giebt Don Jorge Juan selbst, da
er nach verschiedenen Hypothesen die Grundlinie von Caraburu zu 1155,
1214, 1268 und 1283 Toisen (Unterschiede von 678 Fuß) angiebt.
Von 4 Stationen aus wurden Höhenwinkel des Gipfels des Chimborazo
genommen, dem Berge am nächsten und doch nur von 4° 19' 55'' in
Mulmul; aber Mulmul selbst konnte erst mittelst Dreiecke und der dazu
gehörigen Reihe von Signalen in einer Entfernung von 22 geogr.
Meilen mit der Grundlinie in Yaruqui verbunden werden. Wie die
Reduction dieser Grundlinie und aller Signale auf den Meeresspiegel
geschehen, um zugleich die absolute Höhe des Chimborazo zu bestimmen,
wissen wir nur sehr unvollkommen. Man erfährt bloß im allgemeinen,

daß zu dieser Reduction das Cacumen lapideum des Pichincha und die weit gegen die Küste hin sichtbaren zwei Pyramiden des Nevado de Iliniffa, welche ich abgebildet in den Vues des Cordillères Pl. XXXV, gebraucht worden sind. Den Rucu-Pichincha nehmen aber die französischen Akademiker schon 2491 bis 2432 t, 69 Toisen (414 Fuß) zu niedrig, an. »Je ne pouvois partager, en août 1740, avec Mr. Bouguer«, sagt La Condamine, »les fatigues d'une course pénible et laborieuse de près de deux mois, dans la Province d'Esmeraldas, pour déterminer, dans un lieu *dont la hauteur au dessus de la mer fût connue*, celle de quelques-unes de nos montagnes, afin de pouvoir réduire au niveau de la surface de la mer la valeur du degré que nous avions mesuré sur le haut de la Cordelière. L'observatoire de Mr. Bouguer (le point d'où il pouvoit voir Iliniça) étoit établi dans l'Isle de l'Inca sur la rivière d'Esmeraldas. — En mars 1741 j'étois occupé d'un travail peu agréable sur la hauteur absolue des montagnes. J'étois bien sûr que le travail de Mr. Bouguer à l'Isle de l'Inca et les angles observés à Papa-ourcou près du Cotopaxi comme au Quinché, où nous avions opéré ensemble, n'avoit pas besoin de vérification, et d'autant moins, que cent toises d'erreur sur la hauteur des montagnes n'auroient pas changé de deux toises la longueur du degré. La *multiplicité des élémens* de cette supputation, et le *long circuit qu'il falloit faire* pour atteindre le but, ne me rebutèrent point: je fis le calcul tout au long; et après un travail opiniâtre je trouvai la distance de l'observatoire de l'Isle de l'Inca au sommet d'Iliniça, la hauteur de cette montagne et celle de Pitchincha les mêmes, à 2 ou 3 toises (!) près, que Mr. Bouguer.« (La Condamine, Journal du Voyage à l'Équateur p. 94 und 111.) In der Mesure des trois premiers degrés du méridien dans l'hémisphère austral p. 52 wird angedeutet, daß die Höhe der Inca-Insel über der Südsee oder dem Ausfluß des Rio de las Esmeraldas bloß nach der Schätzung des Gefälles und der Entfernung bestimmt ist, und daß La Condamine und Bouguer in diesen Schätzungen um 12 Toisen Höhe von einander abweichen. Wie viel einfacher ist eine unmittelbare geodätische Bergmessung durch einen oder zwei Höhenwinkel aus Stand-punkten einer wohlgemessenen Grundlinie, sei dieselbe auf den Gipfel gerichtet oder in bekannter abweichender Richtung! Unsre jetzigen Barometer-Formeln reduciren die Grundlinie mit großer Sicherheit auf den Meeresspiegel, um die relative Höhe in eine absolute zu verwan-deln. Bouguer scheint das Unzuverlässige seiner complicirten Höhen-

beſtimmungen ſelbſt gefühlt zu haben; denn, über den Einfluß der
Strahlenbrechung auf die vielen Depreſſions=Winkel klagend, ſetzt er
hinzu: daß die Höhen nicht mit derſelben Genauigkeit als die Ent=
fernungen der Signale haben berechnet werden können (Figure de la
Terre p. 119—122 und 167). Wenn die zweimonatlichen Arbeiten
in der Waldebene der Isla del Inca auch nicht zu ganz ſicheren hypſo=
metriſchen Reſultaten geführt haben, ſo bleibt Bouguer doch das große
Verdienſt, daß er nach Pascal Mariotte und Halley zuerſt eine wirkliche
und bequeme, wenn auch unvollkommene Barometer=Formel angab. Viele
Jahre mußten vergehen, ehe der barometriſche Coefficient Temperatur
des Queckſilbers und der Luft, geographiſche Breite und Abnahme der
Schwere wie in Laplace = Ramond's Formel umfaßte!

Die Zweifel, welche ich hier über die Höhenmeſſung des Chim=
borazo von Bouguer und La Condamine entwickelt habe, ſind allein
aus der Betrachtung des Ganges der ganzen Operation, nicht aber aus
zu großem Vertrauen auf das von mir gelieferte Reſultat entſtanden.
Seit einem halben Jahrhundert habe ich auf das lebhafteſte den Wunſch
geäußert, daß der Chimborazo geodätiſch mit genauen Inſtrumenten,
mit Anwendung einer ſorgfältiger beſtimmten Grundlinie und von einem
erfahreneren Beobachter möchte gemeſſen werden. In meiner Meſſung
würde, wie ſchon Oltmanns bemerkt hat, eine Verſchiedenheit von 100
Toiſen im Endreſultate einen Irrthum vorausſetzen von 10' 54" in
dem Winkel zwiſchen den Endpunkten der Grundlinie und dem Gipfel;
von 46,7 Toiſen in der Länge der Grundlinie und 21' 58" in dem
Höhenwinkel. Läge die Urſach in der Strahlenbrechung, ſo müßte ſie,
ſtatt — 0,042 des Bogens zwiſchen der einen Station und dem Gipfel
zu ſein, ſich zu — 1,39 vermehrt haben. Wird man je ein Barometer
auf dieſen Gipfel tragen, wie dies dem kühnen Unternehmungsgeiſte
der Phyſiker auf dem Finſterahorn, der Jungfrau und dem Schreckhorn
in dieſen letzten Jahrzehenten geglückt iſt?

[3] (S. 136.) Die höchſte phanerogamiſche Pflanze, welche von dem
Oberſt Hall an dem Abhange des Chimborazo gefunden worden iſt,
war Saxifraga Boussingaulti in 2466 Toiſen (14796 Fuß) Höhe;
aber zu einer Zeit, wo die ewige Schneegrenze tiefer lag (ſ. meine
Asie centr. T. III. p. 262). Zwiſchen vierzehn= und funfzehn=tauſend
Fuß haben wir geſammelt, von Cryptogamen: Stereocaulon botryo-
sum (von S. paschale ſehr verſchieden), Lecidea atrovirens, Gyrophora rugosa, Bryum argenteum, Polytrichum juniperinum, Grimmia longirostris in 2380 Toiſen Höhe, Jungermannia setacea Hook.,
Gynostomum julaceum; von Phanerogamen: Gentiana rupicola
und G. cernua, Culcitium rufescens, C. nivale (die dickwolligen

Espeletien der Paramos und Cordilleren von Neu-Granada ersetzend),
Lysopomia reniformis, Ranunculus Gusmanni, drei Calceolarien
(C. saxatilis, C. rosmarinifolia und C. hysopifolia); die in der
Tropenzone so seltenen Cruciferen Draba Bonplandiana, Eudema
nubigena und Arabis andicola; in tieferen Gegenden nur zwischen
zehn= und eilftausend Fuß: Arenaria serpens, Andromachia nubigena, Eupatorium salviaefolium, Bidens andicola, Werneria
nubigena (ein neues Genus nahe mit Senecio verwandt), Dumerilia paniculata. Unter den vielen oben genannten Compofeen (Familie
der Synanthereen) zeichnet sich am Chimborazo die schöne Bacharis
gnidiifolia aus: eine von den 54 neuen Bacharis=Arten, die wir auf=
gefunden und beschrieben haben. S. Synopsis plant. quas collegerunt Al. de Humboldt et Am. Bonpland, auctore
C. S. Kunth (in 8vo) 1823 T. II. p. 376—388 und unsere Nova
Gen. et Spec. Plant. (fol.) T. IV. p. 48—68. Die Moose, auf
die wir eine besondere Aufmerksamkeit geheftet haben, sind theilweise
gleich nach meiner Rückkunft aus Merico von Sir William Hooker in
den Muscis exoticis beschrieben worden. Es sind der lange herr=
schenden Meinung entgegen viele ächt europäische Arten darunter nach
sorgfältiger Vergleichung erfannt worden; z. B. Bryum argenteum,
Sphagnum acutifolium, Polytrichum juniperinum, Trichostomum
polyphyllum, Neckera crispa, Funaria hygrometrica etc. Auch
glaube ich hier die für die Pflanzen=Geographie und Verbreitung der
Formen wichtige Thatsache wiederholen zu müssen, daß keineswegs
Musci frondosi unter den Wendekreisen bloß als Alpengewächse in den
fälteren Regionen der Cordilleren vorkommen. Wir haben an gewissen
sehr schattigen Orten der heißen Zone, wenige hundert Fuß über dem
Meeresspiegel, Moosbetten gefunden von so frischem, üppigem Wuchse,
wie in meinem nordischen Vaterlande. Est enim incredibilis nu-
merus muscorum, lichenum et fungorum, non solum in cacu-
mine Andium, aëre frigido circumfuso, sed etiam in calidis et
opacissimis sylvis, ubi, sub luco viridente, plantae agamiae
irriguam obtegunt terram. Exempla praebent regiones ferven-
tissimae ad ripam fluminis Magdalenae, Hondam inter et Aegyp-
tiacam, sylvae Orinocenses propter Esmeraldam et Mandaracam,
littora maris Antillarum prope ostia fluminis Sinu, ubi fere totum
per annum aëris temperies inter 23° et 25° Reaum. consistit. (Hum=
boldt de distrib. geogr. plant. p. 29.) Ich habe die Vegetation
des Chimborazo und der zunächst liegenden Schneeberge in einem großen
Bilde dargestellt (Atlas géogr. et phys. de la Relation hist.
Pl. IX), das die über einander liegenden Klimate von der Meeresfläche

bis 15000 Fuß Höhe umfaßt und gegen 400 Pflanzen in den ihnen eigenthümlichen Regionen (hypsometrischen Standörtern) angiebt.

⁴ (S. 137.) Meine barometrische Messung gab 2890ᵐ, die von Bouffingault 2870ᵐ. Mein Freund bestimmte die mittlere Temperatur der Hochebene von Tapia nach der Erdwärme zu 16°,4 Cent.

⁵ (S. 139.) Ich erinnere an die mericanische (aztekische) Tradition, welche an die abgestumpfte Pyramide von Cholula (Cholollan), etwas westlich von La Puebla de los Angeles, geknüpft ist. In dem wichtigen Manuscripte des Dominicaner-Mönches Pedro de los Rios, welcher 1566 in Neu-Spanien hieroglyphische Bilder copirte, habe ich in der vaticanischen Bibliothek folgende Stelle aufgefunden: „Vor der großen Ueberschwemmung (apachihuiliztli) war das Land Anahuac (ich übersetze aus dem spanischen Texte) von Riesen (Tzocuillixeque) bewohnt. Alle, die nicht in der Fluth umkamen, wurden in Fische verwandelt, bis auf sieben, welche sich in Höhlen retteten. Als die Wasser abgelaufen waren (im vierten Weltalter), ging einer dieser Riesen, Xelhua der Baumeister genannt, nach Cholollan, wo er zum (monumentalen) Andenken an den Berg Tlaloc, der ihm und seinen sechs Brüdern als Rettungsort gedient hatte, einen künstlichen Hügel in Pyramidenform errichtete. Er ließ die Ziegel dazu in der Provinz Tlamanalco am Fuß der Sierra de Cocotl bereiten; und um sie nach dem Ort des Pyramidenbaues zu schaffen, wurde eine Reihe Menschen (viele Meilen lang) aufgestellt, welche sich die Steine von Hand zu Hand reichten. Die Götter sahen mit Zorn den Bau, der sich bis zu den Wolken erheben sollte; sie ließen Feuer auf denselben fallen, viele Bauleute kamen um, und seitdem ward die unvollendete Pyramide (das Gotteshaus, teocalli) von Cholollan dem Gott der Luft und Stürme Quetzalcoatl gewidmet." Zur Zeit der Expedition von Hernan Cortes zeigten die Chololteken noch einen Meteorstein, der Form nach einer Kröte ähnlich, welcher aus einer Feuerkugel auf die Pyramide gefallen war. S. meine Vues des Cordillères (éd. in 8ᵛᵒ) T. I. p. 114 Pl. III und Essai polit. sur la Nouv. Espagne T. II. (2ᵉᵐᵉ éd. 1827) p. 151, auch Prescott, Conquest of Mexico Vol. III. p. 380.

⁶ (S. 146.) Der Sandfloh, la Chique der französischen Colonisten in den Antillen, welcher sich unter die Haut des Menschen eingräbt und, da der Eiersack des befruchteten Weibchens beträchtlich anschwillt, Entzündungen erregt. Physiologisch merkwürdig ist, daß neu angekommene weiße und schwarze Menschen, nicht Indianer (amerikanische Eingeborene), auch fast nicht in Amerika geborene spanische Creolen, von dem Insecte, von welchem ich so oft gelitten, heimgesucht werden.

⁷ (S. 150.) Mechanik der menschlichen Gehwerkzeuge

1836 § 64 S. 147—160. Neuere, von den Gebrüdern Weber zu Berlin angestellte Versuche haben den Satz: daß das Bein in der Becken-pfanne von dem Druck der atmosphärischen Luft getragen wird, voll-kommen bestätigt.

[8] (S. 156.) Meine eigenen Beobachtungen geben, nach theils geobätischen, theils barometrischen Messungen (die ersteren sind mit einem Sterne bezeichnet), für die Höhe der unteren Grenze des ewigen Schnees in den Cordilleren von Quito zwischen 0° und 1°1/2 südl. Breite 2472 Toisen oder 4816 Meter. Diese Zahl ist das arithmetische Mittel aus Messungen, die vom Februar bis Junius 1802 gemacht wurden und in denen allerdings kleine Schwankungen, welche die Jah-reszeit selbst dem Aequator so nahe bewirkt, enthalten sind.

Am Antisana *	2493	Toisen
am Cotopari *	2490	„
„ Chimborazo *	2471	„
„ Huahua-Pichincha	2460	„
„ Rucu-Pichincha	2455	„
„ Corazon *	2458	„

Bouffingault fand 1831:

am Antisana	$4871^m = 2499$	Toisen
„ Chimborazo	$4868^m = 2497$	„
„ Cotopari	$4804^m = 2464$	„

Das Mittel ist 2453 Toisen (4720^m), Unterschied von meinem Resul-tate nur 19 Toisen. Die geringen Oscillationen der unteren Schnee-grenze und die wenigen Veränderungen, welche unter den Tropen die Temperatur der auf einander gelagerten Luftschichten erleidet, lassen (was dem europäischen Reisenden ein so auffallender Anblick ist) die Schneelinie, in so großer Höhe gesehen, in der regelmäßigsten Hori-zontalität am Abhange der Cordilleren erscheinen. In den schweizer Alpen stören zahlreiche Zufälle in der Bodenfläche (Klüfte und kleine Thal-Unebenheiten) diesen Anblick der Horizontalität. Die Linie ist in der temperirten Zone, besonders in sehr nördlichen Breiten, wie ge-brochen, nicht rein abgeschnitten, durch das, von der Temperatur un-abhängige Gletscher-Phänomen verunstaltet. Wo zwischen den Wende-kreisen mehrere Schneeberge (Nevados) gruppenweise sich zur Beobachtung darbieten, läßt die Horizontalität, die ich eben bezeichnet habe, das roheste Landvolk unter den Eingeborenen sehr richtig über die relative Höhe benachbarter Berggipfel urtheilen. Die Berge, deren ewig be-schneite Massen am meisten über die untere Schneegrenze hinausreichen, werden als die höchsten erkannt. Lange ehe man Messungen in den Cordilleren von Quito angestellt, wußten die Eingeborenen (los Indios del pais), daß der Capac=Urcu und Chimborazo die höchsten Berge des Landes waren. Temporäre Schneefälle, welche mit derselben Regelmäßigkeit viele Meilen weit nach unten horizontal begrenzt sich dem Auge darstellen, führen eben so zu richtiger Beurtheilung der Höhen, welche niedriger als die Normal=Grenze des perpetuirlichen Schnees (14830 Fuß) sind.

Nach meinen Untersuchungen sind die ersten Schneeberge, welche im Neuen Continent gesehen wurden, die der Sierra de Citarma (jetzt Sierra de Santa Marta genannt), östlich von Cartagena de Indias, in 11° nördl. Breite, gewesen. Die Expedition des Colmenares, unternommen im Jahr 1510, verbreitete in Spanien die erste Nachricht; auch schon die Idee: „wie colossale Berge dem Aequator nahe sein müßten, um noch ewigen Schnee zu zeigen". Man erkannte also schon das Ansteigen der Schneelinie vom Pole gegen die Tropenzone. Wirkliche Messungen der Höhe der Schneelinie wurden erst zwischen 1736 und 1742 von Bouguer und La Condamine vorgenommen; also wohl früher, als man ähnliche genaue Bestimmungen in den Alpen und Pyrenäen angestellt. Bouguer, welcher sich unvollständige, aber richtige Begriffe von den Ursachen der Bergkälte und der mit der Höhe abnehmenden Temperatur verschafft hatte (Fig. de la terre p. XLVI –LII), unternahm es schon: »de déterminer la hauteur de la surface courbe qui passe par le bas de la neige sur toutes les montagnes du Globe«. Er giebt an für den Aequator 2434, für 28°¼ höchstens 1050, unter 43° Br. in Frankreich und Chili 1500 bis 1600 Toisen. Diese Zahlen sind für die nördliche Hemisphäre weniger ungenau, als man hätte vermuthen sollen. Auf der Marmortafel, welche sich in dem Universitäts=Gebäude in Quito befindet und die ich ganz unversehrt gefunden, liest man auch: Altitudo acutioris ac lapidei cacuminis nive plerumque operti 2432 hexap. Paris., ut et nivis infernae permanentis in montibus nivosis. Wenn man wegen des Irrthums in der Höhe der Stadt Quito 32 Toisen zurechnet, so erhält man 2462 Toisen, und durch eine große Zahl zufälliger Combinationen bis ± 9 Toisen (54 Fuß) die von Boussingault und mir gefundene Höhe. (Vergl. meine Asie centrale T. III. p. 251 — 256.)

⁹ (S 156.) Arago im Annuaire du Bureau des Long. pour 1830 p. 331 und Asie centr. T. III. p. 273—281.

¹⁰ (S. 156.) Ueber den von mir seit 1820 erwiesenen Unterschied in der Höhe der Schneegrenze am nördlichen und südlichen Abfall des Himalaya s. Ansichten der Natur Ausg. von 1849 Bd. I. S. 126, Asie centrale T. III. p. 293—326, Joseph Hooker on the Elevation of the great Table Land of Thibet 1850 p. 6,

Strachey on the Snow - line in the Himalaya im Journal of the Asiatic Soc. of Bengal April 1849 No. XXIX.
Der Unterschied am indischen und tübetanischen Abfall ist vollkommen
durch neuere Beobachtungen bestätigt, aber die Quantität des Unter-
schiedes scheint in verschiedenen Jahreszeiten unter diesen Breiten von
30° bis 31° der gemäßigten Zone nicht dieselbe zu sein. Die Grenzen
sporadischer Schneefälle sind schwer von der Grenze des ewigen Schnees
zu trennen; und diese sporadischen Schneefälle sind, ihrer Natur nach,
nicht gleichzeitig am südlichen und nördlichen Abfall. Meine frühesten
Angaben waren in Süden 12180 Pariser Fuß, in Norden 15600 F.,
Diff. 3420 F.; die von Hodgson und Joseph Hooker in S. 14073 F.,
in N. 18764 F., Diff. 4691 F.; von Strachey in S. 14543 F., in N.
17358 F., Diff. 2815 F. Mein Resultat fällt zwischen die letzteren
beiden Angaben. In einem Briefe meines Freundes Dr. Joseph Hooker
an mich, nicht mehr aus Darjiling, sondern aus Tangu, stand: Süden
14073 F., Norden 15006 F., Diff. 1033 F. Die hier bezeichnete so
geringe Höhe am südlichen indischen Abfall deutet wohl auf den großen
Einfluß eines sporadischen Schneefalls oder auf eigene Localverhältnisse
des Passes, durch welchen die Reise ging.

[11] (S. 159.) Ueber die trigonometrische Messung des Chimborazo
s. oben S. 166—169.

[12] (S. 160.) Ueber Capac-Urcu und die Tradition von seinem
Einsturz s. meine Géographie des Plantes p. 119 und den auf
Bouffingault's Besteigung des Chimborazo in diesem Bande
folgenden Aufsatz.

[13] (S. 160.) Folgende Analyse des Gipfel-Gesteins des Chimborazo, das ich in 2530 Toisen (15180 Fuß) Höhe abgeschlagen, ist
mir von dem vortrefflichen Geognosten, dem wir die gründliche Kenntniß
des Kaukasus verdanken, Herrn Prof. Hermann Abich, mitgetheilt worden:

4,818 Gramme.

Kieselerde	3,136 Gramme	=	65,09 %
Thonerde	0,770 „	=	15,98 „
Eisenoxyd	0,278 „	=	5,77 „
Kalkerde	0,126 „	=	2,61 „
Talkerde	0,198 „	=	4,10 „
Kali	0,096 „	=	1,99 „
Natron	0,215 „	=	4,46 „
flüchtige Stoffe und Chlor	0,019 „	=	0,41 „
	4,818 Gramme	=	100 %

Schreiben

des Hrn. G. R. v. GÖTHE an F. J. Bertuch

Ew. Wohlgeb. haben aus meinen Skizzen neulich eine hervorge-
sucht, die schon mehrere Jahre verfertigt ist. Sie gedenken solche dem
Publicum vorzulegen, und ob ich gleich durch Ihre Wahl schon überzeugt bin, daß Sie derselben eine günstige Aufnahme versprechen,
so halte ich es doch für räthlich, zu Erklärung und Entschuldigung
derselben Einiges zu eröffnen. Ich glaube, dies nicht besser thun zu
können, als wenn ich erzähle, wie dieser leichte, anspruchslose Entwurf entstanden ist.

Im Jahre 1807 sendete mir unser vortrefflicher *Alexander von
Humboldt* seine *Ideen zu einer Geographie der Pflanzen, nebst einem Na
turgemälde der Tropenländer.* Die schmeichelhafte Zueignung, womit
er mir diesen kostbaren Band wiedmete, erfüllte mich mit Vergnügen und Dankbarkeit. Ich verschlang das Werk, und wünschte es
mir und andern sogleich völlig genießbar und nützlich zu machen,
woran ich dadurch einigermaßen gehindert wurde, daß meinem
Exemplar der damals noch nicht fertige Plan abgieng. Schnell zog ich
an die beiden Seiten eines länglichen Vierecks die Scale der 4000
Toisen, und fieng, nach Maasgabe des Werks, vom *Chimborasso*
herein die Berghöhen einzuzeichnen an, die sich unter meiner Hand
wie zufällig zu einer Landschaft bildeten, *Antisana, Cotopaxi,* die
Meierei, Micuipampa, Quito, Mexiko an seinen Seen, kamen an ihre
Stelle, der höchsten Palme gab ich einen in die Augen fallenden
Platz, und bezeichnete sodann von unten hinauf die Gränze der Pal-
men und Pisangs, der Cinchona, ingleichen der Baumarten, Phanerogamen und Kryptogamen, und um zu bedeuten, daß wir vom Fluß-
bette, ja von der Meeresfläche zu zählen anfiengen, ließ ich unten
ein Crocodil herausblicken, das zu dem Uebrigen etwas colossal
gerathen seyn mag.

Als ich mit der Tages- und Lichtseite der Tropenländer so weit
fertig war, gab ich der alten Welt die subordinirte Schattenseite.
Hier verfuhr ich, der Composition wegen, umgekehrt, indem ich
den höchsten Berg, den *Montblanc,* voransetzte, und das *Jungfrauhorn,* sodann den *Pic* von *Teneriffa,* und zuletzt den *Aetna* folgen ließ.

Die Höhe des *Gotthardt's*, das Hospiz an dem Fuße desselben, die *Dole*, der *Brocken*, die *Schneekoppe* anzudeuten, schien mir hinreichend, weil die dazwischen fallenden Höhen gar leicht von jedem Liebhaber angezeichnet werden können. Als dies geschehen, zog ich die beiden *Schneelinien*, welche, da die höchsten Gebirge der neueren Welt in einer heißeren, die der alten hingegen in einer kälteren Himmelsgegend sich befinden, auch gar sehr an Höhe unterschieden seyn müssen.

Diejenigen Männer, welche die höchsten Höhen in beiden Welttheilen erklommen, persönlich anzudeuten, wagte ich kleine Figuren auf die beiden Puncte zu stellen, und ließ den Luftschiffer *Gay Lussac* nach seiner Angabe in Regionen schweben, wohin vor wenigen Jahren nur die Einbildungskraft den Menschen hinzuheben wagte.

Eine leichte Illumination sollte diese landschaftliche Darstellung noch besser auseinander setzen, und so entstand das Bildchen, dem Sie einige Aufmerksamkeit geschenkt haben.

Mehr wüßte ich nicht zu sagen; nur bemerke ich, daß solche symbolische Darstellungen, welche eigentlich nur eine *sinnliche Anschauung* der tabellarischen Behandlung hinzufügen, billig mit Nachsicht aufgenommen werden. Sie machen eigentlich weder an ein künstliches noch wissenschaftliches Verdienst Anspruch; dem Kenntnißreichen dienen sie zur heitern Wiederholung dessen, was er schon weiß; dem Anfänger zur Ermunterung, dasjenige künftig genauer kennen zu lernen, was er hier zum ersten Male und im Allgemeinen erfahren hat.

Weimar, den 8. April 1813.   *Göthe*

(In: Allgemeine Geographische Ephemeriden, Hrsg. v. F. J. Bertuch, 41. Bd. Weimar 1813.)

Anhang

Hauptwerke Humboldts nach Erscheinungsjahren

MINERALOGISCHE BEOBACHTUNGEN über einige Basalte am Rhein. Mit vorangeschickten, zerstreuten Bemerkungen über den Basalt der älteren und neueren Schriftsteller. Braunschweig 1790.

ÜBER DEN ZUSTAND des Bergbaus und Hüttenwesens in den Fürstentümern Bayreuth und Ansbach im Jahre 1792. Berlin 1959.

FLORAE FRIBERGENSIS specimen plantas cryptogamicas praesertim subterraneas exhibens. Edidit ... Accedunt Aphorismi ex doctrina physiologiae chemicae plantarum. Berolini 1793.

APHORISMEN aus der chemischen Physiologie der Pflanzen. Aus dem Lateinischen von Gotth. Fischer. Leipzig 1794.

VERSUCHE über die gereizte Muskel- und Nervenfaser nebst Vermuthungen über den chemischen Process des Lebens in der Thier- und Pflanzenwelt. Posen 1797.

ÜBER DIE UNTERIRDISCHEN GASARTEN und die Mittel ihren Nachtheil zu vermindern. Ein Beytrag zur Physik der praktischen Bergbaukunde. Mit. e. Vorrede Wilhelm v. Humboldts. Braunschweig 1799.

VOYAGE AUX RÉGIONS ÉQUINOXIALES du Nouveau Continent, fait en 1799, 1800, 1801, 1802, 1803 et 1804, par Alexandre de Humboldt et Aimé Bonpland. Rédigé par Alexandre de Humboldt. Große Ausgabe: Paris 1805-1834, 30 Bde.

Kleine Ausgabe: Paris 1816-1839, 30 Bände.

Die einzelnen Bände der großen Ausgabe:

Bd. I u. II. Plantes équinoxiales, recueillies au Mexique, dans l'Ile de Cuba, dans les provinces de Caracas, de Cumana et de Barcelone, aux Andes de la Nouvelle-Grenade, de Quito et du Pérou, et sur les bords du Rio Negro, de l'Orénoque et de la rivière des Amazones. Ouvrage rédigé par A. Bonpland. Paris 1808-1809.

Bd. III u. IV. Monographie des Mélastomacées, comprenant toutes les plantes de cet ordre recueillies jusqu'à ce jour, et notamment en Mexique, dans l'île de Cuba, dans les provinces de Caracas, de Cumana et de Barcelone, aux Andes de la Nouvelle-Grenade, de Quito et du Pérou, et sur les bords du Rio Negro, de l'Orénoque et de rivière des Amazones, mise en ordre par A. Bonpland. Paris 1816 und 1823.

Bd. V. Monographie des Mimoses et autres plantes légumineuses du Nouveau Continent, recueillies par MM. de Humboldt et Bonpland, décrites et publiées par C. Sigm. Kunth. Paris 1819-1824.

Bd. VI u. VII. Révision des Gramminées, publiée, dans la Nova Genera, précédée d'un travail général sur la famille des Gramminées par Ch. Sigm. Kunth. Paris 1829 und 1834.

Bd. VIII-XIV. Nova genera et species plantarum, quas in peregrinatione ad plagam aequinoctialem orbis novi collegerunt, descripserunt, partim adumbraverunt A. Bonpland et A. de Humboldt, ex schedis autographis A. Bonplandi in ordinem digessit C. Sigm. Kunth, accedunt A. de Humboldt notationes ad geographiam plantarum spectantes. Lutetiae Parisiorum 1815-1825.

Bd. XV u. XVI. Atlas pittoresque du voyage. Paris 1810. Auch unter dem Titel: Vues des Cordillères, et monuments des peuples indigènes de l'Amérique (deutsch: 1810).

Bd. XVII. Atlas géographique et physique du Nouveau Continent fondé sur des observations astronomiques, des mesures trigonométriques et des nivellements barométriques par A. de Humboldt. Paris 1814.

Bd. XVIII. Examen critique de l'histoire de la géographie du Nouveau Continent et des progrès de l'astronomie nautique au XVᵉ et XVIᵉ siècles. Paris 1814-1834 (deutsch: 1835).

Bd. XIX. Atlas géographique et physique du royaume de la Nouvelle-Espagne. Fondé sur des observations astronomiques, des mesures trigonométriques et des nivellements barométriques. Paris 1811.

Bd. XX. Géographie des plantes. Tableau physique des Andes et pays voisins. Paris 1805.

Bd. XXI u. XXII. Recueil d'observations astronomiques, d'opérations trigonométriques et de mesures barométriques, faites pendant le cours d'un voyage aux régions équinoxiales du Nouveau Continent depuis 1799 jusqu'en 1804. Réd. par Jabbo Oltmanns. Paris 1810.

Bd. XXIII u. XXIV. Recueil d'observations de zoologie et d'anatomie comparée faites dans l'Océan Atlantique, dans l'intérieur du Nouveau Continent et dans la Mer du Sud, pendant les années 1799-1803. Paris 1811 u. 1833.

Bd. XXV u. XXVI. Essai politique sur le royaume de la Nouvelle Espagne. Paris 1811 (deutsch: 1809).

Bd. XXVII. Essai sur la géographie des plantes, accompagné d'un tableau physique des régions équinoxiales, fondé sur les mesures executées depuis le dixième degré de latitude boréale jusqu'au dixième degré de latitude australe pendant les annés 1789-1803, avec une grande planche en couleur ou en noir. Paris 1805 (deutsch: 1807, 1960, 1963, 1974).

Bd. XXVIII-XXX. Relation historique du Voyage aux régions équinoxiales du Nouveau Continent, fait en 1799, 1800, 1801, 1802, 1803 et 1804. Paris 1814, 1819 und 1825 (deutsch nur in Auszügen).

IDEEN zu einer Physiognomik der Gewächse. Stuttgart 1806.

IDEEN zu einer Geographie der Pflanzen, nebst einem Naturgemälde der Tropenländer. Tübingen 1807. Deutsche Bearbeitg. von ›Essai sur la géographie des plantes‹. Goethe gewidmet.

ANSICHTEN DER NATUR, mit wissenschaftlichen Erläuterungen. Tübingen u. Stuttgart 1808, 2. erw. Aufl. 1826, 3. erw. Aufl. 1849.

ESSAI GÉOGNOSTIQUE sur le gisement des roches dans les deux hémisphères. Paris 1823.

VORLESUNGEN über physikalische Geographie nebst Prologomenen über die Stellung der Gestirne. Berlin im Winter 1827/28. Berlin 1934.

FRAGMENTS de géologie et de climatologie asiatiques. Paris 1831 (deutsch: 1832).

ASIE CENTRALE. Recherches sur les chaînes de montagnes et la climatologie comparée. Paris 1843 (deutsch: 1844).

KOSMOS. Entwurf einer physischen Weltbeschreibung. Stuttgart. Bd. 1. 1845, Bd. 2. 1847, Bd. 3. 1850, Bd. 4. 1858.

KLEINERE SCHRIFTEN. Stuttgart 1853 Bd. 1.

GESAMMELTE WERKE. Stuttgart 1889 12 Bde.: I.-IV. Kosmos. V.-VIII. Reise in d. Äquinoctial-Gegenden d. neuen Kontinents. IX. X. Versuch über d. polit. Zustand d. Königreiches Neu-Spanien. Angefügt: Pittoreske Ansichten d. Kordilleren u. Monumente amerik. Völker. XI. XII. Ansichten d. Natur. Versuch über d. polit. Zustand d. Insel Cuba. A. v. Humboldt. Lebensabriß.

Briefe Humboldts

Lettres américaines d'Alexandre de Humboldt (1798-1817) Ernest-Théodore Hamy, ed., Paris 1904.

Correspondance d'Alexandre de Humboldt avec FRANCOIS ARAGO (1809-1853) Ernest-Théodore Hamy, ed., Paris 1902.

Briefwechsel Alexander von Humboldt mit HEINRICH BERGHAUS (1825-1858) Leipzig 1863.

Briefe von Alexander v. Humboldt an CHRISTIAN CARL JOSIAS FREIHERR VON BUNSEN (1816-1856), Leipzig 1869.

Im Ural und Altai. Briefwechsel zwischen Alexander von Humboldt und Graf GEORG VON CANCRIN (1827-1832) Hg. v. Schneider und Russow, Leipzig 1869.

Briefe zwischen Alexander von Humboldt und GAUSS. Hg. v. Karl Bruhns, Leipzig 1877.

Alexander von Humboldt und das PREUSSISCHE KÖNIGSHAUS. Briefe aus den Jahren 1835-1857. Hg. v. Conrad Müller, Leipzig 1928.

Briefe Alexander von Humboldts an KARL AUGUST VARNHAGEN VON ENSE (1827-1858) Hg. v. Ludmilla Assing, Leipzig 1860.

Briefe Alexander's von Humboldt an seinen Bruder WILHELM. Hg. von der Familie v. Humboldt, Berlin 1923.

Alexander von Humboldt, Briefwechsel und Gespräche mit einem jungen Freund. Aus den Jahren 1848-56, Berlin 1861.

Werke über Humboldt

ALEXANDER VON HUMBOLDT 14. 9. 1769—6. 9. 1859: Gedenkschrift zur 100. Wiederkehr seines Todestages. Hg. v. d. Alexander von Humboldt-Kommission d. Dt. Akademie d. Wissenschaften zu Berlin, Berlin 1959.

BECK, Hanno: Alexander von Humboldt. 2 Bde., Wiesbaden 1959 bis 1961. (Mit vollständiger Bibliographie.)

Gespräche Alexander von Humboldts. Berlin 1959.

Alexander von Humboldt und

Mexiko. Bad Godesberg 1966.
BITTERLING, Richard: Alexander von Humboldt. Ein Lebensweg in Bildern. Berlin 1959.
BRUHNS, Karl: Alexander von Humboldt. 3 Bde., Leipzig 1872.
KELLNER, Lotte: Alexander von Humboldt. London 1963.
LEITZMANN, Albert: Eine Jugendfreundschaft Alexander von Humboldts, in: Deutsche Rundschau, Berlin 1915.

MEYER-ABICH, Adolf: Alexander von Humboldt in Selbstzeugnissen und Bilddokumenten. Reinbek bei Hamburg 1967.
PFEIFFER, Heinrich (Hrsg.): Alexander von Humboldt – Werk und Weltgeltung. München 1969.
ULE, Otto: Alexander von Humboldt. Berlin 1869.
TERRA, Helmut de: Alexander von Humboldt und seine Zeit. Wiesbaden 1956.

Als Quellen für seine Biographie benutzte Douglas Botting hauptsächlich Humboldts Südamerika-Werk, die ›Ansichten der Natur‹ und den ›Kosmos‹ sowie die Briefwechsel Humboldts mit Arago, Varnhagen von Ense, Wilhelm von Humboldt und die ›Lettres américaines‹. Von den oben genannten Werken der Sekundärliteratur konsultierte er Hanno Beck, Karl Bruhns, Lotte Kellner, Heinrich Pfeiffer, Joachim H. Schultze, Helmut de Terra.

FOTONACHWEIS

Seite 28 Bruhns, s. Bibliographie, I, 157; *29* dto. I, 155; *45* dto. I, 172f.; *50* dto. I, 212f.

A. v. Humboldt I, 260f.

56f. Beck, s. Bibliographie

58 Leitzmann, s. Bibliographie, 112f.; *59* dto. 113; *60* dto. 115

64f. Bruhns I, 246f.; *68* dto. I, 254; *73* dto. I, 264; *81* dto. I, 274; *84f.* dto. II, 314ff.; *86f.* dto. II, 321ff.

87f. A. v. Humboldt, Reise in die Aequinoctialgegenden des neuen Continents. Dt. Bearbeitung Hermann Hauff. Von Humboldt anerkannte Ausgabe in dt. Sprache, 6 Bände, Stuttgart 1860-61. Im folgenden zitiert als ›Hs. Reise‹ I, 144f.

91 Bruhns II, 318f.; *96* dto. II, 322f. *98* Hs. Reise I, 230f.; *117* dto. II, 194; *123* dto. II, 47

125 Bruhns

133 Hs. Reise II, 297; *139* dto. III, 24f.; *145* dto. III, 78; *147f.* dto. III, 143, 144, 148, 157; *162* dto. IV, 24f.; *169f.* dto. IV, 122f.; *170* dto. IV, 148

178 Meyer-Abich, s. Bibliographie, 89

184 Bruhns II, 375

187ff. A. v. Humboldt, Über einen Versuch den Gipfel des Chimborazo zu ersteigen. In: Kleinere Schriften, s. Bibliographie, 132ff.

192, 198, 200f., 201, 202, 205f. 219, 227f. Übersetzungen aus dem Englischen

233 Beck, A. v. H., 264 Anmerkung *238* Bruhns III, 12

265 Wilhelm und Caroline v. Humboldt in ihren Briefen. Hg. von Anna von Sydow, 7 Bände, Berlin 1906-16: IV, 188

265f. Brief von A. v. Humboldt an Caroline, s. Bibliographie, Briefe A. v. Humboldts an seinen Bruder Wilhelm, 221

267 Beck, A. v. H. II, 36

271f. Wilhelm und Caroline v. Humboldt in ihren Briefen VI, 46

273f. Beck, s. Bibliographie, Gespräche A. v. Humboldts, 70

276 Übersetzung aus dem Englischen

278 Bruhns III, 118, Fußnote 4

287 Bruhns III, 156

295f. Briefe A. v. Humboldts an seinen Bruder Wilhelm, siehe Bibliographie, 170f.

297 Bruhns III, 439; *299* dto. III, 442f.; *309* dto. II, 211f.

311f. Briefe von A. v. Humboldt an Varnhagen, 20 (Brief 16); *315* dto. 22f.

315f. Übersetzung aus dem Englischen

319 Brief an Arago, Dezember 1840; *323* dto. Mai 1848: Übersetzungen aus dem Französischen

324 A. v. Humboldt, s. Bibliographie, Briefwechsel und Gespräche mit einem jungen Freund, 27

325 Brief an Arago, 1849: Übersetzung aus dem Französischen; *330* dto.

328f., Übersetzung aus dem Englischen; 330 dto. *332* Bruhns IV, 437 f., 440; *334* dto. IV, 443

Abbildungen nach Originalwerken Humboldts

11/12 Aus: Alexander von Humboldt, Versuche über die gereizte Muskel- und Nervenfaser, Posen 1797.

18 Lithographie, gezeichnet von Marchais nach einer Skizze von d'Oxonne. Aus: Atlas pittoresque du voyage (Vues des Cordillères) Paris 1810. Bde. xv/xvi der großen französischen Ausgabe des Reisewerks Humboldt-Bonpland, Tafel 69.

19 Lithographie, gezeichnet von einem Maler aus Wilhelm von Humboldts römischem Künstlerkreis nach einer Skizze von A. v. Humboldt. Aus: Atlas pittoresque du voyage, Tafel 4.

20 Lithographie, gezeichnet von Gmelin nach einer Skizze von A. v. Humboldt. Aus: Atlas pittoresque, Tafel 22.

21 Lithographie, gezeichnet von Koch nach einer Skizze von A. v. Humboldt. Aus: Atlas pittoresque, Tafel 5.

22 Lithographie, gezeichnet von Gmelin nach einer Skizze von A. v. Humboldt. Aus: Atlas pittoresque, Tafel 19.

23 Lithographie, gezeichnet von Gmelin nach einer Skizze von A. v. Humboldt. Aus: Atlas pittoresque, Tafel 7.

24 Lithographie, gezeichnet von Gmelin nach einer Skizze von A. v. Humboldt. Aus: Atlas pittoresque, Tafel 16.

25/26 Lithographien nach Humboldt-Skizzen. Aus: Recueil d'observations de zoologie et d'anatomie comparée, Paris 1805, Bde. xxiii/xxiv der großen franz. Ausgabe des Reisewerks, Tafeln vii u. ix.

27 Lithographie, gezeichnet von F. H. Michaelis nach einem Entwurf von A.v. Humboldt. Aus: Atlas géographique et physique du Nouveau Continent, Paris 1814. Bd. xvii der großen franz. Ausgabe des Reisewerks.

29 Lithographie, gezeichnet von Gmelin nach einer Skizze von A. v. Humboldt. Aus: Atlas pittoresque, Tafel 43.

31 Lithographie von Sellier nach einer Zeichnung von Turpin. Aus: Plantes equinoxiales, Bd. 1 der großen franz. Ausgabe des Reisewerks. *Ausfaltblatt:* Kupfertafel zu A. v. Humboldt, Ideen zu einer Geographie der Pflanzen, Tübingen 1807

überreicht diese Schrift mit dem Wunsch, das weltweite Wirken ihres Namenspatrons und Vorbilds aufzuzeigen.

Außer vielfältigen Anregungen und Denkanstößen, die Alexander von Humboldt seiner Zeit gegeben hat, außer dem Weitblick, den er für die wissenschaftlichen und technischen Probleme der Zukunft und bevorstehende gesellschaftliche Wandlungen bewiesen hat, soll an dieser Stelle besonders auch die persönliche Hilfe und Unterstützung hervorgehoben werden, die er vor allem jungen, noch unbekannten Forschern zuteil werden ließ. So hat er den Chemiker Justus von Liebig, den Mathematiker Carl Friedrich Gauß, die Brüder Jacob und Wilhelm Grimm, wie auch zahlreiche Künstler des In- und Auslandes tatkräftig unterstützt.

Die Alexander von Humboldt-Stiftung wurde zwar nicht von Humboldt selbst, aber bereits ein Jahr nach seinem Tode von seinen Freunden und zu seinem Andenken 1860 in Berlin gegründet. Sie erhielt größere finanzielle Beträge u. a. von der Royal Society in London und der Akademie der Wissenschaften in Petersburg und stand unter der Verwaltung der Preußischen Akademie der Wissenschaften. In dieser Periode unterstützte sie Reisen deutscher Naturforscher ins Ausland. 1923 verlor sie in der Inflation ihr Kapital.

Bereits zwei Jahre später wurde sie vom Deutschen Reich mit veränderter Zweckbestimmung erneut ins Leben gerufen. Seitdem ist es ihre Aufgabe, ausschließlich ausländische promovierte Wissenschaftler mit Forschungsstipendien zu fördern, damit diese in Deutschland (und Europa) ihre selbstgewählten Forschungsvorhaben durchführen können. Die Humboldt-Stiftung hat seit 1953 ihren Sitz in Bonn-Bad Godesberg. Sie bemüht sich, die internationale wissenschaftliche Zusammenarbeit auf allen Fachgebieten zu fördern, und bezieht pro Jahr etwa 400 ausländische Wissenschaftler ohne Ansehen der Nationalität, Rasse, Religion oder Weltanschauung des einzelnen in das Förderungsprogramm ein.

Bisher konnten nahezu 5000 hochqualifizierte Wissenschaftler des Auslandes mit einem ein- bis zweijährigen Forschungsstipendium unterstützt werden. Diese ehemaligen Humboldt-Stipendiaten sind nach Rückkehr in ihre Heimatländer vorwiegend als Hochschullehrer tätig; sie sind Freunde und Partner der Stiftung geblieben und werden von ihr, wenn immer nötig, in ihrer wissenschaftlichen Arbeit weiter gefördert. Das Beispiel, das Alexander von Humboldt gegeben hat, wird durch sie weiter wirken und weitergetragen werden.

Für entgegenkommende Unterstützung bei Bild-
und Quellenbeschaffung dankt der Verlag der
Universitätsbibliothek in Tübingen, der Zentral-
bibliothek in Zürich, der Staatsbibliothek in München, dem Deutschen Museum in München, der
Bibliothek des Zentralinstituts für Kunstgeschich-
te in München sowie Frau Elisabeth Halm und
Herrn Dr. R. Arnim Winkler in München. Für
freundlichen Rat und Hilfe sei auch den Herren Dr.
Kurt Busse und Prof. Friedrich Klemm gedankt.